大學叢書

中國外交史

上冊

傅啓學編著

臺灣商務印書館發行

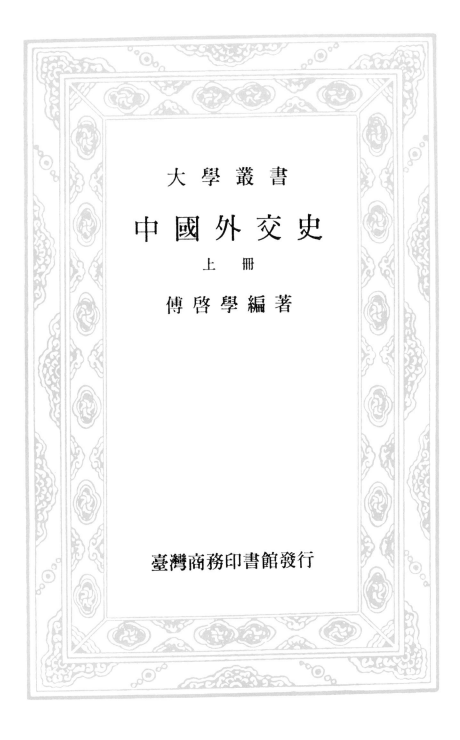

自序

民國四十六年十月拙著中國外交史初稿出版，曾印行三版。十餘年來，余在臺大擔任課程，主要者係中國外交史，在教學時，曾有若干增刪與修正。此次出版，可以說是個人最後修正本，因余年屆七十，目力已差，無法再博覽羣書也。

本書分爲上下兩卷，上卷爲近代外交史，敍述清朝外交歷史；下卷爲現代外交史，敍述民國外交歷史。清朝外交歷史，係中國由一等强國淪爲三等弱國之歷史，亦係締結不平等條約之歷史。民國外交史則係廢除不平等條約，中國由三等弱國，進步爲一等强國之歷史。故講述中國外交史，實不能忽略民國史實。關於近代外交史，在臺出版者，有黃正銘先生、劉求南先生、方豪先生等所著中國外交史，可供參考。劉彥先生在大陸出版之中國外交史，敍述至民國十四年。張忠紱先生所著中華民國外交史，敍述至民國十一年華盛頓會議。民國十四年七月一日國民政府成立後之外交史，則頗少系統之著述。本書對於十四年以後，至第二次世界大戰結束時之外交歷史，敍述較詳，幾佔篇幅五分之三，蓋欲使讀者對中國外交史，有一整個之概念也。本書對於外交經過及結果，多有論斷，自知所見未必正確，不過聊供讀者之批評與參考而已。

現稿與初稿不同之處有四：一、初稿對於三十二年中美、中英新約，三十四年中蘇友好同盟條約，四十一年中日和平條約，皆照錄全文，現外交部已出版中外條約輯編，附錄全文已無必要，故將上項條約全文刪去，僅錄其要點。二、初稿對引用資料，節錄較多，現稿則儘量削減，僅保留最重要部份。三、初稿有編排失當，眉目不淸之處，如十六年對俄絕交，二十一年對俄復交，初稿分列於兩章，現稿則併爲一章。又如初稿在對日抗戰期間，日本數次所提和平條約，並未明白標出，現稿則分別標明，可減省讀者之困難。現稿各章子目，較初稿多有改正，以讀者閱讀便利爲主。四、初稿約有六十二萬字，現稿刪去者約七萬字，增補者約有二萬字。

本書係作者二十年不斷研究之成果，惟資料蒐輯欠周，論述或有失當，尙祈讀者不吝指正！

本書承商務印書館出版，列爲大學叢書；最後一校時，適逢目疾大作，不能校閱，由臺大政治研究所嚴和平君代爲校正，並整編索引；謹此一併誌謝！

民國六十一年一月二十日傅啓學序於臺北

中國外交史

目錄

上卷　中國近代外交史

下卷　中國現代外交史

中國外交史

上卷　中國近代外交史

第一章　緒論

第一節　外交

一、外交的發生

外交（Diplomacy）關係，必須有二個以上獨立國家對峙，其作用始能發生。我國在春秋戰國時代，諸侯互相對峙，除運用武力之外，不能不講求外交。春秋霸主齊桓公晉文公等，對同盟諸侯都要敦睦邦交，春秋時代能否掌握覇權，要看諸侯的向背。戰國時代七雄並立，各國主持政柄的君主，都要招賢納士，以了解敵國的實情。商鞅本是衞國的貴族，可以作秦孝公的丞相；吳起本是魏國的名將，可以作楚悼王的令尹。後來秦國强大，六國的最大問題便是如何對付秦國。六國的外交政策不出兩途，卽所謂「合從」和「連衡」。韓非子說：「從者，合衆弱以攻一强也；衡者，事一强以攻衆弱也，」從就是聯合六國以攻秦，衡就是聯秦以攻各國，外交關係遂因以發生。

秦漢時代，中國已統一，在中國境內，已無外交問題發生。漢代對於匈奴，雖時和時戰，但和時都是「以賄求安」，並無正常外交關係。在三國時代，因三國鼎立，尙發生外交作用。三國以後，中國雖時常分裂，或時遇外患，但未發生正常外交關係。孫中山先生在「中國存亡問題」說：「中國向來閉關自守，非以人爲隸屬，卽與人爲戰爭。中國對於匈奴、吐番、回紇、契丹、女眞等，雖有和好，皆以賄求安，初無所謂外交手段。惟無外交經驗，故海禁初開，動輒與人衝突。衝突之後，斲喪隨之，於是凡百惟隨，只求留存體面，久之則又不可忍，而爲第二次衝突。平時雖有外交關係，實未嘗有外交手段。」（註一）中國從秦始皇統一六國起（前二二一年），到鴉片戰爭訂立南京條約止（一八四二年），約有二千一百年，在此期間，亞洲沒有一個獨立文明國家，和中國對峙，所以少有外交經驗。我國在十九世紀中葉，與英美法俄各國都有外交問題發生，但因無外交經驗，不懂外交手段，自屬自然現象。

歐洲外交問題的發生，是在東羅馬帝國衰微，民族國家建立以後。希臘時代城市國家林立，外交關係較爲發達。羅馬帝國成立，統一地中海沿岸歐亞非三洲土地，疆土廣大，勢力雄厚，對於四鄰小國，不視爲附庸，就視爲蠻夷，不認其他獨立國的存在，是時外交關係，毫無機會發生。一四五三年東羅馬帝國爲土耳其滅亡，神聖羅馬帝國日趨衰微，西班牙、葡萄牙、荷蘭、瑞典、奧大利、英吉利、法蘭西、俄羅斯、普魯士、先後建立民族國家，歐洲大小諸國，羣起獨立，在各國互爭雄長之下，不能不連結友邦，外交關係遂以建立。

二、外交的目的

外交的目的，在實現國家的目的。國家最基本的目的，在保持本身的生存和發展。所以國家的一切活動，消極方面在維持本身的生存和獨立，積極方面卽在謀本身的發展。國家爲求生存和發展，在利害不同的國家間，不能不講求外交之道。一個獨立强盛的國家，欲謀繼續的發展，必須多求友邦，少樹敵國。對於友邦要講信修睦，親善邦交；對於敵國如無必勝把握，也要力謀妥協，避免戰爭。俾士麥爲聯合奧大利，在一八六六年普奧戰爭勝利後，對奧大利不用壓迫手段，而訂立不割地不賠款的光榮和約。一八七〇年普法戰爭後，俾士麥知道法德仇恨的難解，一八七二年德奧俄三國訂立三帝同盟，一八八二年德奧意締結三國同盟。俾士麥除結合奧意兩國爲同盟外，並採取孤立法國政策，在東歐與帝俄維持友善關係，在海上避免與英國衝突，同時並慫恿法國向海外發展。法國遂於一八八一年侵佔北非突尼斯，一八八五年侵佔越南，一九〇一年侵佔北非摩洛哥。德國在此期間，維持歐洲和平，德國科學工業始有突飛的發展，德國變爲世界最强盛的國家，這是德國外交的成功。一八九〇年俾士麥下野，威廉二世違背俾士麥外交政策，企圖獨霸歐洲，與英俄均發生衝突，法國遂得乘機突破孤立的狀態；一八九二年法俄訂立攻守同盟，一九〇四年英皇訪問法國，英法北非協定成立，於是歐洲局勢，形成德奧意和英法俄對峙的局面。

大英帝國的基礎在印度，英國的一切外交手段，均爲保持印度。庚子之役以後，俄國侵佔我東北，英國爲制止俄國在亞洲的發展，一九〇二年締結英日同盟。第一次歐戰後，日本强大，有危及印度的趨勢，一九二一年華盛頓會議時，英國遂廢棄英日同盟，聯美以制日。一九四九年蘇俄走狗共匪侵佔大陸時，一九五〇年一月英國承認共匪政權，卽係爲保全印度而買好蘇俄。此後印度尼赫魯的中立路線，不過是在英國暗示之下，企圖犧牲中國，以保全印度而已。

三、外交的意義

外交的目的，在維持國家的生存和發展；外交關係的發生，要在若干獨立國家互相對峙之下，由此可推知外交的意義。在若干利害不同國家中，欲謀本國外交的順利，應了解外交知識，如國際公法國際政治國際條約等，以處理對外的交涉；同時應運用外交手段，如智謀權術等，以應付對外的交涉。所以外交的意義，應包括「學」與「術」二者。

現代的學者對外交的解釋，多認爲外交不僅是術，而且是學。英國學者沙多（ Sir Erneset Satow ）下外交定義說：「外交是運用智慧權謀（ Inteligence and Tact ），處理國際間相互關係。」所謂智慧，屬於學；所謂權謀，即屬於術。（註二）法國學者馬丁（ Martens ）下外交定義說：「廣義言之，外交者，國家對外關係或涉外事件之科學，狹義言之，即交涉之學與術也，」（註三）美國學者黑爾西（ Hershey ）說：「外交從廣義言之，實涉及國家或國際政策的目的，和外交事件或國際關係的行爲。」（註四）楊振先在「外交學原理」解釋說：「外交一道，非舍學而求術，亦非求學而舍術，乃合二者而有之。蓋有術無學，則失之黠；有學無術，則失之虛。學如樹之莖，術如樹之果，二者缺一不可。所謂學者，即具有國際公法，國際政治，國際條約等的外交知識。所謂術者，即具有應付國際事件及對外交涉的手段。」（註五）翟楚在「近代外交論」說：『外交爲一國對於國際關係的處理，規劃政策運用政略的學與術。』（註六）

外交是合學與術二者而有之，外交可稱爲外交術，但外交學一名較外交術更完善，因學可以包括術，有高深的學問，才可以設計適當的權術。孫中山先生說：革命的基礎在高深的學問；青年守則說：學問為濟世之本；就是闡明這個基本的意義。

國人談及外交，卽連想到蘇秦張儀的合從連橫，以為外交不過權謀手段的運用，殊不知外交家與軍事家同樣重要，有時比軍事家還更重要。孫子兵法說：「知己知彼，百戰不殆；不知彼而知己，一勝一負；不知彼，不知己，每戰必敗。」知彼的方法就在「用間」。軍事家要知彼知己，外交家更要知彼知己。在遜清時代，主持外交者，不知彼不知己，每逢對外交涉，多是喪權辱國，民國以來，主持外交者，已進步到知己的程度，但還不知彼，外交上仍屢遭挫敗。

中國過去外交的過失，不料在自由世界中還有這種現象。羅斯福總統不知己不知彼，簽訂了雅爾達密約，造成蘇俄今日猖獗的局勢。哈里士（Harris）教授在歐洲與東方（Europ and East）一書第六〇二頁中，感慨的說：「今日之世，不學無術，實鑄成國際舞台之大錯，缺乏眼光，無以了解世界各國之政治的、心理的、道德的、社會的趨勢，其咎亦不亞於愚昧無知也。」（同註三）

第二節　外交原則與外交政策

論外交政策（Foreign policy）者，每將外交政策與外交原則（Principle of Foreign Policy）混為一談，楊著外交學原理說：「外交政策者，一國對外所決定的方針」，可為一證。（註七）外交原則與外交政策實有顯著的差別。外交原則，係由外交目的確定，乃一國對外行動的準則；一國依其地理歷史政治諸種環境，所確定的基本原則。外交政策乃實現外交原則的方略。此種方略因時勢的推移，環境的轉變，利害的取捨，而可以隨機應變。所以外交原則是不易變動的，外交政策則可隨機應變。（註八）

英國爲維持大英帝國，近百年來外交原則，是「不許歐洲有一最强國發生」，若有一較强國發生，「即聯合較弱之國，以摧抑當時最强之國」。英國此項外交原則，百餘年來迄未變更。英國在此原則之下，其外交政策則屢有改變。英國在十八世紀從法國路易十四起，至拿破崙第一止，均以法國爲敵，因是時法國最强，英國不惜聯合各國以倒法。自法國摧敗以後，英國不復忌法，而俄國逐漸發展，勢將吞併土耳其，以危及英國埃及波斯等地的利益。在十九世紀中期，英國遂轉變外交政策，親法而敵俄，扶助土耳其以抵抗俄國；一八五三年克里米戰爭，即聯法以倒俄。英國在歐洲聯合法德以敵俄，在亞洲聯結日本以制俄。日俄戰爭後，俄國挫敗，而德國勢力日益隆盛，於是英國又不以俄國爲敵，轉結諸國以敵德。（註九）由英國實例視之，外交原則是不易變動，而外交政策則可隨時改變。

孫中山先生決定中國外交原則共有三種：一、要有獨立不撓的精神。獨立不撓的精神，就是要有自主的外交，不可以利誘，不可以勢劫。二、聯合以平等待我之民族。立國於世界，不能不與各國交往，即不能不選擇友邦聯合，但可以聯合的友邦，必須根據平等互惠的原則。三、濟弱扶傾政策。我國在自由平等未獲得以前，要有獨立不撓的精神，不爲利誘，不爲威脅，僅可聯合以平等待我的民族。我國强盛之後，應立定濟弱扶傾志願，爲弱小民族解除痛苦，實現各民族一律平等的大同世界。孫先生當時權衡世界局勢，決定中國外交政策，認爲最不可爲中國之友者，即爲唯利是圖，不惜犧牲盟友買好敵人的英國。中國應預爲防備者，爲有野心征服世界蠻橫强暴的俄國，認爲中國今日欲求友邦，不可求之於美日以外，美日兩

國均可為中國之友，中國不應挑撥美日的衝突，而要促進美日的合作。（註十）

第三節　外交手段

孫中山先生「中國存亡問題」第一章說：「國家既不可長從事於戰爭，而對外關係則有日增而無日減，於此關係日密之際，不能用戰爭以求達其存在發展之目的，則必求其他之手段，所謂外交者由是而發生。凡國家之政策既定，必須用外交手段以求達目的，外交手段既盡，始可及於戰爭。戰爭既畢，仍當復於外交之序，故國與國遇，用外交手段與用戰爭手段，均為行其政策所不可闕者。然用外交手段之時多，用戰爭手段之時少，用外交手段者通常之軌則，戰爭手段者不得已而用之。不得已云者，外交手段既盡，無可如何之謂也。」孫中山先生所稱外交手段，即沙多所說的「運用智慧權謀處理國際間相互關係」。

外交目的在謀國家生存和發展，外交原則在確定國家的基本態度，外交政策為實現外交原則的方略，外交手段則是運用智慧權謀，以實現外交政策的企圖。「凡國家政策既定，必先用外交手段以求達其目的」。一個國家的外交原則和外交政策，是一個國家的大計，是國家權力機關的決定；至如何用外交手段，以實現外交政策，則是外交家的任務。

外交手段是運用智慧權謀，而不是虛偽欺詐，只圖損人利己。孫先生在同章又說：「兩國之相遇，猶二人之相處，其間之行動，固有損己始能益人者，亦有不必損人始能益己者，擇其不損人而可以益己之道而行之，則外交之手段，可以畢其事。若必損人以求益己，自然陷入戰爭。然而戰爭勝時，所得尚恐不償所失，戰爭而敗，則尤不堪矣。」外交手段的最大成功，是在不損人而利己。

俾士麥一八七一年至一八九〇年的外交手段，即是不損人而利己；威廉第二主政，自恃德國之富强，企圖損人而利己。所以在俾士麥時代，英俄與德國均無衝突，法國陷於孤立。在威廉第二時代，遂促成英法俄的協約，以至發生第一次世界大戰。

第二次世界大戰前後最會使用損人利己的外交手段者，首推蘇俄。在第二次世界大戰以前，蘇俄爲使德國向英法進攻，一九三九年八月二十二日簽訂德蘇互不侵犯協定；德國無東顧之憂，九月一日即進攻波蘭。一九四五年二月十一日雅爾達協定，以侵佔中國東北利益爲條件，允諾對日參戰。一九五五年爲制止西德武裝，以取消法蘇友好條約向法國威脅，以取消英蘇友好條約向英國威脅，蘇俄外交手段的運用，都是損人而利己。蘇俄當局在其成功之時，未嘗不引爲得計，然蘇俄咄咄逼人的態度，在第二次世界大戰期間，卒遭一九四一年六月德國的攻擊；雅爾達協定結果，釀成今日世界緊張的局勢。蘇俄在國際間信用掃地，除用威脅利誘手段之外，在國際間已不能活動。

一個國家要立於不敗之地，必須有長久的打算。爲國家長治久安計，外交手段的運用，應以不損人而利己爲原則。但外交手段要如何運用呢？孫子兵法的指示，適用於戰爭，也適用於外交。孫子兵法第二章說：「知己知彼，百戰不殆」，外交手段的運用，首先要知己知彼。孫子兵法同章又說：「上兵伐謀」，所謂伐謀，就是擾亂敵人的作戰計劃。外交手段的伐謀，是在使敵國或友國對本國不利的外交，有所顧忌。所以外交手段的目的，是在維護本國的利益；實現本國的外交政策。外交手段的運用，首先要知己知彼；能夠知己知彼，外交才能立於主動地位，才可達到「上兵伐謀」的地步。

如何才能「知彼」呢？孫子兵法第十三章說：「明君賢將，所以動而勝人，成功出於衆者，先知也。先知不可取於鬼神，不可象於事，不可驗於度，必取於人，知敵之情者也。故用間有五：有鄉間，有內間，有反間，有死間、有生間，五間俱起，莫知其道，是謂神紀，人君之寶也。」知彼必須「先知」，先知必須有情報；情報之獲得，第一不可卜於鬼神，第二不可僅憑過去的經驗，第三不可依靠推測，而必須得人的情報。今日所謂第五縱隊，就是內間，今日的大使公使領事，就是生間。

外交手段以常理論之，應以不損人而利己爲原則，但在用內間，反間時，則不能不損人。今天蘇俄用間的手段，已達到了最高峯，孫子所說的五種間諜，蘇俄都已充分的利用。蘇俄用間的手段，由孫子用間篇來觀察，也不足爲奇。歐洲歷史上外交家所用的外交手段，有許多更是不擇手段的。

美國加洲大學外交史教授翁柏遜（J. W. Thompson）所著秘密外交（Secret Diplomacy）一書，敍述歐洲一五〇〇年至一八一五年的外交秘史，在緒論開端，用實例說明從前刺探和傳達外交秘密的方法。從他的著述中，可知道在這三百多年中，外交是詭計多端的，是講究權術的，並不注意國際道義。當時外交上用的方法，大致有下列數種。（一）保守自己外交上的秘密；文件用密碼寫，而且時常更換。密碼有用字母的，有用數目字的，還有用音樂符號的。重要的文件，不用郵寄，而派專人送遞。其次是設嚴密的警察機關，以防止他人探取外交秘密。（二）刺探他國外交秘密，最普通的是偵探，行賄，和截取文件。外交官可以說是間諜的指揮者，甚至有用偷取的方法的。（三）其他方法，包括陰謀，行賄，說謊，宣傳，暗殺等。以上所舉的方法，據翁柏遜說：十六世紀是權宜使用的，十七世紀已成爲必要手段，十八世紀進步成爲當然的制度。（註十一）

第四節　中國外交史概略

中國與歐美各國的外交，可分爲六個時期。第一個時期從一八四二年的中英南京條約，到一八六〇年的中英、中法、中俄北京條約，是爲中國閉關主義被打破的時期。第二個時期從一八六一年起，到一八九四年中日甲午戰爭前，是爲中國外交的小康時期。第三時期從一八九五年起，到一九一九年巴黎和會止，爲中國被列强宰割時期。第四個時期從民國八年中國拒簽巴黎和約起，到民國二十年九一八事變止，爲中國廢除不平等條約時期。第五個時期從九一八事變起，至民國三十四年二月雅爾達會議止，爲日本侵略中國時期。第六個時期從雅爾達會議起到現在止，爲俄國侵略中國時期。

一、中國閉關主義打破時期

一五七三年（明隆慶七年）中國承認葡萄牙人租居澳門：一六八九年（清康熙二十八年）與俄國締結尼布楚條約，中俄兩國國界以額爾古納河及外興安嶺爲界。中國是時雖與歐人接觸，但未發生正常外交關係。鴉片戰爭中國失敗，締結一八四二年的南京條約，開五口通商後，美法兩國接踵而來，締結中美望廈條約、中法黃埔條約。各國雖然與中國通商，僅限於長江以南的上海寧波福州厦門廣州五口，英美法各國均不能派使駐節於北京。到一八五八年清廷被迫簽訂中英、中法、中美、中俄天津條約，一八六〇年英法聯軍攻破北京，締結中英、中法、中俄北京條約後，中國才受了不平等條約的束縛。中國允諾增開天津、牛莊、登州、鎭江、九江、漢口各商埠，並允諾英、美、法各國公使駐於北京，中國的閉關主義才全部打破。

在此時期英法兩國以武力在中國取得的利益，美俄兩國同樣享受，尤以俄國侵佔利益最大。中俄尼布楚條約締結後，俄國不敢東侵有一百六十年。自鴉片戰爭以後，俄國窺知中國虛實，又積極東進，乘英法武力侵略的機會，一八五八年逼迫黑龍江將軍奕山締結瑷琿條約，重新劃定國界，中俄北境國界以黑龍江爲界，烏蘇里江以東則規定由中俄兩國共管。一八六〇年中俄北京條約，正式承認以黑龍江烏蘇里江爲中俄兩國國界。俄國以笑面外交，僞裝調停，竟不費一兵，不折一矢，奪取我黑龍江以北烏蘇里江以東的廣大領土。

二、中國外交小康時期

北京條約締結後四年，一八六四年太平天國滅亡，清廷號稱中興。在此三十年之內，清廷雖然喪失藩屬，國際地位並未顯著低落。但因清廷不明國際公法，不知外交手段，應付多有不當。例如一八七一年與日本簽訂的修好條約及通商章程，日本要和西洋各國的條約一樣，李鴻章加以拒絕，結果是規定彼此均享有領事裁判權及協定關稅權。

在此期間，中國實力尙强。俄國於一八七一年侵佔伊黎，因左宗棠平定新疆後，崇厚與俄國交涉失敗，曾紀澤尙可挽救成約，收回一部權利。日本於一八七四年進攻臺東，中國能促使日本軍隊撤退，日本尙不敢與中國正式開戰。一八八四年中法戰爭，中國雖然放棄安南，法國也未獲光榮的勝利。中國在此時期，仍是世界一等國家，不過不是强大國家，而是一個弱大國家。

三、中國被列強宰割時期

甲午戰爭失敗，一八九五年四月訂立中日馬關條約後，中國國際地位一落千丈，外人對中國的觀念變化，認為中國勢將步非洲之後，為列强分據。當日西人論中國的書籍，多以「中國之割裂」（The Break up of China），「中國之瓜分」（The Partition of China）為題。茲將此時期大事分述於次：

一、中國仇日親俄。一八九六年李鴻章赴俄，締結中俄密約，以日本為對象，承認俄國西北利亞鐵路，可以橫貫中國東三省北部，直達海參威，中國從此引狼入室。

二、各國在中國奪取權利。一八九八年三月六日德國强租膠州灣，三月廿七日俄國强租旅順大連，五月廿七日法國强租廣州灣，七月一日英國强威海衞。各國除强租中國港口外，且在中國境內劃分勢力範圍。一八九七年三月十五日法國獲得中國之承認；海南島不得割讓他人。一八九八年四月十日復獲得中國之承認，安南鄰近之省分，不得割讓他人。一八九八年二月十一日英國獲得中國之承認，揚子江流域不得割讓他人。同年四月廿六日日本獲得中國之承認，福建不得割讓他人。此外，列强復以鐵路政策侵入中國。一八九八年三月二十七日俄國獲得自哈爾濱修造鐵路，直達遼東半島之權利。法國於一八九五年六月二十日獲得中國政府允許，可以將安南鐵路延長至中國境內；一八九八年四月十日復獲得建造自安南邊境至雲南府鐵路之權利。德國於一八九八年三月六日獲得山東省建造自膠州灣經濰縣至濟南，及自膠州至沂州經萊蕪至濟南兩路之權利。英國於一八九七年二月四日獲得緬甸鐵路與雲南鐵路銜接之權利。

三、美國門戶開放政策。一八九九年九月六日美國國務卿海約翰（John Hay）提出對華門戶開放政策，徵詢各國同意，英、法、日、意、德五國先後表示同意，惟俄國答復含混。一九〇〇年三月美國宣稱門戶開放政策，爲列强的共同對華政策。

四、中國反抗的悲劇。列强的蠻橫壓迫，激起我國朝野的反抗，清廷更利用義和團的力量，於一九〇〇年六月廿一日發布宣戰詔諭，與有條約各國一律宣戰。結果有八國聯軍之役，於一九〇一年九月十七日締結辛丑條約。

五、由仇日親俄到仇俄親日。義和團事變後，俄國强佔我東三省，因俄國的蠻橫侵略，和日本態度的和善，我國逐漸改變對日俄兩國態度，由仇日親俄，一變而爲仇俄親日。在一九〇四年日俄戰爭時，我國是希望日本勝利，人民且協助日本作戰。故當日俄締結樸資茅斯和約後，我國卽與日本締結中日滿洲協約，承認日本取得俄國過去在南滿的權利。

六、日俄妥協壓迫中國。日俄戰爭，日本取得中國好感後，日本外交卽走入岐途，與俄國妥協，共同壓迫中國。一九〇七年訂第一次日俄密約，劃定兩國在中國東三省侵略範圍。爲反對美國所提東三省鐵道中立計劃，於一九一〇年六月二十一日訂立第二次日俄密約，使美國提倡的門戶開放政策，不能實行於東三省。民國元年（一九一二年）七月八日訂立第三次日俄密約，協定在內蒙古的勢力範圍。民國五年七月三日締結日俄協定，由俄國承認日本在中國既得的權益；日本企圖以日俄協定，代替英日同盟，並對抗美國對遠東的干涉。

七、英、俄、日三國對承認民國的要挾。中華民國成立後，英、俄、日三國不僅阻止美國承認中華民國政府的提議，且分別提出要求，作承認民國政府的條件。英國政府以西藏自治爲條件，俄國以外蒙古自治爲條件，日本以取得滿蒙五鐵路的建築權爲條件。民國二年首先無條件承認民國政府的，則是巴西和美國。

八、日本二十一條的壓迫。第一次歐戰發生後，日本於民國三年九月藉口對德宣戰，出兵山東，侵佔青島和膠濟鐵路，民國四年五月七日以最後通牒，逼迫袁世凱政府承認日本提出的廿一條。中國人民由親日變爲仇日，即於是時開始。

九、中國拒簽對德和約。日本於民國三年侵佔山東後，在外交方面布署，欲使列强在將來和會中，承認日本繼承德國在山東的權利。民國五年七月三日締結日俄協定，民國六年二月與英法意三國訂立密約，十一月七日與美國締結藍辛石井協定。在巴黎和會中，中國雖反對日本的要求，但英、法、意三國有密約的束縛，支持日本的主張，在對德和約一五六條至一五八條三條中，竟規定日本繼承德國在山東的權利。日本以爲佈下羅網，中國不能不承認。不料五四運動發生，我國人民一致拒簽和約，中國代表遂拒簽對德和約，打破日本的一切陰謀。我國因拒簽對德和約，在兩年後的華盛頓會議，才能收回山東的權利。

四、廢除不平等條約時期

五四運動及我國代表拒簽對德和約，爲我國廢除不平等條約的開始。民國十年十一月至十一年二月的華盛頓會議，我國除在會外與日本交涉收回山東權利外，並在會內提出修正不平等條約問題。

一、民國十年與德國訂立平等條約。民國十年五月二十日我國與德國訂立中德協約七條，德國人民在我國境內，均在所在地法律管轄之下，關稅稅則等事件，遵照我國法令之規定。我國已廢除德人的領事裁判權及協定關稅權。

二、國民黨以取消不平等條約爲對外政策。民國十三年一月中國國民黨第一次全國代表大會宣言，宣布國民黨對外政策，爲取消一切不平等條約，重訂雙方平等互尊主權之條約。

三、中俄協定的簽訂。民國十三年五月三十一日中俄解決懸案大綱協定十五條在北京簽訂。此項條約係以平等互惠精神締結；但條約中我國所得，如領事裁判權的取消，關稅的自主，庚子賠款的停止，在俄國革命後，我國事實上早已收回，而俄國所得的，則爲恢復中東鐵路的權利。

四、五卅運動促進取消不平等條約運動。五卅運動發動時，決定不攻擊日本，而攻擊英國，使運動不致受日本挾持下的北京政府之干涉。至此，取消不平等條約的政策，已爲全國一致的主張。

五、收回漢口九江英租界。國民政府十五年七月九日誓師北伐，十月十日攻克武漢。十六年一月，漢口九江租界水兵與民衆發生衝突，英租界當局不能維持秩序，被迫自動放棄，由我國收回暫管。二月我國與英國成立協定，正式收回漢口九江英租界。

六、國民政府對俄絕交。民國十六年十二月十一日共匪在廣州暴動，事後證明共匪的計劃和行動，都由俄人指揮，國民政府宣布對俄絕交；對蘇俄各地領事，一律撤銷承認，所有各省之蘇俄國營商業機關，一律勒令停止營業。

七、國民政府實行關稅自主。民國十七年七月七日外交部發表宣言，說明中國廢除條約原則。七月二十四日中美關稅條約成立，美國首先承認中國關稅自主。在民國十七年內，中德、中法、中英、中挪、中荷、中瑞（瑞典）關稅條約，先後在南京簽訂。阻撓中國關稅自主的僅有日本，遲至民國十九年三月十二日中日關稅協定始行簽字，中國關稅的自主，始得確立。

八、國民政府撤銷領事裁判權的擱淺。民國十八年四月外交部照會英、美、法、挪、荷、及巴西各國，請考慮撤廢領事裁判權。至八月，英美法各國始照復我國表示同情，但主張逐漸的放棄。十九年三月日本表示同意撤廢，但以內地開放，商租權的承認爲交換條件。五月四日外交部正式宣告法權交涉停頓，同日由國民政府頒布管轄在華外國人實施條例，定於二十一年元旦自動撤廢各國領事裁判權。但九一八事變日本侵佔我東北後，我國不能不展期實施。

九、中俄邦交惡化。民國十六年我國宣布對俄絕交，撤銷俄領的承認後，中俄邦交惡化。民國十八年發生中東鐵路事件，我國東北當局爲制止俄人的擾亂治安行動，將中東路俄人局長及所有蘇俄職員一律撤職。七月蘇俄召回駐華使領人員，並請中國駐俄代表立即離境，中俄邦交更趨惡化。九一八事變後，中俄爭持的中東鐵路管理權，爲日人强佔，中俄交涉停頓。直到二十一年十二月中俄始再恢復邦交。

五、日本侵略時期

日本有獨覇東亞的野心，不願中國的統一與强盛，當民國十七年國民革命軍北伐時，日本於五月出兵山東濟南，阻礙中國之統一。民國二十年中國已實行關稅自主，並宣布撤銷領事裁判權，中國已漸趨强盛，日本遂發動九一八事變，打擊中國的復興運動。但在日本武力侵略期間，中國堅苦奮鬪的結果，卒達到廢除不平等條約，復興中國的目的。日本則自食其惡果，於三十四年八月十四日無條件投降。

一、日本發動軍事侵略。民國二十年九一八事變，日本强佔我東三省；民國二十一年一月又在上海發動一二八事變。東北駐軍不抵抗，使日本的侵略日益擴大；一二八事變因上海駐軍的抵抗，遂有五月五日的上海停戰協定，規定日軍撤退，恢復事變前原狀。我國政府對策，係正式通告國際聯盟，請根據盟約第十條及第十五條，處置中日糾紛。

二、日本組織僞滿州國並退出國際聯盟。國際行政院於二十年十二月已議決組織五人調查團，就地調查事變眞象。日本爲長久侵佔東三省，於二十一年三月利用薄儀組織僞滿州國，並於國聯調查團調查將畢之際，於二十一年九月正式承認僞滿州國，並簽訂所謂「日滿議定書」。國聯調查團於九月二十二日將報告書送達國聯。二十二年三月國聯大會決議：（1）樹立東三省自治制，（2）日本撤兵，（3）解決中日一切懸案，（4）由大會組織一委員會襄助中日進行談判。我國對大會決議表示無條件接受，日本則宣告不能接受，會後並正式請求退盟，表示決絕。國聯對日本的强橫態度，並無進一步的辦法。美國於二十一年一月七日宣布不承認主義後，也無進一步的行動。

三、中國忍無可忍憤起抗戰。日本在宣布退出國聯時，並大舉向中國侵略，三月四日佔領熱河後，即進犯長城各口，我軍敗退後，日軍進逼平津。經英法兩使斡旋，於二十二年五月簽訂華北停戰的塘沽協定，是爲我國第一次退讓。但日人仍繼續侵略，策動華北自治運動，欲將中央力量逐出華北。二十四年一月日軍與察哈爾我軍衝突，五月日人要求撤換河北地方長官，撤退中央軍，停止河北黨部工作。二十四年六月十日中國承認解決河北事件的「何梅協定」，是爲我國第二次退讓。我國一再退讓，日軍一再進逼，國人忍無可忍。二十六年六月二十三日蔣委員長召集廬山談話會，商討應付國難時，到會賢達一致主張抗戰。蔣委員長提出長期抗戰策略，全體一致通過。日人於七月七日發動蘆溝橋事變時，中國人民在蔣委員長領導之下，奮起爲中國的獨立自由而戰。

四、抗戰初期的英美態度。美國對我國同情，但無實力的援助，民國二十七年十二月我國始獲得美國二千五百萬美元信用借款；二十九年三月德意日三國同盟以後，美國對我援助始漸增多。英國對我無實力援助，二十九年七月英人且允日人要求，封鎖滇緬鐵路，至十月英國態度始漸好轉，十二月美國貸我一億美元，英國貸我一千萬英磅。日本偷襲珍珠港後，我國始與英美兩國並肩作戰。

五、蘇俄的陰賊險狠。民國二十一年十二月中俄恢復邦交，蘇俄派遣大使來華後，一面對中國表示親善，策動中國的抗日運動。一面表示與日本妥協，於二十二年五月提議出售中東鐵路與日本，避免與日本的衝突。二十六年八月二十九日中俄簽訂互不侵犯條約，並以物資援助中國；但當中日兵連禍結之後，俄國援助卽漸減少。三十年四月十三日日蘇締結中立協定後，對中國抗戰不僅停止援助，且指示共匪擴大勢力，阻撓抗戰。

六、日本估計錯誤陷入泥淖。日本在發動戰爭時，以爲三月卽可解決中國。當攻陷南京時，日本向我國提出極苛條件；但作戰時間益久，侵佔土地益多，日軍益無把握。在三十年珍珠港事變前，日本雖想提出光榮和平條件，與中國講和，已不得中國的信任。日本對中國戰爭，已感進退失據。

七、英美自動放棄在華特權。三十年十二月八日日本偷襲珍珠港，九日我國對日德意三國宣戰，中國與英美並肩作戰。三十一年二月二日美國對我貸款五億美元，英國貸我五千萬英磅。六月美國與我簽訂租借法案，支持中國抗戰。十月十日英美宣布放棄在華一切特權。三十二年元月十一日中英、中美新約成立，我國廢除不平等條約運動，遂在抗戰期間完成。

八、開羅會議——中美友誼的黃金時代。羅斯福總統邱吉爾首相蔣中正主席於三十二年十一月在開羅會議，決定戰爭結束之後，韓國獨立，中國收復臺灣及東三省。在會議中關於亞洲問題，羅斯福總統支持蔣中正主席的意見。可惜開羅會議以後，美國因俄共的離間，對中國不能堅決支持，至釀成亞洲紊亂之禍。

九、日本無條件投降。三十四年八月十四日日本無條件投降，中國獲得最後勝利。但日本崩潰，中國疲弊，美國未認識蘇俄的陰險，使蘇俄在亞洲坐收漁人之利。

六、蘇俄侵略時期

一、雅爾達密約。三十四年二月英美俄三國雅爾達會議，羅斯福總統竟同意史達林的要求，承認蘇俄恢復一九〇四年日俄戰爭前俄國在我國東北奪取的權利，並承認外蒙維持現狀。這是美國歷史上嚴重的錯誤，不僅危害了中華民國，而且使美國遭受了禍害。

二、中蘇友好條約。美國錯誤於前，中國不僅不能糾正美國的錯誤，且於日本無條件投降之日（八月十四日），簽訂中蘇友好條約，使蘇俄侵略中國，卵翼共匪，有了條約的根據。

三、美國認識的錯誤。美國不了解蘇俄的陰謀，更不了解共匪的本質。三十四年十二月馬歇爾來華，執行所謂國共和談的錯誤政策。及調解失敗，反以責任諉諸國民政府，助長共匪的兇焰。

四、蔣總統下野大局惡化。三十八年一月二十一日蔣總統下野，當時有人以為蔣總統下野以後，共匪可和，美援立至，殊不知適得其反。八月五日美國國務院，發表中美關係白皮書。十月二日蘇俄承認共匪偽政權。三十九年一月六日英國工黨政府承認共匪偽政權。美國雖宣布繼續承認國民政府，已無補於大陸的失敗。三十九年三月一日蔣總統復職，國民政府始趨穩固。

五、韓戰爆發後美國覺醒。共匪能在大陸竊據政權，是蘇俄直接的支持，和美國間接的協助，但共匪對美國不僅不感謝，且提倡輕美仇美。及韓戰爆發，共匪參戰，美國始恍然大悟。

六、廢止中蘇條約及其附件。三十九年四月我國向聯合國控訴蘇俄違背條約，四十一年二月一日聯合國通過我控蘇案，四十二年二月二十五日國民政府明令廢止中蘇條約及其附件。

七、中日邦交的恢復。民國四十一年四月二十八日我國與日本簽訂中日和平條約，終止兩國間的戰爭狀態。

八、中美共同防禦條約。民國三十九年　蔣總統復職後，中美關係漸趨好轉。四十三年十二月二日中美兩國簽訂中美共同防禦條約。

九、不屈不撓的外交。民國四十四年十二月十三日我國在聯合國安全理事會第一次使用否決權，否決外蒙入聯合國。事前俄英各國以爲我國不敢使用，美、日、西各國勸我棄權，我國在惡劣環境之下，毅然行使否決權，結果增强中國的國際地位，是爲不屈不撓的外交行動。

(註　一)　孫中山：中國存亡問題第一章

(註　二)　Satow: Guide to Diplomatic Practice 第一冊二至三頁

(註　三)　周子亞：外交監督與外交機關第一章第一節

(註　四)　Hershey: An Introduction to the study of International Organization 第二十四頁

(註　五)　楊振先：外交學原理第二頁

（註　六）翟楚：近代外交論第五頁

（註　七）楊著外交學原理第十頁

（註　八）周著外交監督與外交機關第一章第二節

（註　九）中國存亡問題第六章

（註　十）傅啓學：三民主義大綱第七章外交政策

（註十一）J.W. Thompson and S.K. Padour: Secret Diplomacy, A Record of Espionage and Double-dealing; 1500-1815

第二章　中西接觸時期

中國受歐洲各國的侵略，是在輪船火車發明以後。一八〇七年美國富爾頓第一次試驗汽船成功，一八一五年英國斯蒂芬生發明的機關車，開始行駛於利物浦與漫徹斯特之間，一八一九年汽船第一次橫渡大西洋，一八三八年大西洋英美間開始汽船定期航行，一八四〇年中英鴉片戰爭爆發，一八四二年清廷始與英國訂立南京條約。在一八四〇年以前，歐洲人東來者，縱有武力的侵略，亦無法擊敗中國的力量。歐洲商人只能在服從中國政府的條件下，作小規模的貿易，傳教士也只有尊重中國固有的風俗文化，利用西方的科學技術來取信於國人。在海上先由葡萄牙人東來，在陸上先由俄人東來，葡俄兩國東來，經了若干挫折僅獲得通商的利益。

第一節　中葡的接觸

首先航海來華通商的是葡萄牙人。一四五三年土耳其人攻陷君士坦丁堡，滅亡東羅馬帝國後，東西交通頗受阻滯，葡萄牙遂獎勵東通亞洲的新航路。一四八六年狄亞士（B. Daiz）發現非州南端之好望角，一四九八年抵印度西海岸之加里卡脫（Calicut），葡人久欲尋覓的歐亞新交通線，終告成功。一五一一年葡人滅亡我屬國麻六甲，將其佔領，但我國商人在麻六甲者，並未受任何影響。葡人於中國商人口述中，始略知中國情形。一五一四年（明正德九年）葡人徵搭中國商船，至廣東近旁之屯門（Tamom）（東莞南投城），脫售其商品而去。

一、葡使比留斯來華及被禁

葡人以歐式船隻行駛至廣州，是從一五一九年葡使比留斯（Thomas Pirez）開始，比留斯是年八月十五日偕武裝艦隊八艘，到達廣東之屯門港，賄賂中國艦隊士官，始得安然入港。九月底得我國南役備倭官之許可，始到達廣州。當船駛入廣東河時，特鳴禮炮以示敬。葡人初謁見我國總督陳金，係遵照我國禮節。比留斯來中國所負使命，在入覲明代皇帝，遞呈國書，並要求兩國通商。惟廣東大吏，以葡萄牙與中國素無往來，非我朝貢之國，因扣留使者，而奏聞於明廷。及詔書頒下，不允其請，命廣東大吏給予貢物相當代價，遣之歸國。但比留斯以使命未遂，仍滯留廣東不肯歸國；比留斯能滯留廣東，未被廣東官吏驅逐，係其通譯火者亞三代爲賄賂權貴所致。

火者亞三係中國人，善葡萄牙語，比留斯因火者亞三運用權貴之手腕，第一步得滯留于廣東，第二步居然得入北京。火者亞三與比留斯之入京，係假冒麻六甲使臣之名義；惟入京後，與會同館主事見面時，即生叩跪爭執。因火者亞三深知葡使比留斯以獨立國使節自命，不肯與普通朝貢國之朝貢相同，行跪叩之禮。當其接見會同館主事梁焯時，即藉口與天子有特別關係，欲免行跪叩禮，主事梁焯以其傲慢，執而杖之。斯時假冒麻六甲使臣的面具，尚未揭穿，未發生問題。

後麻六甲乞援使者來中國，陳述葡萄牙侵奪土地，及國王出亡待救情形。於是火者亞三詐稱麻六甲使節的陰謀，遂被明廷揭破。朝臣紛紛奏請，非令葡萄牙歸還麻六甲土地後，不許朝貢。時爲明正德十五年（一五二〇年）十二月，距比留斯及火者亞三之入京，僅有數月。次年，武宗逝世，世宗嗣立，以火者亞三冒充使者，情節重大，決議處斬；比留斯則發還廣東監禁。一五二二年九月比留斯被送往廣東監禁，廣東地方長官屢次將明帝令葡萄牙返還麻六甲侵地之敕令，告諸比留斯，比留斯以本人能力所不及答復。一五二四年五月，比留斯病歿獄舍中。

二、葡人被逐及其影響

在比留斯企圖與中國交涉之時，安納德（S. Andarde）於一五一八年到達屯門。安納德性情粗暴，與屯門之中國人，毫無好感。其在屯門，以防禦海盜爲理由，擅自植木堆石爲城柵；並於近旁小島上，設立絞首臺，如發現犯罪行爲之船員，即施以葡萄牙式的刑罰；甚至誘拐小兒，沒爲奴隸。安納德如此暴行無禮，蔑視中國主權，廣東地方政府自不容其橫行，乃下令驅逐。安納德抗不從命，遂開戰，葡人兵力微弱，葡船員多數被殺或被擒。葡人無力再戰，率其殘艦二艘，於一五二二年九月歸航麻六甲。是役爲中國與葡萄牙第一次衝突，亦爲國人與歐人發生戰端的開始。

葡人被驅逐後，廣東地方長官對各國船舶不分皂白，一律驅逐出境。影響所及，不特葡萄牙被禁止貿易，即朝貢的商船，亦在禁止貿易之列。於是朝貢國的定期船舶日漸絕跡，廣東對外貿易，大有中斷之勢。

廣州對外貿易，向佔重要地位，自唐宋以來，即設有市舶司，專司對外貿易之事。今一旦停止貿易，貢舶改往漳州泉州，廣州貿易一落千丈，地方經濟影響極大。兩廣巡撫都御史林富有鑒於此，上奏請求解除禁止朝貢國之令，其奏文說：

「……謹按皇明祖訓，安南，眞臘，暹羅，占城，蘇門答臘，西洋，爪哇，彭亨，百花，三佛齊，渤泥諸國，俱許朝貢。……又按大明會典，惟安南、蔴剌甲、諸國來朝貢者，俱令廣東布政使管待，見今設有市舶提舉司，又敕內臣一員以督之，所以送往迎來，懋遷有無，柔遠人而宣盛德也。至正德十二年，有佛郎機夷人（即葡人）突入東莞縣境。……厥後獷狡章聞，朝廷准御史邱道隆等奏，即行撫按，令海道官軍驅逐出境，誅其首惡火者亞三等，餘黨聞風攝遁。有司自是將安南，蔴剌甲諸番舶，盡行阻絕，皆往漳州府海面地方，私自任槃，於是利歸於閩，而廣之市井蕭然矣。夫佛郎機不通中國，驅而絕之宜也；祖訓會典所載諸國素恭順，與中國通者也，朝貢貿易盡阻絕之，則是因噎而廢食也。……」

林富上奏後，朝廷報可，於是始解廣東禁止朝貢國貿易之令；惟對於葡萄牙，仍在嚴禁之例。

三、葡人赴浙閩通商

葡人來廣東通商，本係其政府對於我國的嘗試事業，及既告失敗，葡政府限於實力，已無意作第二次嘗試。此後數十年間，葡人在中國之企圖通商居住，乃係少數冒險商人，恃其一己之能力，開拓個人事業，通商於浙江之寧波與福建之漳州。葡人所以有相當成就，係地方人士承認與葡人通商有利，而閩浙官吏又受葡人賄賂所致。

甲、葡人通商寧波及被逐。廣東禁止通商後，葡人乃北至浙江之寧波，賄賂地方官以重金，得留其地貿易。一五四一年葡人法利亞（Faria）率艦抵寧波，泊於港口雙島之旁，得當地長官許可登陸。葡人當時居住之寧波，係寧波灣內二小島，即明史朱紈傳所謂的雙嶼。據賓托（Binto）之東洋紀行，謂寧波在當時較印度及全亞洲任何地方，均壯麗而殷富，對日貿易，占其總額之大半，總貿易超過三百萬金，人口共三千人，其中葡人佔一千二百人，家屋千餘所，教堂六七所，醫院二所。其繁盛可以想見。

葡人居住雙嶼，未得中國政府之准許，僅得地方官吏之默許，葡人與土人因債務關係，常發生搶刼事件。法利亞甚至在南京盜明孝陵寶物，歸而匿居雙嶼。明廷聞報後大怒，在一五四二年（明嘉靖二十一年）乃下令討伐，陸軍由浙江進，海軍由福州進，兩面夾攻，焚毀船艦三十五艘，盡殺商人及基督教士，其中有葡人八百人。天下郡國利病書卷九十浙江條曾說：「巡撫都御史朱紈，調發福建都指揮盧鏜，統督舟師，掃其巢穴，俘斬溺死者數百，餘黨遁至福建之浯嶼，復帥鏜討平之。紈仍躬督指揮李興，帥兵發木石，塞雙嶼港，賊兵不得復入。」（註一）

乙、葡人往漳州通商及被逐。自一五二二年葡人被逐於廣州後，漳州即繼廣州爲對外貿易之中心。兩廣巡撫林富上奏謂：「利歸於閩，而廣之市井蕭然矣。」可知葡人已北至漳州貿易，在漳州之浯嶼，亦自建房屋。葡人被逐於寧波後，又勾結中國奸商，賄賂地方官吏，來漳州經營其第二居住區，以爲貿易之根據地，並由葡人自行管理港口行政。有外僑某，居漳州六七月病故，葡人查封其遺產而保管之。後知中國商人二名，欠此外僑三千金，無力償還。葡人即拘押中國商人，並以其全部財產，視爲此外僑之遺產，而沒收之。中國商人不服，訴於官，中國官吏乃下令禁止與葡人交易，違者處以極刑。於是葡人坐困，糧食來源斷絕，不得已襲擊附近村落；地方人士大為憤怒，羣起反抗。事出後，越十六日，中國政府派大小船隻百二十艘，滿載士兵，前往圍勦，泊於漳州港之葡船十三艘，悉被焚燬，五百餘葡人中以身免者，僅有三十人，時在一五四九年明嘉靖二十八年。

四、葡人定居澳門之由來

廣東對朝貢國貿易解禁，對葡人仍未解禁；但通商為兩利之事，加以葡人賄賂中國官吏，又與商人勾結，禁令無法實行；故葡人在浙閩海上進行貿易之際，又返至廣東屯門及浪白港貿易。葡人再至屯門通商，始於一五三七年，當時僅於上川島上為臨時貿易；即每屆貿易時，張搭天幕，構建茅屋為臨時商場，貿易終了，則撤去之；蓋葡人知其貿易之不鞏固，不願作長久之計劃。葡人出入浪白港，始於一五四九年，是年在漳州逃脫之葡人三十名，即在浪白港上陸。此後浪白港不僅為葡人貿易之所，其他諸國商船，均停泊於此。至一五五〇年，葡人局於浪白港者，已有五六百之多。

葡人之定居澳門，始於一五五四年。強克斯脫中國葡萄牙殖民略史說：「一般見逐於福建浙江之葡商，雖得在上川島及浪白港貿易，而市況不盛，乃開始為秘密貿易。然在秘密貿易時，一面受海上暴風雨的侵擾，一面受中國巡哨船的剝削，感有獲得一確定地點貿易，俾免種種危險苛求，遂與中國商人協力運動地方長官，卒得達其夙願。一五五七年被指定一荒蕪小島為彼等之居住地。葡人由浪白港乘船直駛其地，知其地為澳門，乃將原來之茅屋撤去，改造堅固之家屋，並設立禮拜堂，不久而葡人居住區之面目備具。」（註二）

澳門記略敍述葡人居住澳門之由來說：「嘉靖三十三年（一五五四年）番船託言舟觸風濤，願借濠鏡地，暴諸水漬貢物，海道副使汪柏許之。初僅茅舍，商人牟利者，漸運瓴甓爲屋，佛郎機遂得混入，高棟飛甍，櫛比相望，久之遂爲所據。」葡人之定居澳門，始於一五五四年。至一五五七年，得中國地方官吏准許。

葡人得居於澳門，最初地租未繳於中國政府，僅對廣東海道，每年繳五百金之賄賂。至一五七三年，海道受賄事爲其他官吏所知，乃改爲地租，收歸國庫，是爲澳門公開繳納地租於中國政府之始，從一五一七年葡使比留斯來華起，葡人遭受數次創傷，直至一五七三年，葡人才能正式和我國通商。

葡人居住澳門後，即公選一民政長官，掌居住區之行政。廣東地方長官對於葡人澳門之自治，未加過分干涉，但對於司法權，則全受地方長官之處理，澳門徵稅權，亦操於廣東政府之手。在一八八七年中葡條約之前，澳門在中國之地位，爲葡萄牙之租借地，性質迄未變更。葡人態度改爲強硬，係在鴉片戰爭中國失敗之後。一八四九年葡人隨香港之後，宣布澳門爲自由港，封鎖我國關稅。一八八七年在北京訂中葡條約，中國政府承認葡國永遠管理澳門，並規定未經中國認可，葡人永不得將澳門讓與他國。（註三）

第二節　中俄的接觸

一、俄人進占西伯利亞

俄羅斯的歷史，普通都認爲起源於第九世紀。斯拉夫人（ Slaves ）居住的地方，當時既無城市，又又無一定的國家制度，內部變亂時起，有六十四個公國，互爭雄長。在未被元代征服以前，俄國只可謂之部落，並未形成國家的形式。一二四〇年蒙古征服全俄羅斯，建立欽察汗國，境內各部落完全歸服，俄羅斯反因外力的征服而統一。

蒙古統制俄羅斯，達二百四十年。蒙古統治力量衰弱以後，到一四八〇年莫斯科大公伊凡三世（Ivan, The Terrible）才獨立建國。俄人從十六世紀末葉起侵略西北利亞，可分爲三個時期：第一期僅和韃靼人戰於鄂畢河流域一帶；第二期進至葉尼塞河流域，達到了貝加爾湖；第三期才到達黑龍江流域，與中國接觸。茲分述於下：

第一期：哥薩克頭目葉麥克（Yermak）越烏拉山向東開拓。一五八一年葉麥克東侵，僅率騎兵八百人，係私人小規模的冒險行動。東越烏拉山脈後，屢與韃靼人小戰，均獲勝利，俄人沿托波兒（Tobol）河而下，於一五八二年九月到伊爾土司，最後達到庫城汗國的都城西比利城（Sibre）。葉麥克侵略得手，方與俄皇發生聯繫，得到了政府的幫助。但葉麥克的力量究竟單薄，最後被韃靼人的襲擊陣亡。

第二期：十六世紀末葉，俄人達到鄂畢河（Obi），這些地方的土著都是文化很低，而且是很平常的獵人、漁人，對於俄人毫不知道抵抗。土著的生活，和在蒙古人統治的時候，沒有什麼區分；唯一不同的，是他們現在不進貢於蒙古人，而進貢於代表莫斯科的官吏。土著既沒有抵抗，俄人便專心於殖民，一五九〇年便移農民三千戶到西北利亞，作墾植的工作。一六一九年哥薩克人至葉尼塞河，一六二九年設立新政府於托木斯克（Tomsk）。一六三六年到達葉尼塞河口，一六三七年建築雅庫斯克（Yaklsk）要塞，爲其向黑龍江流域發展的根據地。

第三期：一六四〇年（崇楨十三年）俄將軍鄂羅文赴雅庫斯克，任職後三年，命哥薩克人保躍谷夫向黑龍江遠侵，率士卒僅百二十七名，譯官二人，鍛工一人，向東出發。一六四四年春，始達黑龍江。於是更造小舟下黑龍江，過松花江之會流處，到達鄂霍次克海。保耀谷夫經三寒暑探險後，返抵雅庫斯克，復命鄂羅文說：「所過之地，有達爾夫人黃雅克人之部落，以精兵三百，一取可取爲俄羅斯之版圖。」

俄國在一五八一年至一六四四年間，在西北利亞有重大的發展，哥薩克人爲前鋒，俄人則坐收其利。西北利亞氣候奇寒，人烟稀少，哥薩克人足跡所至，幾未遇堅強抵抗。俄人至黑龍江及太平洋沿岸，正當明清兩代興亡的時候，對於從西方侵入的俄人，完全沒有工夫去注意。此後中俄發生衝突，俄國的東進政策，才遭受重大打擊。（註四）

二、中俄的交涉和戰爭

俄人東進西北利亞時，曾兩次派遣使臣至比京，探聽中國虛實。一五六七年（明隆慶元年），即有俄國使者入北京，以未携帶貢品，沒有獲允覲見，就被遣回。一六一八年（明萬曆四十六年）又再派遣使者取道蒙古張家口至北京，仍未達到通商的目的；但對中國地大物博，已獲一深刻印象。

一六五一年（清順治八年）俄人哈巴羅夫到了黑龍江一帶，他要求莫斯科政府立派軍隊六千人，來佔領黑龍江一帶地方。在援軍未到以前，哈巴羅夫建立雅克薩城，作爲進展的根據地。一六五三年哈巴羅夫沿黑龍江而下，進到松花江和烏蘇里江，與達珊爾人及阿搶人等種族接觸，這些民族當然抵不住俄人的炮火，所以轉向清廷求援。清國都統令寧古塔章京海色攻擊俄兵，這次雖然沒有勝利，已使哈巴羅夫不能不向後撤退。這是中俄第一次的武力衝突。

一六五四年夏，斯梯帕羅夫繼哈巴羅夫之職，率領三百七十人，沿黑龍江而下，又遇着中國軍隊，發生衝突。一六五五年斯梯帕羅夫又沿黑龍江而下，被中國艦隊包圍，斯梯帕羅夫及其部屬二百七十人多數被殺，餘人均逃散，這是中俄第二次的武力衝突。

北京遣使與黑龍江濱探險，原是俄人雙管齊下的策略，松花江邊武力雖一再衝突，俄人仍遣使至北京。一六五六年三月（順治十三年）俄派使臣經甘肅內蒙行抵北京；一六五八年又派使臣至北京，以請求互市為名，探聽我國虛實。但清廷認這種使節，是來朝貢中國，我國使節毫無結果而返；但在黑龍江濱因我已有準備，俄人已不敢輕易東下。

一六八二年（康熙廿一年）中國內部的糾紛已大體解決，康熙遂決心勘定黑龍江，驅逐俄人的勢力。康熙帝於一六八五年七月回憶這一大計劃的經過說：「羅刹侵我黑龍江松花江一帶三十餘年，其所竊據，距我發祥地之甚近，不速加剪除，恐邊境之民不獲寧息。朕自十三歲親政，即留意於此，細訪其土地形勢道路遠近，及人物性質，以故酌定天時地利，運餉進兵事宜。不徇衆見，決定命將出師，深入撻伐。」（註五）康熙帝這一決心，就是攻克雅克薩城，以及簽訂尼布楚條約的張本。康熙先遣副都統郎坦等以游獵為名，偵察雅克薩城的形勢；同時又使戶部尚書伊桑阿至寧古塔製造軍艦；在墨爾根、齊齊哈爾兩處，都築成了堅固的要塞；置十驛；通餉運；以薩布素為黑龍江將軍，住紮於愛琿，又使外蒙古車臣汗與俄國斷絕貿易關係。康熙戰爭的準備，業已全部完成。

一六八三年（康熙二十二年）俄哥薩克兵自雅克薩移營黑龍江下流，到了愛琿附近，薩布素開始向其攻擊，俘其將領。此後兩年中俄人在黑龍江所建的兵營，一起被毀，其勢力大爲削減。

一六八五年（康熙廿四年）五月，都統彭春率水師五千，陸軍一萬名，野炮百五十尊，攻城炮五十門，進攻雅克薩城。在攻城以前，先遣使勸守將圖爾步青率軍退出，俄軍僅有四百五十名，但拒絕投降。五月二十五日我軍以大炮攻城，俄軍衆寡懸絶，不能支持，棄城向巴布楚逃亡。但清廷對俄人情況並不了解，以爲雅克薩城一毀，羅剎問題即可解決。俄軍逃亡後，彭春也不追擊，也不佔領其地，僅將要塞毀壞，便回軍愛琿，把所有俘虜送來北京；遂使俄人有捲土重來的機會。

圖爾布青等逃到巴布楚後，適値陸軍大佐伯伊率領哥薩克兵六百名來援，於是俄人重整旗鼓，回到雅克薩舊地，築土壘以作防禦。康熙二十五年六月（一六八六年）薩布素將軍聽到俄人重佔雅克薩城的消息，立即率兵八千，大炮四十尊進圍雅克薩城，俄軍死守城中，歷時三月，剩下的殘兵僅有六十名。我軍正可攻陷雅克薩城的時候，突接上諭，兩國議和，我軍奉命撤退，中俄兩國遂在尼布楚議和。

三、尼布楚條約

俄國東侵西北利亞，本係探險行動，其在尼布楚附近部隊，實力有限。今忽遭遇強大之中國，繼續戰爭自不可能，遂不能不改用和平政策。康熙帝用兵東北，目的僅在保護邊防，康熙廿五年滿清政府請荷蘭人爲介紹，致書俄皇，批評其啓釁之無理，俄皇得此機會，便接連派兩個使臣到北京講和，俄皇復清帝書大略如次：

「向者……曾使尼果來等賫書至天朝通好，以不語中國典禮，言語舉止，陋鄙無文，望寬宥之。

……皇帝在昔所賜之書，下國無通解者，未循其故。及尼果來歸來問之，但述天朝大臣，以不還逋逃人根特木爾等，並騷擾邊境爲詞。近聞皇帝興師，辱臨邊境，有失通好之意。如果下國邊民構釁作亂，天朝遣使明示，自嚴治其罪，何煩輒動干戈？今奉詔旨，始悉端委。…………除嗣遣使臣，議專邊界外……乞撤雅克薩之圍，仍詳細作書，曉諭下國，則諸事皆寢，永遠輯睦矣。」（註六）

康熙以俄皇願和，便立派使者往雅克薩宣佈休戰，不久兩國邊界和議便在尼布楚開始。

一六八七年（康熙二十六年）十月俄皇遣果羅文（Golovin）爲特命全權大使，向中國講和，臨行時俄皇訓稍要旨有三：一、以黑龍江爲兩帝國邊界。二、境界如不能劃定時，此等地方須先行通商。三、中國如硬不應時，一切俟異日解決。果羅文東往中途，又接到俄皇秘密訓令；謂：「如果獲得中國通商利益時，雅克薩不妨讓與中國；在不損沙皇威嚴範圍內，可秘密予中國代表以相當禮物賄賂，非萬不得已，不可輕自啓釁」。

一六八八年五月康熙帝派內大臣索額圖等爲和議大使，索額圖起行時，康熙帝諭云：「俄失尼布楚，則東通之路塞，爾等初議，可主張以此爲界，極端時，可宣以額爾古納河爲界。」一六八九年八月索額圖等赴尼布楚，愛琿都統率領軍隊一萬人隨行。俄人聞索額圖隨帶軍隊，飛書拒絕，索額圖置之不理。八月二日抵尼布楚，所帶軍隊都紮在城外。

八月廿四日兩國議和代表在尼布楚城外，張天幕爲會場，兩旁各列衞隊，開始會議。在第一次會議，俄使提議以黑龍江爲兩國國界；索額圖則主張自雅克薩西至尼布楚色楞格，均爲我國領土，即以自後貝加爾湖，沿外興安嶺爲兩國國界。第二次會議索額圖稍有讓步，主張以尼布楚爲兩國國界，俄方代表仍不同意。以後便不再舉行正式會議，由隨行兩個傳教士居中調停。最後索額圖主張以額爾古納河沿外興安嶺爲兩國國界，俄方代表仍不同意，於是索額圖停止談判，準備圍攻尼布楚；俄使方正式承認我國所提出的分界線。一六八九年（康熙廿八年）九月九日正式締結和約，即尼布楚條約，內容如次：

第一條　俄國與清國之境界，以入黑龍江之綽爾古納河附近之格爾必齊，及循此河之水源，遠至於東海岸所綿亙之山脈（即外興安嶺）爲定界。……又眉勒以上之支流爲爾喀河，南方一帶之地，屬於大清帝國，其北部爲莫斯科帝國，現時爾喀河之南方，所有市府或住民，當移居於河之北岸。

第二條　俄國人所稱雅克薩地所建造之堡砦當悉行毀壞，其所居之俄人當悉携財產，退於河之北岸。

第三條　兩國間於過去一切之事，永當忘却，毋得記憶。

第四條　本條約締結之後，無論何國人，不得容他國之逃亡者及脫走之兵。若於他領土內脫走而來之時，應即捕縛，交付於所在之官衙。

第五條　在清領土內現居之俄國人民，及在俄國境內之清國人民，仍得居住原處。

第六條　兩國人民持有旅行免狀時，無論於何領土內，得交通以營其貿易。

本條約之正文，兩國全權委員，於記名蓋印後交換，以滿、蒙、漢、俄、拉丁五種文字，記其條文，鏤刻於石碑，建諸境界，永爲兩國親善之標準。

尼布楚條約締結後，中俄國境明白劃定，額爾古納河沿外興安嶺以南的地方，都是我國的領土，現在俄境的阿穆爾省和沿海濱省，都是屬於我國的領土。從此，西伯利亞通太平洋捷徑的黑龍江航路，完全被中國封鎖。五十年來俄人在黑龍江一帶的侵略陰謀，都成了泡影；我東北境因此明確疆界，獲致一百六十年的安寧。

四、恰克圖條約

在尼布楚條約締結後四年（一六九三年），俄國派遣代表到中國來，請求商隊到北京經商。清廷允許俄國的請求，規定俄國商隊三年得至北京一次，每隊以二百人爲限，得在北京俄使館駐留八十日，一切貿易都悉行免稅。

康熙中葉以後，平定外蒙，外蒙的土謝圖部，喀爾喀部，都和西北利亞接界，素來和我國有貿易的關係，於是北方一帶又與俄人發生互市和邊界問題。

一七一九年（康熙五十八年）俄皇派伊斯邁羅夫（Ismailoff）爲代表，蘭支（ De Lange ）爲參贊，同來中國，請求改訂商約，一七二〇年始抵京。抵京以後，俄使以爭跪拜問題，相持半年不決。最後決定中國派使往俄國時，也用俄國禮節，俄使方屈服，以中國禮節謁見清帝。俄使雖謁清帝，交涉仍未得要領，便回國復命，留蘭支繼續談判。當時庫倫方面，俄商紛紛潛入，不受監督官之指揮，常發生糾紛，土謝圖汗乃請求停止庫倫的貿易。同時蒙古有犯人逃入俄境，清廷向其交涉引渡，俄方拒不允許。一七二二年清廷便下令驅逐蘭支，並將所有俄人一律驅逐出境，中俄外交關係，幾因此斷絕。

一七二七年（雍正五年）俄政府又派薩瓦（Sava）來中國請求訂約，並且提議戡定外蒙古與西伯利亞的境界。當時清廷也感覺北境有劃界之必要，但以過去沒有外交使臣到京約的先例，先命俄使退至布拉河（在貝加爾湖西），清廷正式命郡王策凌、內大臣四格、侍郎圖理琛為議約專使，以布拉河為開會議場，兩方使臣各遣戡查委員，戡定邊界。是年八月簽訂恰克圖條約，條約共十一款，主要內容列舉如次：

第一款　自議定之日起，兩國各自嚴管所屬之人。

第二款　嗣後逃犯兩邊皆不容隱匿，必須嚴行查拿，各自送交駐劄疆界之人。

第三款　中國大臣會同俄國所遣使臣，所定兩國邊界，在恰克圖河溪之俄國卡倫房屋，在鄂爾懷圖山頂之中國卡倫鄂博，此卡倫房屋鄂博，作為兩國貿易疆界地方。……自此地起（註：往東）……蒙古卡倫鄂博附近，如有山臺斡河，以山臺斡河為界。無山河空曠之地，從中平分，設立鄂博為界。……自鄂博向西，……以此梁從中平分為界，其間如橫有山河，即橫斷山河，平分為界。此界已定，兩國屬下如有不肖之人，偷入游牧，佔踞地方，蓋屋居住，查明各自遷回本處。……兩邊各取五貂烏梁海，各本至仍自存留。彼此越取一貂之烏梁海，自定疆界之日起，以後永禁各取一貂。…………

第四款　按照所議，准其兩國通商，既已通商，其人數仍照原定，不得過二百人，每間三年進京一次。除兩國通商外，有因在兩國交界處所，零星貿易者，在色楞格之恰克圖，尼布楚之本地方，擇好地建蓋房屋。情願前往貿易者，准其貿易，周圍牆垣柵子，酌量建造，亦毋庸取稅，均指令由正道行走，倘或繞道或往他處貿易者，將其貨物入官。

第五款　在京之俄館，嗣後僅止來京之俄人居住。俄使請造廟宇，中國辦理俄事大臣等，幫助於俄館蓋廟。現在住京喇嘛一人，復議補遺三人，於此廟居住，俄人照伊規矩，禮佛念經，不得阻止。

第六款　以下均係細節，略

一七二八年兩國批准恰克圖條約。此約要點有三：一、劃定外蒙與西北利亞邊界。二、規定通商辦法，並規定恰克圖為兩國貿易商場。三、准俄人在北京建築教堂。一七二七年准俄國學生來華留華。據皇朝文獻通考學校考載：「雍正五年，俄羅斯遣其官生魯克佛多，德宣宛，喀喇、希木，四人來學，即舊會同館設學。雍正六年，議決俄羅斯國學生侯送到時，令其在俄羅斯館居住，交與國子監，選滿漢助教各一人，住館教習清漢文子。」一七二九年俄國學生第一次到達北京，至一八五九年先後來中國的俄國學生，計有十三次。

俄國使節傳教士商人學生都來中國，調查中國的虛實，但我國的使節從未派往俄國。對俄國的情況並不圖了解。當時中國人心目中的俄國，不過是一個朝貢國，對俄人的優待，不過是懷柔遠人而已。一七六四年（乾隆二十九年）因俄方違約，私課賦稅，清政府命令封閉恰克圖市場。一七六六年辦事大臣慶桂以俄人恭順情形入奏，始命理藩院與俄國全權大使修正恰克圖條約，共有五款。第一款說：「恰克圖互市，於中國初無利益，大皇帝普愛衆生，不忍爾小民困苦，又因爾薩那特衙門籲請，是以允許，若再失和，罔希冀開市」。這個條約，我國以上國自居，有對屬國的驕傲神氣，俄國因急欲通商，也完全接受。

第三節　西、荷、英相繼來華

一、西班牙人東來之挫折

繼葡萄牙人東來的，是西班牙人。一四九二年哥倫布得西班牙政府的資助，發現美洲新大陸以後，西人取墨西哥爲殖民地，更欲西航以尋找通東方印度之捷徑。麥哲倫於一五一九年從大西洋出美洲南端，以三十三個月的航行，到達菲律賓羣島的塞布（Cebu），他是繞行世界，開闢歐美至東亞航路的第一人。麥哲倫爲當地土人所害，其餘衆於一五二二年由好望角返國，是爲太平洋與大西洋交通之始。

一五六五年由墨西哥前來之西國遠征隊，佔領塞布島；一五七一年再佔呂宋，菲律賓遂屬於西班牙人統治之下。當時中國商人在菲律賓島貿易者甚多，與西人開始作初期之接觸。

一五七六年（萬曆四年）菲島總督遣二教士爲使至閩，要求通商，頗受中國之優待，允准西人至福建漳州（廈門）通商，但西人來廈門者少，華船出海赴菲販賣者較多。一五九八年（萬曆二十六年）菲島總督遣使至粵，要求通市，船泊澳門海上，葡人拒之，西人不能至澳門，遂移至虎跳門，羣居不去。廣東當局以其違例越境，遣兵逐之。次年九月，西人始還呂宋。一七三二年（雍正十年）以後，始不時有西班牙商船來粵，但在廣東之貿易市場，已爲葡人壟斷，西人不能佔重要地位。但西人來貿易者，多攜帶墨西哥銀元，是爲墨西哥銀元通行中國之始。

西人在華通商活動，爲葡人所阻；其佔領台灣企圖，亦被荷人排斥。一五九一年（明萬曆十九年）日本豐田秀吉遣使招諭菲律賓，越年致書高山國（即臺灣），一時日本欲侵略臺灣作爲跳板，以進攻菲律賓之消息，甚囂塵上。西人知此消息，欲先一着佔領臺灣，以制止日人之南侵。一五九七年西人曾遣將帶兵二百人，分搭兩艦，直趨臺灣，但爲風所阻，折回菲島。一六一九年（明萬曆四十七年）豐臣秀吉病故，菲島已無被侵危險，西人乃取消其侵臺計劃。

一六二四年（明天啓四年）荷人佔據台南，西人之海上航行與貿易，受了嚴重之威脅，乃將業已廢置之侵臺計劃，再度付之實施。一六二六年五月五日，西班牙藉口保護中國與呂宋間貿易，企圖佔領臺灣北部，派一提督率艦十二艘，自呂宋出發，五月十二日進入鷄籠港（即基隆），在港口小島鷄籠嶼（即社寮島）上陸，以之爲根據地，建築炮壘，控制基隆港之全部。一六二八年（明崇楨元年）西人更遣艦佔領淡水，與基隆港互爲犄角。一六三二年由淡水河溯流向上，進入台北平原，臺灣北部遂爲西人侵佔。但西人佔領時間，僅有十年。一六四二年（明崇楨十五年）荷人進攻基隆港，西軍投降，台灣北部爲荷人佔據。（註七）

二、荷蘭人東來之活躍

荷蘭原係西班牙屬地，一五六八年因宗教改革，宣告獨立。時葡京里斯本（Lisbon）爲東洋諸國百貨所集，荷蘭在里斯本經營商業。一五八〇年，西王兼領葡國王位，一五九五年頒布禁止荷商出入葡京之命令。荷人不得已，始謀自闢航路，與東洋諸國直接貿易。

一五九六年（明萬曆二十四年）荷蘭商船第一次繞道好望角，至蘇門答臘、爪哇等地。一六〇二年正式組織東印度公司，對南洋作大規模之經營。該公司得政府許可，有在殖民地置兵設吏，及與所在國政府宣戰媾和之權。次年，荷人驅逐蘇門答臘、爪哇等地葡人。一六一九年設巴達維亞政府於爪哇，作經營東方之根據地。

一六〇一年荷船初抵澳門，欲與中國通商，但因葡人從中阻撓，未能與中國互市。一六〇四年（明萬曆三十二年）七月，荷人侵入澎湖，欲與中國在漳州互市。福建當局拒之，並迫以兵威，斷其絕濟。荷人無法在澎湖居留，乃揚帆而去。

荷人在漳州互市不成，轉向澳門試探。一六〇七年荷人率艦至澳門偵察，被葡人擊退。一六二二年（明天啓二年）五月荷人率兵船十七艘，大舉進攻澳門，葡人得中國之助，登岸之荷軍八百人，被擊斃者有三分之一。荷人被擊敗後，再度佔領澎湖，向中國請求在福建通商，仍被福建巡撫拒絕。但荷人欲以武力威脅通商，致與中國軍隊衝突。一六二四年荷人由澎湖撤退，進據臺灣安平，欲用作根據地。

荷人來臺後，鑑於過去之失敗，在欠缺人和；遂改變作風，一方討好土番，一方遷就倭人，更一方籠絡華人，大施懷柔手段。同時又用威迫利誘手段，以擴充土地，樹立政權，奪取利益，有久佔臺灣之野心。荷人侵佔臺南後，西人不甘落後，於一六二六年（明天啓四年）佔據臺灣北部，炮荷人形成南北對峙之局。

一六四二年（明崇楨十五年）荷人進攻基隆，西人不敵約降，臺灣遂入荷人勢力範圍。是時，滿清入關，北京失守，明祚衰亡，政局混亂。際此朝代交替之秋，中國無暇注意海外，荷人遂得唯我獨尊，一變其懷柔作風，虐待土著，殘害漢人，達二十年之久。

鄭成功一六五九年北伐失敗，退據金門廈門。因金廈地區狹小，接受何斌建議，謀取臺灣爲根據地。一六六一年，鄭成功率軍二萬五千人，渡海往征，圍赤嵌城，攻戰凡九月，荷人死者千六百人，自知不敵，表示投降，鄭成功乃於一六六二年二月一日（永曆十五年十二月十三日）於赤嵌樓正式舉行受降典禮，荷人退回巴達維亞，鄭成功光復臺灣，改爲東都。

荷人在臺灣被逐後，圖謀報復，屢助清軍，進攻金門廈門。一六六二年（康熙元年）荷艦協助清軍進攻廈門，同時向清廷請求互市，清廷准其兩年貿易一次。一六六四年荷艦協助清軍，攻下金門廈門，清廷嘉獎其功，賜荷王文綺白金等物。一六六六年清廷停止荷人二年貿易一次辦法，荷使再度來華交涉，結果一無所成。一六八三年施琅出兵臺灣，再請荷人來助。荷艦至時，戰爭業已結束。清廷以荷人一向恭順，准其五年一貢；並允荷人在廣東通商之外，可來福建通商。惟貿易完後即須回國。

一六六二年鄭成功光復臺灣，清廷為防止其反攻大陸，曾頒布封海令，沿海三十華里之內，不准人民居住。一六八三年清軍進佔臺灣，始開海禁，准許荷人通商，葡、西、英諸國均援例要求。一六八五年設粵海關於澳門，閩海關於漳州，浙海關於寧波，江海關於雲台山；這是清廷自動開放的四個商港。清初未採取閉關政策，是與荷人有相當關係的。一六八七年清軍進攻俄人於雅克薩，中俄兩國講和，締結中俄尼布楚條約，係由荷人傳達雙方意見，可見荷人當時的活躍。（註八）

三、英人東來時受阻礙

一六〇〇年英人在印度設立東印度公司，自是努力於東洋貿易。英人是時正與荷蘭人在海上衝突，英人知葡人已在澳門得勢，遂與葡人接洽。葡人是時來澳門的商船，屢為荷蘭遠東海軍所阻，亦欲與英人聯絡以自衛。一六三五年英公司遂與臥亞（Goa）葡總督締結對乘自由貿易之協約，許英人有出入澳門之權。

一六三七年（崇禎十年）五月英國第一次商船來澳門，船有五艘，由威代爾（Weddell）率領，並攜有臥亞葡總督之公函。但澳門葡人拒絕英人之請求，並請中國官吏干涉。威代爾知在葡人統治之下，在澳門無法達到通商之目的，乃逕赴廣州，欲與中國大吏直接交涉。中國官吏不願英人進入廣州，船入虎門時，遂受守將之炮擊；威代爾立即回炮，血戰數時，炮台忽陷。廣東總督大驚，令英人交還掠奪物，許在廣東通商。奏代爾滿載貨物而歸，是爲中國允許英人直接通商之始。

一六六四年（康熙三年）英東印度公司第二次派遣商船一艘到澳門，葡人照例予以種種妨碍。中國官吏對於其貨物擬科稅二千兩，英人請求減半，中國官吏不允，並派士兵一隊紮於英商住宅，以爲警備，英公司代理人備受阻礙，不得不放棄貿易企圖，返回印度。一六七三年又有英船一艘到澳門，交換貨物，其中僅織物二十一匹，得低價售去。

英東印度公司見中國官吏之阻撓，思別圖發展。時鄭經據臺灣，一六七〇年英公司乃與鄭氏訂約，得在臺灣通商，繼續經營至一六七八年，交換中國貨物以生絲黃銅大黃爲大宗，但英人無利可獲。一六八四年（康熙二十三年）中國開海禁，英公司得中國官吏之許可，在廣州建一商館。英國雖得在廣州設商館，但中國官吏之勒索，常陷英人於困苦之境。一六八九年加其布（Catchpoole）任中國及近旁諸島領事，一七〇一年加其布得華官許可，得在舟山及寧波通商，然英商仍受重稅之苦；嗣成立一種協定，一切商品均課稅百分之四。但中國地方長官除征收港稅噸稅外，復索額外稅百分之十六。英人納上述諸稅後，尚須出大宗款項，始能得糧食供給。

第四節　清延改採閉關政策

一、此時期中西接觸之回顧

從十六世紀至十九世紀初葉，與中國在海上接觸最多的是葡萄牙。西班牙、荷蘭、英吉利在此時期雖先後來華通商，均爲葡人所阻，由葡人獨享通商之優先權。回顧此時期之史實可得下列概念：

一、在此時期中國最強。葡人來華之前，中國因防備倭寇，海防鞏固。葡人雖因賄賂關係，得達貿易之目的，然一經衝突，即被驅逐。葡人屢敗之餘，不敢與中國挑釁。明代蓮花莖關閘之建立，限制澳門之境界，統制澳門糧食的購買，葡人只有逆來順受。清代順治十八年（一六六一年）所頒之遷海令，係將沿海三十里內居民遷入內地，封鎖海岸。澳門本在遷移範圍之內，係經德國傳教士湯若望在北京爲葡人多方運動，始免遷移之累。鄭成功大陸敗退之後，於一六六一年正月進攻荷蘭佔領的臺灣，十二月即在赤崁城接受荷蘭的投降。可知在輪船未至中國前，中國在亞洲最強。

二、在此時期中國自大。中國在秦漢大一統後，即形成「天下國」，自稱「天朝」，沒有西方所謂國家觀念。最初到中國的歐人，以其來自西方，通名之曰番人，西方各國名之番邦。中國人心目中，番人不過是距中國遼遠的藩屬，其不同于朝鮮安南暹羅者，僅入貢的時期不一定而已。葡人與中國接觸最久，當時國人從未研究葡人從何地而來，有何文化，中國深閉固拒的自大態度。從未稍變。一八八七年的中葡條約仍稱葡國爲大西洋國，可見一斑。

三、不了解與誤解。國人因自大關係，對外人不求甚解，因不了解而發生誤解：一、當葡使比留斯乘船駛入廣東河時，鳴禮炮以示敬，當時人士均認爲兇詐示威。二、葡人偶有掠買小兒以爲奴隸者，當時人士均以爲「掠掠買小兒」，「掠買小兒，烹而食之」。三、當時人士均認「番人性嗜乳酪，膠結腸腹，惟大黃茶葉，蕩滌稱神。」如果數月不食，「有瞽目腸塞之患。」大黃茶葉只有中國生產，所以夷人必須依賴中國。在鴉片戰爭以前，中西不僅是兩個文化迥異的世界，而且是兩個互相不了解的世界。

二、清廷對西人通商之限制

乾隆以前，外人來華通商的，除在廣東一口外，還在廈門寧波等地貿易。乾隆二十二年（一七五七年）由清廷頒布諭旨，將外人通商口岸，限於廣東一處，閩浙各口皆不准外國商船進出。

外國商人同中國人貿易，因語言習慣的隔閡，康熙五十九年（一七二〇年）廣東商人遂有「公行」的組織，作經商的媒介。廣東商人公行的組織，雖非政府的命令，實由官廳非正式的許可，暗中爲官吏漁利的工具。公行成立後，操對外商業的專利權，外商所負的額外苛徵，日益加重。然政府所得，仍極微薄，其大部份皆入於大小官吏與公行人員之私囊；雖經外商屢次要求減免，皆歸無效；這是在乾隆以前的情形。乾隆二十五年（一七六〇年）正式認可公行爲經理對外通商的機關；從此，公行的任務，不但外人輸入貨物，須由其評價及買賣，並且成爲政府與外商間的傳遞機關。貨物的納稅報關，固須由公行經手，即外商要向中國政府有所陳述，也不能自由遞稟，必須由公行代呈，否則政府不予受理。政府對於外國商人的行動，也責令公行監督，於是公行成爲政府與外國商人間的重要機關。

是時粵督本侍堯，對於洋人深懷疑忌，奏請設法防範。乾隆二十四年（一七五九）頒行限制外商的規則，命洋商（即公行人員）向外國商館宣布。道光十五年（一八三五）因粵督盧坤等奏請修正，另頒章程八條，要點如左：

一、外國戰艦不得入虎門以內。

二、外國婦人不可偕來商館，商館內不得儲藏銃砲槍械或其他武器。

三、外船僱用之領江及買辦人員，須在澳門同知衙門註册，由該衙門發給執照，隨身携帶備查。

四、外商僱用中國僕役人數，須有一定限制。

五、外人住居商館者，不得任意乘船出外遊行，僅於每月初八、十八、廿八、三日得往各花園及河南寺廟散步遊玩，但須帶翻譯隨行，如有不當行爲，翻譯須負責任。

六、外人不得自由向官廳遞禀，如有陳訴，須由公行代陳。

七、公行有指導及保護外人之責，不得負外人債務。

八、外人每歲在廣東商館居住經營商務，須有一定期限（大約四十日，有時得延長），事畢即須退去，如不歸國，只能在澳門居住。

這些限制，雖然不能嚴格生效，但外商不能向官廳直接遞禀，不能不受公行的抑勒。公行的專利權既受之於官府，也不能不聽官廳的指揮。官吏與公行因緣爲奸，外國商館自是剝削的對象，一般外商對此種通商情況，皆不滿足。

（註一）顧亭林：天下郡國利病書卷十九，海外諸蕃

（註二）Ljiungstedt: A History Sketch of the Portuguese Settlement in China p. 26

（註三）本節史實多根據周景濂編：中葡外交史

(註四)何漢文：中俄外交史第三章

(註五)吳相湘：俄帝侵華第一章

(註六)蕭一山：清代通史上卷第六一七頁

(註七)臺灣省通志：卷九革命志駐荷篇第一章第一節

(註八)第二章第三節（一）（二）兩款，參考下列書籍：一、蕭一山著：清史　第二章（三）。二、李守孔著：中國近代史第一章。三、臺灣省通志：卷九革命志驅荷篇。

第三章　中英鴉片戰爭

第一節　鴉片戰爭前中英之交涉

一、中西隔閡的原因

蒙古人在十三世紀侵入歐洲，一二四三年蒙古佔有全俄羅斯，一二七一年意大利人馬可波羅來中國，但對東西文化的接觸，影響甚小。十六世紀葡萄牙人首先東來，經數十年的努力，一五五七年得租借澳門，作經營商業的根據地。一六八九年（康熙二十八年）與俄人締結尼楚條約，一七二七年（雍正五年）締結恰克圖條約。荷蘭在此期間，在外交上相當活躍；荷人在臺灣被逐後，協助清廷，奪取金門廈門，並出兵進攻臺灣，清廷准許其五年一貢。一六八四年（康熙二十四年）清廷自動開放廣州、廈門、寧波、雲台山四口，准許各國通商。在中俄軍事衝突時，荷人實負調停責任。若中西雙方能維持正常關係，則中國與歐洲不至隔閡，十九世紀的軍事衝突，或可避免。然十八世紀二十年代以後，因基督教問題，雍正驅逐外人離開中國。從此誤解日益加深，形成中西隔閡之局。

一五八一年意大利耶穌會傳教士利瑪竇到廣東肇慶傳教，學習中國語言文字；一五九六年至南京，得禮部尚書之推薦，修治曆法。一六〇一年至北京，與中國士大夫交遊。一六一〇年（明神宗萬曆三十八年）病歿於北京。利瑪竇死了十二年，日耳曼人湯若望入北京；湯若望精通天文，以譯纂曆書與製造天文儀器見重於明廷。滿清入關後，湯若望降清，備受清廷優待；他製定的「時憲曆」，亦奉令頒行。在明末初來中國的歐洲人，先後有幾十人，他們對於西洋學術都有所介紹，如砲銃製造，天文曆象，地理測繪，物理數學等，都有相當貢獻。明末大臣如徐光啟李之藻楊廷鈞等，對利瑪竇均極欽佩。清代順治康熙二帝優遇湯若望南懷仁等，士大夫也樂與交遊；他們尊重西洋的學術，也尊重西洋人，西洋人在各省傳教通商，都很自由。此時耶穌會的傳教士，爲傳教的便利，尊重中國的禮俗，容許教徒保持祭天祀祖等儀俗。到了清初，羅馬教皇派使來華宣諭，嚴禁教徒祭祀祖先，改變教徒調和的思想。康熙五十六年（一七一七年）遂有禁止傳教的上諭。雍正元年（一七二三年）規定，在北京的傳教士除從事欽天監等職務者外，餘皆逐出中國。

乾隆時代，對傳教之取締更甚，教士赴各省傳教，一經查出，永遠監禁。乾隆因嚴格禁教，對外人防範加強，乾隆二十二年（一七五七年），更實行閉關政策，將四口通商，改爲廣東一口通商。對來華外商，更予若干限制，使其不能活動。

自雍正驅逐傳教士出境，中西文化交流中斷。乾隆採用閉關政策，中西關係更形隔閡。在一七五七年以前，中國政治，軍事、文化均不弱於歐美。然歐美之進步超出中國，是在十八世紀六十年代以後。歐洲之產業革命開始於一七六九年，美國獨立在一七七六年，法國革命在一七八九年。一八〇七年美人傳爾登（Robert Fulton）發明輪船，一八一九年輪船橫渡大西洋，一八三八年英美之間，開始有輪船定期航行。自一七六九年以後，歐美有顯著的進步，而中國則固步自封，毫無進步。中國在禁絕鴉片時，不知英人之優點，是不知彼也；不知本身之缺點，是不知已也。淸廷當時旣不知彼，又不知已，中英鴉片戰爭發生，卽受嚴重挫敗。輪船發明後僅二十三年，英人卽敢於喜渡重洋，對中國作戰，可知產業革命對世界影響之重大。

二、英使馬甘尼等的訪華

英政府爲改善中英商務關係，接受東印度公司意見，在一七九二年（乾隆五十七年）派馬甘尼（Lord Macorlney）任大使來華。馬甘尼帶了官吏五十餘人，水手八百餘名，並帶了價值一萬三千多磅的禮品；一七九三年夏到達中國，從海道北上，經天津通州的水路進入北京，英使船上掛上一面「英吉利貢使」的旗子。

馬甘尼想請求的事件如下：一、請准派人留京，照料買賣學習教化。二、請在寧波天津交易。三、請照俄羅斯例在京設立貨行。四、請准在舟山附近小島居住，並請給廣州城外小地方一處。五、請減稅。六、請准英人傳教。

乾隆帝見譯出表文後震怒，責夷使所請皆不可行，並致英王喬治第三（King Geroge III）敕諭一道。

我們看乾隆給英王的第一道敕諭，可見當時中國對歐洲各國的態度。玆節錄於次：

「奉天承運皇帝敕諭英吉利國王知悉。……朕披閱表文，詞意肫懇，具見爾國王恭順之誠，深爲嘉許。……爾國王表內，懇請派一爾國之人，居住天朝，照管爾國買賣一節，此則與天朝體制不合，斷不可行。……若云仰慕天朝，欲其觀習教化，則天朝自有禮法，與爾各國不相同。爾國所留之人，卽能習學，爾國自有風格制度，亦斷不能效法中國，即學會亦屬無用。

天朝撫有四海，惟勵精圖治，辦理政務，奇珍異寶，並不貴重。爾國王此次貢進各物，念其誠心遠獻，特諭該管衙門收納。其實天朝德威遠被，萬國來王，種種貴重之物……無所不有……並無更需爾國製辦物件。特此敕諭。」

馬甘尼來華，在北京和熱河行宮，清廷是予以優待的。覲見的禮節，馬甘尼最初不肯跪拜，在後馬甘尼屈服，仍行跪拜禮。石渠餘紀記其事說：

「五月十二日貢船始過澳門，二十七日泊定海，六月十三日過登州廟島，船中夷官五十餘人，從人水手八百餘名，各疆吏次第以聞。時車駕駐熱河，命鹽政瑞徵護送前來。……八月貢使至山莊，上諭使臣禮節多未諳悉，朕心深爲不愜。前此沿途款接過優，以致妄自驕矜，將來應由內河水路，前抵江南，由長江度梅嶺，再由水路至廣東，供給不可過豐，經過營汛砲臺，務須完整嚴肅，以昭威重。尋軍機大臣以訓戒夷使，頗知悔懼聞，時外藩咸集山莊慶賀，馬甘尼偕副使斯當東等，卒隨緬甸諸陪臣舞蹈跪叩，宴畢成禮而退。於是許令由寧波乘船回國。」

馬甘尼來華使命雖未達到，但已了解中國虛實。他和中國官吏短期接觸，知道中國官吏貪污的情形。他看見當時中國的軍隊，都是寬衣大袖，未受過軍事訓練，所用軍器不過是刀槍矛矢之屬。他由北而南，取道陸路到廣州返國，沿途看見中國盲跛與乞丐衆多，知道中國民間貧困情形。他回國後發表的使華日記，認爲中國不是一個有實力的大國，不能和新興的大英帝國抗衡。四十八年後，英國敢以四千軍隊與中國啟釁，馬甘尼的報告，無疑是英國決策時重要因素之一。

嘉慶二十一年（一八一六）英國再派特使阿姆哈斯（Lord Amherst）來華，於是年七月初到天津，中國政府當然依舊目爲貢使。時淸廷已降旨定於初七日賜覲，初八日賜宴頒賞，初九日賜遊萬壽山，十一日赴禮部筵宴，十三日遣行出京。又恐英使不知禮節，特派員遙赴通州，教以跪拜禮儀，若能如儀，然後帶領來京；但英使堅不肯從。到京後，以禮服國書均未到，辭以須稍緩時日，招待大臣再三逼促，英使不爲所動。招待大臣無可如何，乃奏稱英使行至宮門病倒；嘉慶不知實情，命副使入見，旋又奏副使亦病倒。嘉慶大怒，說英使如此傲慢，侮視「天下共主」，降旨勒令卽行出京回國，敕諭英皇說：『此後勿庸遣使遠來，徒勞跋涉。朕今放遣來使，各歸其國，宥其罪戾，用顯高厚。』此次事件，嘉慶說英使侮視天下共主，英使則說淸廷侮辱英國的使節，不僅沒有達到締約的目的，反增加了雙方的惡感。此後，英國遂放棄遣使到京談判的念頭。

三、東印度公司商務專利權的取消

一八一三年英國會通過議案，取消東印度公司獨佔東方商務的專利權，准許商人在印度自由貿易；但准東印度公司對中國貿易仍可專利二十年，至一八三三年滿期。廣東地方政府聞東印度公司解散，大班（東印度公司負責人）取消，深恐「散商」不易管理，兩廣總督盧坤命公行轉知英商，寄信回國，囑英國另派「曉事大班」，到廣州管理英商及經辦商務。

一八三三年十二月英國派律勞卑（Lord Nopier）爲英國駐中國的商務監督官（Superintendent），一八三四年（道光十四年）七月十五日律勞卑到澳門，逕赴廣州。盧坤探知來者非大班而爲「夷目」，遂令行商往見之，詢其來意。律勞卑答稱：彼有公函直達總督，不需行商轉達，且欲與總督面談一切。蓋律勞卑堅持要用平行款式的公函送與總督，否則有辱國體。盧坤則以律勞卑縱是夷官，也應事先通知中國，不能擅來廣州，尤不可與天朝總督書信平行。今律勞卑既不能證明其身份，復擅來廣州，顯然「居心抗衡」。九月二日，盧坤一面令行商勸律勞卑速返澳門，一面下令「封艙」，停止不法英人的貿易。律勞卑亦不示弱，除布告英商「不必以斷絕貿易為慮」外，並報告英國政府，謂中國色厲內荏，使用武力較談判有效。

封艙之後，中國在商館役僕悉數撤退，並嚴禁食物運入商館；但律勞卑並不氣餒，九月七日下令停泊虎門口外英艦兩艘，乘潮衝入虎門，要塞守兵發炮止之，互相炮戰，英艦終駛抵黃浦。時英商被困，對律勞卑行動頗有怨言；律勞卑亦因水土不服，身染疾病，乃宣告屈服。二十一日乘英艦離廣州，二十六日抵澳門，十月十一日病死。盧坤報告清廷稱：「兵船夷目均已押送出口」，於是貿易恢復，一場風波，在滿清政府心目中，已告平息。從此英國政府遂改變從前和順態度，決以武力為後盾，以維持其遠東之商務。此後鴉片戰爭之發生，實種因於此。

第二節　鴉片戰爭的經過

一、鴉片流毒與清廷嚴禁政策

唐時由阿剌伯商人傳入鴉片，明萬曆十七年（一五八九年）以由葡人輸入的鴉片數量日增，乃開始抽稅。清初沿海居民將吸法改良，煮成煙膏，用竹管在燈前吸食。數年之間，流行各地，遂有烟館的開設。雍正七年（一七二九年）下令禁止販賣與開設烟館，一七八〇年英國東印度公司取得鴉片貿易專賣權後，鴉片遂大量流入，造成中國一個嚴重問題。

一七一九年雍正帝禁煙時，鴉片每年輸入不過二百箱，一七八九年（乾隆五十四年）每年輸入數目已達四千餘箱。道光元年到八年（一八二一—二八年）每年平均銷八千箱，道光九年到十五年（一八二九—三五年）每年平均銷一萬七千餘箱，至道光十六年（一八三六年）運到中國的鴉片有三〇、二〇二箱。

雍正七年禁煙時，所持理由是鴉片戕害身體，淫蕩人心。嘉慶元年（一七九六年）下令禁止鴉片入口，並禁民間吸食。嘉慶四年下令禁止種植。嘉慶二十年（一八一五年）復規定外船若再夾帶走私鴉片，一經查出，即將一船貨物，全行駁回，不准貿易。並切責行商，令其曉諭外商，到中國來只能作正經生意，不可推銷此戕害身體的毒物。清廷雖再三申令禁煙，但清吏積習已深，英國走私方法百出，禁令等於具文，鴉片銷量仍然激增。

鴉片流毒無窮，但數十年來，用各種方法禁絕，都不發生效果。一八三四年兩廣總督盧坤主張弛禁，請准許鴉片入口徵稅；同時應弛內地栽種鴉片之禁，使吸煙者買食土膏，夷人不能專利。清廷不贊成盧坤主張，仍予嚴禁。兩年後（一八三六年）太常寺卿許乃濟向清廷提出弛禁鴉片的主張，認爲鴉片走私，是白銀外流的主要原因，嚴刑峻法不能防止奸民的走私，他提出下列三個辦法：一、准許鴉片納稅入口，販鴉片所得之銀不準帶回，只許以易貨物；二、准許民間吸食鴉片，但文武官吏，士人，兵丁等不得任令沾染惡習；三、在不妨礙糧食生產條件下，准內地種植鴉片，使夷人不得專利。弛禁論提出後，道光帝認爲頗有道理，兩廣總督鄧廷楨尤表贊同，但反對者衆多。兵科給事中許球提出反對的意見說：「若只能禁官與兵，而官與兵皆從士民中出，又何以預爲之地？」「況明知爲毒人之物，而聽其流行，復徵其課稅，堂堂天朝，無此政體。」他的辦法仍是「謹守舊章，嚴行整頓」。因反對者衆多，弛禁論終被打倒。

弛禁論被打倒，但英人販賣鴉片仍大量輸入，兩廣總督鄧廷楨用盡種種方法禁煙，毫無效果，白銀仍大量流出。道光十八年（一八三八年）鴻臚寺卿黃爵滋提請以重刑懲治吸煙者，他說：「夫耗銀之多，由販煙之盛，由食煙之衆，無吸食，自無興販，則外夷之煙自不來矣！」他主張以一年爲期，限令吸食者戒絕，如不戒絕，處以死刑。一年期滿，民間五家互保，不告者治罪。官吏犯者，除本人處死刑外，子孫不准考試。道光看了奏章，很受感動，乃下令徵求各封疆大吏意見，清廷收到復奏二十餘件，都贊成黃爵滋重刑懲治的意見。復奏中以湖廣總督林則徐的立論最徹底，他說鴉片問題，若「猶泄泄視之，是使數十年後，中原幾無可以禦敵之兵，且無可以充餉之銀，興思及此，能無股慄！」道光十八年（一八三八年）十二月詔派林則徐爲欽差大臣，馳赴廣東，查辦海口事件。次年三月林則徐抵廣州，開始澈底禁煙的工作。

二、林則徐澈底禁煙與英人反抗

一八三九年三月十日林則徐到達廣州後，切實奉行禁煙政策，調查公正，行動迅速。他第一步先做調查工作，集合廣州三個書院的學生數百人於考棚，出了三個題目叫學生不書姓名答復：一、列舉鴉片囤積的地方，囤積者的姓名。二、列舉零星轉販者姓名。三、斷絕鴉片流毒的方法如何？這一次「觀風試」的結果，將舞弊的緝私人員韓肇慶及其串通舞弊的官弁，一律撤職。第二步嚴禁吸食，首禁的是士人，次及水師，再次始及一般平民。第三步禁鴉片入口，他先指出行商與外商勾結牟利的內情，諭其不可再事欺飾隱匿。次責令行商要外商三日內「具漢字夷字合同甘結，聲明事後永不許夾帶鴉片，如再夾帶查出，人即正法，貨盡入官。」三月十八日要外商在三日內具結的通令送出後，並無反應。二十一日限期已滿，林則徐乃下令緝拿廣東最著名的毒犯英人鄧特（L. Dent）。

時任英國遠東商務監督的，是義律（Capitain Charles Elliot）。義律於一八三六年十二月就職後，首先具稟交行商轉呈兩廣總督鄧廷楨，自稱「遠職」，請求赴廣州照料商務，鄧廷楨允其請，義律遂得赴廣州。一八三七年十一月義律收到英政府訓令：在任何情形下均禁止對中國官府用稟呈，更不得經行商轉呈，義律只得再返澳門。義律上書鄧廷楨時，中國政府正討論禁煙問題，同時上書英國政府，恐將因禁煙問題引起危機。一八三七年十月英政府命東印度艦隊司令梅廸南（Sir Frerick Maitland）率艦隊赴中國一行，並經常派遣一二軍艦在中國海岸巡戈。一八三八年七月梅廸南率軍艦兩艘到廣東海面，英國對中國的交涉，已採用武力為後盾的強硬政策。

義律在澳門知道緝拿鄧特後，一面聲稱保護鄧特，一面下令艦準備戰爭；同時報告英政府稱：要採用強硬態度，才可制服粗魯的廣東地方官員。三月二十四日義律赴廣州，欲偕鄧特赴澳門，林則徐以毒犯欲逃走，遂封鎖商館。三月二十六日諭示夷人速繳鴉片，要求外國人與中國合作禁毒。

義律困居商館，食物用人均告缺乏，英國及各國商人被牽連受難。義律以顧全各國人等安全為理由，要求英商將屯積鴉片交出。計繳出鴉片二萬〇二百八十三箱，共二百數十萬斤。四月四日林則徐復令各洋商一律具結，永不夾帶鴉片來華。葡、美、諸商皆願具結，照舊通商，獨義律不願。五月二十一日鴉片全部繳清，中國政府每箱鴉片酬賞茶葉五斤。二十四日義律與英商全離廣州。義律到澳門後，態度轉變強硬，拒絕貿易，亦不收受賞賜茶葉十餘萬斤，自此中英貿易已告停頓，廣州只剩美商二十五人。六月三日林則徐會同中外人士，在虎門附近海灘將鴉片全部銷燬，共費時二十三日。

六月三日焚燬鴉片後，道光以林則徐任務完成，十分嘉喜，欲調其任兩江總督；但林則徐以外商具結永不夾帶鴉片，和廣東吸食販賣問題，都沒有解決，不願他調。道光尊重他的意見，調鄧廷楨爲兩江總督，任林則徐爲兩廣總督，以貫澈禁煙工作。

義律在澳門將中國禁煙情形報告英政府，並命英船勿入內河，只在澳門起卸貨物，靜候英政府的指示。此時鴉片名義上雖禁絕，然走私秘密輸入，數量仍復不小，且煙價本爲每箱五百元，一禁之後飛漲至三千元。

當此密雲不雨之時，忽發生七月七日英水兵暴動，毆斃九龍尖沙嘴村人林維喜案，遂爲開戰之導火線。義律於八月十二日審問主犯五人，處以罰金二十磅及六月之監禁，以此結果報告於中國官吏。中國官吏不承認英人有裁判權，索主犯於義律，義律抗不交出；乃下令禁供英船及英人食物，並命澳門驅逐英人，於是義律率妻子及住澳之英商五十餘家，被迫遷去，寄居尖沙嘴貨船。

十月林則徐新奉上諭，謂「不患卿等孟浪，但誡卿等不可畏葸」，遂毅然下令迫義律將殺害林維喜者交出，並令在黃浦諸船限三日以內入河或退去，不然則開炮轟擊之。義律即偕英海軍司令於十一月二日率二艦到穿鼻海，致書林則徐，脅其撤回恫嚇令。次日遂發炮攻擊中國武裝船隻，沉沒四艘，是爲戰爭之開端。

三、一八四〇年英國發動戰爭

甲、英國主戰的原因和經過。中英停止貿易，對英國絕對有害；英國在印度每年徵稅的收入爲五千萬磅，其中抽自鴉片者，爲八百萬磅，佔印度歲入六分之一。中英貿易停止，英國在印度損失六分之一的收入，這是發動戰爭的主要原因。中國將英國使臣視爲貢使，將其商務監督軟禁，逐離廣州等事件，英國均無動於衷。然中國禁烟，英政府接義律報告後，立刻派梅廸南率軍艦到中國，主要原因就在維護商業的利益。

義律對中國收繳鴉片的報告，於一八三九年九月二十一日到達倫敦；英政府的行動，尚猶豫不決。十一月三日林維喜案的消息到達倫敦，英政府以英國人民的生命受到威脅，英國商務受到限制，英國國旗遭受侮辱，始決定對華戰爭。英國發動這次戰爭，在議會僅以九票的多數通過。一八四〇年四月三日英政府下令向中國要求傷害的補償。如果不達到目的，即以武力解決。六月二十一日由懿律（Rear-Admiral George Elliot）統率的英國遠征軍，到達廣東海面。

乙、英軍封鎖廣州後北上。懿律於來中國時，帶着英外相寫給中國首相的信，內容大意是：英國臣民受中國官憲侮辱，有損國威，故興兵前來，洗雪冤屈。對於鴉片問題，英國不願包庇，但臣民受屈，必要昭雪。中國禁烟法令太驟，實屬不合情理。多年以來，粵省官吏任叫商人行銷鴉片，現在豈能加罪外人？如要設法治罪，應該先治官憲，並通知英政府，才合道理。如今只是逼勒領事，斷絕飲食，強領事以所難，英政府不能坐視不理。因此要求中國賠償鴉片損失，雙方平等來往，割讓島嶼，賠償商欠，並且保留新近發生問題的賠償要求。為求早日達成起見，故令軍隊佔領港口，據地為質。未得滿意解決，決不停戰。請派全權代表談判，並應賠償軍費，及接受上述要求。

懿律到達中國後，即照英外相指示，封鎖廣州省河後，於六月三十日偕同義律領艦北上，和清廷直接交涉。懿律所率部隊，計有軍艦十六隻，武裝汽艇四隻，運輸船二十隻，大砲五百四十尊，士兵約四千人。

林則徐在廣州，對敵情頗有研究，他派人翻譯澳門日報，知道夷人的船堅砲利，對於沿海防務，盡力佈置，他又知道中國船砲不及夷人堅利，命令水師，「不必在洋攻剿，但固守口岸藩離。」中國是時僅廣東有備，其他沿海各省均無防備。英軍不選擇廣東為戰場，率艦北上，陷厦門，佔定海，攻寧波，而入渤海，於八月十日直抵大沽口。

直隸總督琦善得報，即自保定馳赴天津，佈置防務，發現能調用的兵力，只有六百餘人，大沽口的守兵僅百餘人，能調至的軍隊也不過二千人。因此琦善到天津後，便立定敷衍政策，使英國軍艦從速離開渤海。九月十九日清廷收到英國外相致中國首相的強硬照會，提出五項要求：一、賠償烟款。二、兩國往來用平行禮。三、割讓中國沿海一島或數島。四、償還行商歷年積欠英商的債務。五、賠償兵費。照會內容措詞強硬，等於最後通牒。但照會譯成中文後，竟變成英夷是來「求討皇帝昭雪伸寃」的。琦善與義律會談於大沽，發現英夷性質粗豪強悍，並了解英夷船堅炮利，遂答應北京立刻派人到廣州查辦，對林則徐一定重治其罪。時英軍兵力不足，不便在北方作戰，乃率軍艦離去。清廷不知敵情，以琦善憑三寸之舌，說退夷兵，對之大為嘉賞，遂派琦善為兩廣總督，將林則徐鄧廷楨兩人撤職查辦。

丙、琦善對英敷衍對上欺瞞。琦善於十一月二十九日到廣州，知道英人態度強硬，仍用在北方敷衍塞責的辦法。他辦理外交，一反林則徐過去辦法，在軍事上實行撤防，裁減兵船三分之一，遣散舵工水手，撤去海口內木排鐵練，使英船可以自由探測河道，以爲藉此可以討好英人。交涉開始的時候，懿律稱病回國。琦善與義律談判，義律提出十四點要求：一、以後不得欺侮英商。二、賠償烟價及戰費。三、清還商欠。四、他國走私烟船，不得涉及英船。五、英國公文直稟清帝。六、要求永遠居住地一處。七、要開閩浙蘇津等六處商埠。八、北京駐使，各商埠派駐領事。九、商埠英人犯罪，自行審理。十、商埠准建教堂。十一、准英商携帶家眷到商埠居住。十二、裁除奸商。十三、確定海關稅率。十四、減低船隻規費。琦善談判方法，係敷衍義律，承認賠償烟價五百萬元，並承認貿易碼頭一處，以誘其就範。從一八四〇年十二月九日談判到一八四一年一月六日，由於英方堅持增加口岸，割讓海島的要求，談判未有結果。在交涉期間，琦善將實際情形隱瞞，不向清帝報告，甚至對廣東巡撫怡良亦嚴守秘密。

義律因交涉無結果，改用武力威脅。一八四一年一月派英艦砲轟虎門外沙角大角砲臺，兩砲臺都被英軍佔領。此次戰役，英軍死傷僅四十人，我方傷亡七百餘人。琦善知英人船堅砲利，只得從權請和，有接受英方要求意思。十日琦善疏奏戰爭經過，十三日續奏中，指出義律仍要進攻，我方戰守兩難，不若給一外洋寄居之地，表示寬大以示恩。一月十八日琦善答應義律要求，商定下列條款：一、割讓香港，中國仍可徵稅。二、賠款六百萬元，先交一百萬，餘分五年付清。三、平等待遇。四、陰曆正月十日以後廣州開市。五、釋放浙江英俘。六、英軍退出沙角砲臺，交還浙江定海。但琦善上奏時，只提到准許英人照葡人澳門前例，在香港寄居，其他要求，一概不提。巡撫怡良，並未參加琦善的談判，聽到割讓香港消息，先向清廷報告。

四、軍事失敗後清廷講和

甲、道光主戰與廣州失陷。琦善不將英人實情奏知道光，道光接怡良奏摺後，痛責琦善「辜負國恩，喪盡天良」。一八四一年一月廿七日將琦善撤職，押解赴京，派侍衞內大臣奕山爲靖逆將軍，戶部尙書隆文，湖南提督楊芳爲參贊大臣，調集四川、湖南、貴州各省兵丁一萬人馳赴廣東，剿辦奸夷。同時任命主戰最力的裕謙爲欽差大臣，負責浙江軍事。

義律知琦善撤職，和議破裂。二月下旬攻虎門，經三日血戰，提督關天培陣亡，虎門要塞陷落。楊芳所率湖南援兵，應戰卽潰敗。五月英軍進攻廣州，奕山隆文等已無力抵抗，只得向英軍屈服，表示中國軍隊撤出廣州，並於七日內納六百萬元與英軍，作爲廣州的贖金，得到英軍不進據廣州的交換條件。但奕山隆文等仍不將實情向道光報告，說夷目進攻廣州，是見「大將軍有苦情上訴」，將商欠付清後已退出虎門；爲先蘇民困計，已暫准英商貿易等語。道光當然不知實情，仍一味主戰。

乙、三元里義民抗英。英軍戰勝以後，遊行街市，軍紀欠佳，加上言語不通、激起廣東平民的反感。五月三十日英軍在三元里強姦一老婦，村民聞訊憤極，鳴鑼聚衆；附近村民聚衆數千人，豎起「平英團」大旗，攻擊英軍，將英軍重重包圍。當時英兵有四五百人，因逢大雨，槍彈失效，義民殺死英軍官二人，兵士一百多人。義律派人請廣州知府余保純出來解圍，方告無事。從此，廣東人民自信能戰勝夷人，爲後來第二次中英戰爭伏下一遠因。

丙、英軍第二次北上攻陷寧波。自廣州戰事後，中國方面認爲戰事已了，七月二十八日上諭沿海撤兵。但義律與琦善所訂之和約，送交英政府後，英內閣否決義律所訂之和約，認爲違背訓令，乃將義律免職召回，另派樸鼎查（ Sir Henry Pottingen ）代其職。八月十日樸鼎查到粵，率艦北駛，首先攻陷夏門。九月再陷定海。十月英軍陷鎮海與寧波，欽差大臣裕謙自殺。英軍在浙江得勝後，以冬季已屆，暫按兵不動。清廷在此時機，調整閩、浙、蘇、三省人事，調兵遣將，力圖恢復浙東，統籌東南沿海防務的奕經於布署後，於道光二十二年（一八四二）三月統率軍隊二萬餘人，反攻寧波，大敗，奕經逃到杭州。

丁、道光採納韻科主和建議。浙江巡撫劉韻科看到英人進攻定海、鎮海，才知道英人砲火利器，無不猛烈精巧，於是主張「撫」議。浙東反攻失敗後，劉韻科立即上奏，提出浙江戰役十可慮之處：一、兵勇毫無勇氣。二、遠處調兵需時。三、敵人火器精猛。四、敵人水陸俱便，難以防範。五、我方缺乏精練水師。六、敵人善結人心，民間缺乏敵愾觀念。七、人情震動，士氣不勇。八、影響收糧困難。九、匪徒乘機滋擾。十、他省亦有危機，勞師糜餉，勢將伊於胡底。道光在奕經反攻失敗之後，被劉韻科奏摺所動，始派耆英爲欽差大臣，並諭以「暫時羈縻」。

一八四二年五月英軍攻陷乍浦，六月攻佔吳淞上海。此時英援軍已到，遂溯江而上，攻下鎮江，道光至此始知形勢嚴重，密諭耆英「便宜行事」。八月六日英旗艦孔華麗士（ Cornwealig ）駛抵南京下關。八月十二日樸鼎查提出條款，脅迫耆英全部接受。八月二十九日中英南京條約遂在英國軍艦孔華麗士上簽字。

第三節　鴉片戰爭的結果

一、締結中英南京條約

中英南京條約在英艦簽字，中國代表爲耆英，英國代表爲樸鼎查。一八四二年九月六日由道光批准，十二月二十八日由英政府批准，一八四三年六月二十六日在香港互換，全文共十三條。茲節錄原文於次。

萬年和約。茲因大清大皇帝，大英君主，欲以近來不和之端解釋，息止肇衅，爲此議定設立永久和約。……………

第一條　嗣後大清皇帝與大英國君主永久和平，所屬華英人民彼此友睦。………

第二條　自今以後，大皇帝准英國人民帶同所屬家眷，寄居沿海之廣州、福州、廈門、寧波、上海等五處港口，貿易通商無礙。英國君主派設領事等官住該五處城邑。………

第三條　……皇帝准將香港一島，給予英國君主，……任便立法治理。

第四條　因欽差大臣等於道光十九年二月間，對英國領事官及民人等，強留粵省。嚇以死罪，索出鴉片，以爲贖罪，今大皇帝准以洋銀六百萬元，補償原價。

第五條　凡英國商民，在粵貿易，向例全歸額設行商，亦稱公行者承辦。今大皇帝准其嗣後不必仍照向例，凡有英商赴各該口貿易者，勿論與何商交易，均聽其便。行商………有累欠英商甚多……

第六條　……今約定洋銀三百萬元，作爲商欠之數，由中國官代爲償還。

欽差大臣等向英國官民人等，不公強辦，致須撥發軍士，討求伸理，今酌定洋銀一千二百萬元，大皇帝准爲補償。惟道光二十一年六月十五日（一八四一年八月一日）以後，英國在各地收過銀兩之數，按數扣除。

第七條　以上酌定銀數，共二千一百萬元，此時交銀六百萬元。……自壬寅年（一八四二年）起，至乙巳年（一八四五年）止四年共交銀二千一百萬元，倘按期未能交足，則酌定每百元應加息五元。

第八條　凡係英國人……在中國管轄各地方被禁者，大皇帝准即釋放。

第九條　凡係中國人……與英人有來往者，恩准免罪，凡係中國人爲英國事被拿監禁者，亦加恩釋放。

第十條　……英國貨物，自在某港按例納稅後，即准由中國商人徧運天下，所經過稅關，不得加重稅例，只可估價則例若干，每兩加稅不過某分。

第一一條　英國住中國之總管大員，與中國大臣……有文書往來，用照會字樣。……兩國屬員往來，必當平行照會。

第一二條　……此時准交之六百萬元交清，英國水陸軍士，當即限出江寧京口等處江面，並不再行攔阻中國各省商賈貿易。至鎭海之招寶山亦將退讓，惟有定海縣之山海島，廈門廳之鼓浪嶼小島，仍歸英兵暫爲駐守，迨及所議洋銀全數交清，而前議各海口均已開闢，俾英人通商後，即對駐守二處軍士退出，不復佔據。

第一三條　以上各條，均關議和公約，應俟大臣等分利奏明大皇帝硃筆批准，及英國君主判定後，即速相交，俾兩國分執一冊，以昭信守。……

中英南京條約，中國承認：一、五口通商，並許英國領事駐紮。二、割讓香港。三、賠款共二千一百萬元，分四年交清。四、廢除行商制度。五、在戰事期間與英人有來往者一律免罪。六、英商繳納進口稅後，運往中國其他各地稅關，不得加重稅例。七、兩國官方往來文書概用平行款式。從此中國閉關主義開始打破。

三、中英續訂兩項條約

甲、中英五口通商章程。中英南京條約締結後一年（一八四三年）七月二十二日，耆英與樸鼎查在香港簽訂五口通商章程，共十五條，重要者如下：一、英船進口當天報告英方，轉請海關抽驗，卸貨納稅。二、英船進口每噸只輸銀五錢。三、五口進出口貨物，按新定稅則（百分之五）納稅，各項規費，絲毫不得增加。四、英商自投華商交易，如遇詐騙，實係逃匿無踪或身亡產絕時，中國政府不負賠償之責。五、英商控告華民，應向管事官投稟，間有華民赴英官處控告英人，管事官應一律調解勸息。英商如遇投稟華方大憲，由管事官轉遞。倘雙方爭訟不息，雙方官吏會審，各依本國法律治罪。六、五口各准停泊英國官船（兵船）一隻，以便管事官約束水手人等。

乙、中英虎門條約。此項條約係一八四三年十月八日耆英和樸鼎查在虎門簽訂，又稱虎門條約。此項條約事實上是中英南京條約的續約，內容共二十條，要點如次：一、中英只限五口通商，華英商欠，官可代追，不爲保償。二、英商攜眷只限五口，不准進入內地。三、英人在五口自行租地建屋或租屋居住，不准將來在界地外別有租賃。四、設有新恩施及各國，准許英人一律均沾。五、雙方互不包庇逃犯。六、各口停兵船一隻。七、英商和華商串同漏稅，英商貨物沒收，華商受懲。八、華商在香港貿易，由五口發給牌照，在香港辦貨，由香港發給牌照。九、未超過一百五十噸之裝貨小船，每噸納銀一錢。

耆英於簽約後，自誇外交手段，他說：「從來撫馭外夷，但當計我之利害，不必問彼之是非，惟不可因其情辭馴順，積存大意，致墮其術。」耆英見解從實際經驗中得來，實在是很正確。但耆英國際知識究竟有限，根據五口通商章程第五項規定，給予英人領事裁判權。根據第六項規定，英國兵船可以停泊通商口岸，是開兵船有內河航行權的先例。根據虎門條約「設有新恩施於各國，將許英人一律均沾」的規定，就是所謂利益均沾；中國只要允諾任何國家一項利益，英國都可同樣享受。

三、中美望廈條約

中英南京條約簽訂後，一八四三年七月三十一日美國公使顧盛（Cushing）率領軍艦四艘，由美國出發，一八四四年二月二十七日到澳門海面停泊後上岸。顧盛知道中國不願使節進京，他寫信兩廣總督，說奉有總統命令帶有國書，前來商議條約。道光四月九日獲得奏報後，命耆英前往廣東，與顧盛辦理交涉，因對英國戰爭失敗後，不願再啓戰爭，所以諭令「切勿開砲打仗，所需淡水食物，准其購買，但不准一人登岸。」耆英五月三十日到廣州，六月二日照會顧盛，不日可到澳門。耆英於六月十日到澳門，住在望廈村中，次日卽與顧盛會談。耆英的目的，在阻止顧盛赴京；最後顧盛允不赴京，但附有一個條件，就是「他日西洋別國，倘有使臣進京後，則凡所有本國使臣到中國者，均應以格外恩禮，款待北上。」一八四四年七月三日在廈望村簽訂中美廈望條約，又稱中美五口通商章程。原約共三十四條，凡英國所獲的權利，美國同樣取得，要款如下：一、美國在中國所納之稅，不得多於他國，二、准許美國人民在廣州、福州、廈門、寧波、上海，五港居住貿易，並設領事辦事。三、美國人民在五港口居住，准其租賃民房或租地建屋，並設立醫院禮拜堂及墓地。四、兩國人民若有爭鬥訴訟，中國人由中國官廳審訊，美國人民由領事審訊，依本國法律治罪。五、商船進口並未開艙，限二日出口，不征貨稅船鈔。六、商船納稅完畢，如因貨物未銷完，改往他口銷售，不再征收船鈔。七、本條約十二年後改訂。

四、中法黃埔條約

當中美商約談判之際，法國亦派公使剌勒尼於一八四四年五月率兵船八隻前來，清廷乃派耆英代表交涉，十月二十四日在廣東黃埔簽訂中法五口通商條約，又名中法黃埔條約。

法國除要享受英美所獲待遇外，復要求中法互換公使，割虎門以便法國代表清廷防備英國，割讓琉球舟山，准法國人在中國境內自由傳教等。法國當時所提以上各點，除商約外，耆英皆予拒絕。中法五口通商條約共有三十五條，要款如下：一、廣州、福州、廈門、寧波、上海，五口通商。二、法國在吾派領事軍艦保護。三、出入貨物照現行稅則納稅，不得索取規費，亦不得走私違禁。四、准在五口賃屋租地居住往來。五、民刑訴訟各依本國條例處斷。六、中國與他國交戰時，法船仍許通行。七、中國人將法國禮拜堂墳地觸犯毀壞，地方官照例嚴拘重懲。

五、續准各國通商

中國與英、美、法三國簽約後，各國續起要求。葡萄牙，比利時，瑞典，荷蘭，西班牙，普魯士，丹麥等國，清廷一律發給章程稅則，准許前來貿易。

從中英南京條約到中英虎門條約，我國給與英國領事裁判權，規定值百抽五的協議關稅，片面的最惠國條款。中美望廈條約中法黃埔條約，均以中英虎門條約為基礎，其他各國均沿例要求，於是任何有條約的小國，在中國均可享有特權。因中美廈望條約規定十二年後改訂，遂有一八五四年英法美三國的要求修約，演變為英法聯軍之役。

本章參考書

(一) 東世徵著：中英外交史第一章第二章
(二) 黃大受著：中國近代史上冊第四章
(三) 李定一著：中國近代史第二章第三章
(四) 李劍農著：中國近百年政治史第一章
(五) 蔣廷黻編：近代外交史資料輯要上卷第一章第二章
(六) 中外條約彙編：有關各條約

(七) H.F. Mac Nair: Modern Chinese History-Selected Readings 第五章

(八) H.B.Morse : The International Relation of the Chinese Empire 第1卷第四章至第十章

第四章　英法聯軍之役

第一節　中英爭執的再起

一、清廷仍不知彼

鴉片戰爭後，我國閉關主義被迫打破，與英人訂城下之盟，清廷在此重大刺激之下，似應了解敵情，決定應付之法。然了解敵情，知已知彼的，不過是少數人，道光咸豐兩帝皆係庸碌之材，仍妄自誇大。道光年間，了解敵情的首推林則徐。他在遣戍途中，曾寫信給友人說：

「彼之大炮遠及十里內外，若我炮不能及彼，彼炮先已及我，是器不良也。彼放炮如內地之排鎗，連聲不斷；我放一炮後，須輾轉移時，再放一炮，是技不熟也。求其良且熟焉，亦無他深巧耳。不此之務，即遠調百萬貔貅，只恐供臨敵之一烘。……內地將弁兵丁，雖不乏久歷戎行之人，而皆覿面接仗。似此之相距十里八里，彼此不見而接仗者，未之前聞。余嘗謂勦匪八字要言，器良技熟膽壯心齊而已。第一要大炮得用，今此一物置之不講，眞令岳韓束手，奈何奈何！」

林氏在廣東禁烟時，買外國船炮，並奏請用粵海關所收之稅銀，製炮造船。他還翻譯外國書刊，作「

知彼」的研究，他翻譯所得之材料，一八四二年由魏源撰爲「海國圖誌」。海國圖誌的序上，聲明以往的書，都是中國人談外國，該書則根據西洋書而介紹西洋。魏源說明編書的目的說：「是書何以作：曰：爲以夷攻夷而作，爲以夷款夷而作，爲師夷長技以制夷而作。」魏源批判鴉片戰爭經過說：

「夷寇之役，首尾三載，糜帑七千萬，中外明議，非戰卽款，非款卽戰，從未有專議守者。何哉？且其戰也，不戰於可戰之日，而偏戰於不可戰之日。其款也，不款於可款之時，而專款於不可款之時。其守也，不守於可守之地，而皆守於不可守不必守之地。……誠能擇地利，守內河，堅垣壘，練精卒，備火攻，設奇伏，如林，鄧，之守虎門廈門，先爲不可勝以待敵之可勝，則能以守爲戰，以守爲款。以守爲戰，則豈特我兵可用，卽佛蘭西，美利堅皆可用，以外敵攻外敵也。豈特義民可用，卽莠民亦可用，以漢奸攻逆敵也。以守爲款，則我無求於彼，彼有求於我，力持鴉片之禁，關其口，奪其氣，聽各國不得貿易之夷，居間調停，皆將曲彼而直我，左彼而曆我，匪特煙價可不給，而鴉片亦可永禁其不來。且可省出犒夷數千百萬金，爲購洋船洋炮，練水戰火戰之用。盡收外國之羽翼，爲中國之羽翼，轉外國之長技，爲中國之長技。惟太上能先時，惟智者能不失時，又其次者，過時而悔，悔而能改，亦可補於來時。」

林則徐魏源等是了解夷情的，被撤職查辦的琦善，和被賜死的耆英，也略知夷情。琦善知道英國的兵艦「無風無潮，順水逆水，皆能飛渡」，英國的炮位「中具機軸，只須移轉磨盤，炮卽隨其所向」。他知道中國主持軍事的，全是文臣，「筆下雖佳，武備未諳」，他們了解中國不能對抗英國，所以主和。

清廷既不能「師夷長技以制夷」，又不知自己之短而主和，徐廣縉任兩廣總督時，咸豐命他「以誠實結民情，以羈縻辦夷務」，只知道用敷衍羈縻的辦法，不知道「過時而悔，悔而能改」，致釀成英法聯軍之役。

二、廣州人拒絕英人入城

鴉片戰爭是英人有計劃的行動，英法聯軍之役，可以說是鴉片戰爭的餘波，由於葉名琛的狂妄，遂將可以平息的餘波，掀成了狂瀾。

南京條約以後，開五口通商，其他四口都沒有問題，惟有廣州因拒絕英人入城，發生了問題。從林則徐時起，利用民氣，號召團練，抵抗英人；三元里和英人衝突以後，積怨甚深。而英人在廣東受了多年的壓迫，以戰勝者的姿態出現，一有衝突，動輒脅官壓民，小題大做，更激起廣東人民的反感。耆英在一八四三年初到廣州時，已知道中外不和的情形，他疏奏說：『從前粤中習俗，既資番舶爲衣食之源，又以夷人爲作弄之具，該夷敢怒而不敢言，飲恨於心，已非一日。近日夷情不能再如從前之受侮，設有一言不合，即彼此欲得而甘心。……民夷兩相疑懼，倘辦理稍有未協，必致重啓釁端。』後來果不出耆英之所料，再度引起了中英戰爭。

廣州人仇英的表現，是趁英人出遊時，乘其不意加以殺害。耆英對人民依法嚴懲，一般人都罵他賣國媚外。一八四六年一月（道光二十五年十二月）耆英佈告開放廣州，准許英人入城，可是第二天就有說帖張貼，攻擊廣東當局。這時士紳和民衆，都堅執「夷人不許入城，爲天朝二百年來例禁」。英人也爭面子問題，以爲「入城則榮，不入城則辱」，雙方愈鬧愈烈。一八四七年耆英一方面受英人威脅，允許英人於二年後准其入城，一方面受輿論的攻擊，感覺辦事棘手，請求内調。道光也就接受，召耆英返京，另派徐廣縉爲兩廣總督，葉名琛爲廣東巡撫。

徐廣縉不明國際形勢，葉名琛更是虛驕自用的怪物。道光對他們的外交指示說：「疆寄重在民心，民心不失，則外犯可弭，嗣後遇有對夷交涉事件，不可因循遷就，有失民心。至於便通參酌，是在該督撫臨時加意權衡體察，總期以誠實結民情，以羈縻辦夷務，方爲不負委任。』徐葉兩人到廣東後，對於外人情形，不似林則徐的虛心研究，根本沒有注意「權衡體察」。徐廣縉尚知利用民氣，有所準備。到葉名琛繼任總督，對民氣也不知利用，以不戰不和不守的態度，對付狡猾強硬的英人，無怪誤盡了國家大事。

一八四九年四月十一日（道光二十九年）英人以入城之約到期，香港總督文翰（ Bonham ）率兵艦入內河，提出要求。廣縉暗中召集各鄉團練，在兩岸齊聲吶喊，英人吃了一驚。廣縉乘「單舟前往，告以衆怒不可犯」。英人此時不願決裂，只聲明保留權利，隨卽退去。這時英人是來交涉，並未準備打仗。但英人退去後，徐、葉、及當地人士都認爲大勝利，誇奏邀功。道光也很高興，奬勵人民「有勇知方」，並封廣縉一等子爵，名琛一等男爵，風示天下。徐葉諸人也覺得「民心可用」，更是自誇自大。

一八五一年（咸豐元年）徐縉縉調任湖廣總督，葉名琛陞任總督，他以爲「虛聲恫喝，乃夷人之慣技」，「惟有靜以待動，彼自勢絀力窮」。薛福成批評他說：『其術僅止於此，旣不屑講交隣之道，與通商諸國聯絡，又未嘗默審諸國情勢之嚮背，虛實強弱，而謀所以應之』。

三、英美法修約交涉被拒絕

一八五四年（咸豐四年）以後，按照中美通商章程，十二年改訂一次，業已到期，英法美諸國都派使要求修約，名琛全不理會。三國代表也曉得同他交涉，是沒有結果的。英美代表遂決定離粵赴滬，想找兩江總督交涉。八月美使麥克蘭（Robert M. Meclane）到上海，會見總督怡良，表示願意幫助清廷平太平天國之亂，請求開放鎮江，准許在長江貿易。英使包令（John Bowring）也繼續會見怡良，提出要求，並且表示如不答應，將逕往天津。怡良疏奏清廷，咸豐回諭說：『令該夷等前赴粵東聽候查辦，着葉名琛仍遵前旨，設法開導，諭以堅守成約，斷不容以十二年變通之說，妄有覬覦』。咸豐不知過去所訂的條約，也不知道葉名琛在廣東的情形，有此糊塗的指示，英美兩使的交涉，更無結果。接着法使又到，英美法三使都堅持修約，並且表示多開口岸，當地如有賊匪，願意幫同掃除。三國表示可以幫助清廷，打平太平天國。但怡良因上諭嚴厲，仍勸各使回廣東找葉名琛。英美二使知道此路不通，遂北上天津，想與清廷直接交涉。

一八五四年十月英美二使北上，到大沽口，咸豐先後派直隸總統桂良，及崇綸到天津交涉。十一月三日雙方會議，英使提出十八點要求，重要的有公使駐京，英人得在內地居住，購買地產，開放天津，修改稅則，准許鴉片進口，廢除厘金等。美使所提要求，大致與英使相同。咸豐看了英美二使的要求，認為「荒謬已極」。二使因此談判無結果，只好南下。一八五六年英美法三使又在廣東進行修約談判，葉名琛仍然拒絕。英使再三交涉均無結果，便想覓取機會，用武力使中國就範。

第二節　英法聯軍佔領廣州

一、英國藉口亞羅船事件發動戰爭

一八五六年廣州亞羅船事件發生。十月八日曾在香港註冊的亞羅船，懸了英旗，由珠江開往香港，爲中國巡邏水師捕獲，上船拘捕華人有海盜嫌疑者十二人，並拔去英旗。這件事本身並不嚴重，船是中國人所有，所捕之盜也是中國人，只因亞羅船曾在香港註冊，懸一面英旗，所以給英國人一種口實。香港總督包令和英領事巴夏禮（H.S.Parkes）認爲中國侮辱英國國旗，於十月二十九日就擧兵攻廣州，想迫使名琛改約。名琛命水師勿與戰，在不抵抗之下，英軍攻入城內，因兵少不能佔領，復退出；巴夏禮請入城晤談，名琛不許；巴夏禮請在城外設會議地點，亦不許。是時英軍未奉政府命令，加以印度發生戰爭，不久便退去。但荒謬的葉名琛，反向清廷報捷說：「水陸獲勝，夷情窮促」。

十二月英兵又攻近城，十五日粤民火焚西圓外洋樓，先焚美利堅法蘭西居室，次日，始延及英館，十三行皆被焚燬。英人亦焚緣濠居民數千家，以作報復。英人以美法房屋被燬，知道聯絡美法行動時機已至，遂報告英政府，請求增兵決戰。英政府接報告後，首相巴馬斯頓（Palmerston）主張開戰，於一八五七年二月向議會要求增加軍費。下議院以亞羅號實係中國船，不認中國處置之非，乃以二六三票對二四七票否決；但上議院以一四六票對一一〇票通過。巴馬斯頓遂解散下議院，四十日後召集新國會，多數議決：先遣使要求中國政府改訂條約，賠償損失，否則以兵臨之。英政府遂派額爾金（Earl Elgin）爲全權專使，領着兵艦東來，並通知俄法美諸國，請共遣使至北京。時有法教士一人在廣西西林被殺，法皇拿破崙第三正欲以武力見好法人，遂與英國連合，取一致行動。

二、不戰不和不守的葉名琛

額爾金於一八五七年七月抵香港，時法軍尚未至。九月致書葉名琛，請約期會議，重立約章，賠償損失，則兩國和好如初，否則以兵戎相見。名琛以來函狂悖，置不答覆。十一月法使葛羅（Baron Gros）率兵至，於是英法二國兵船皆集中黃浦，迫近沙面，登河南岸，奪民屋以駐兵。十二月二十四日英法同盟軍給名琛最後通牒，限二日內答復，名琛仍置若不聞。

當英法軍隊進佔河南，將軍巡撫司道進見，商戰守策，名琛若無事然。衆請調兵設防，不許；請招集團練，又不許。衆固請，名琛曰：『姑待之，過十五日，必無事矣，乃乩語也。』名琛對英法最後通牒，旣不答復求和，又不準備應戰。最後通牒期限已滿，英法軍五千餘人二十八日大舉進攻，至三十日廣州遂陷，名琛匿居八角亭。英人釋南海縣獄囚，分隊引路，卒將名琛俘虜。廣東人嘲笑他說，『不戰不和不守，不死不降不走，相臣度量，疆臣抱負，古之所無，今之罕有。』後來名琛被押送印度，死在加爾各塔。

廣州旣陷，英法軍協議，在廣州成立傀儡組織，以被俘的巡撫柏貴爲廣州行政官，遇有大事則須取決於英法公使。一八五八年一月九日柏貴就職，英法仍恐柏貴專權，另設一委員會以爲監督。委員設三人，英人二，法人一，以巴夏禮爲委員長，由委員會掌握兵權，維持全城治安，柏貴不得委員會許可，不能發號施令。廣州在英法管治之下，計有三年。

第三節　天津條約簽訂經過

廣州淪陷後，咸豐以乖謬剛復之罪，褫葉名琛職，以柏貴署理總督，後另派侍郎黃宗漢代理兩廣總督。一八五八年二月十一日英法兩使聯合俄美兩使致書北京政府，請於四月一日派全權大臣至上海協議，修改條約，書由兩江總督轉遞。清廷用大學士裕誠名義，答以大學士無干涉外交之權，英法美三使可回廣東，與黃宗漢會議，俄使可往黑龍江與疆臣會晤。時英法兩使已至上海，接裕誠回書後，決率艦北進，於是英法美俄四國軍艦二十餘艘，計英艦十餘，法艦六，美艦三，俄艦一，次第向天津出發。四月二十四日至白河口，遣人赴大沽港口，投書照會直隸總督譚廷襄，請轉達清帝。譚奏聞後，咸豐命戶部侍郎崇綸等二人與譚廷襄往大沽議和。英法兩使以譚等非相臣，不能當全權之任，拒不會見，僅與俄美兩使晤談而退。

五月二十日，英法二使照會譚廷襄，要到北京和全權大臣商議，同時攻陷大沽口炮臺，英法二使率艦逕至天津。咸豐聞大沽陷落，大懼，一面急命僧格林沁督兵馳赴通州，備敵深入；一面命大學士桂良、吏部尚書花沙納、爲議和全權大臣。桂良、花沙納到津後，英使提出條約五十六款，法使提出條約四十二款，要求照約簽字，否則便要帶兵進京。桂良知道不能再戰，不得已照約簽字。六月二十六日中英天津條約簽字，次日中法天津條約簽字。至於美俄兩國以調停態度出現，已在英法兩國之前締約簽字，六月十三日中俄天津條約簽字，十八日中美天津條約簽字。英美法俄四國所訂的天津條約，條文雖然不同，但都有最惠國的條款，享受的權利，大致相同。

中英天津條約五十六款重要內容如次：

一、重訂新約。中英南京條約仍留照行，廣東所定善後條約，通商章程，於本約訂後作廢。（第一條）

二、互派公使。中英兩國互派公使駐於京師（第二條）

三、保護傳教。耶穌教天主教一體保護，對教士及信徒中國官不得刻待禁阻。（第八條）

四、長江增開商埠。長江一帶各口英商船隻均可通商，增開漢口，九江，鎭江爲商埠。（第十條）

五、加開五口。增開牛莊，登州，臺灣，潮州，瓊州，五口爲商埠。（第十一條）

六、領事裁判權。英國屬民相涉案件，不論人產皆歸英官查辦。（第十五條）

七、協定關稅。進出口各貨稅額，每價百兩征稅五兩，新定稅則十年修改一次。規定子口稅每百兩征銀二兩五錢，繳納子口稅後，其他稅關不得再征稅。（第二十六條，第二十七條，第二十八條）

八、免書夷字。嗣後各式公文，敍及英國官民，不得提書夷字。（第五十一條）

九、最惠國條款。「他國今後別有潤及之處；英國無不同獲其美」。（第五十四條）

十、賠款另立專約。賠補各項經費等款，另立專條。（第五十五條）

十一、一年後換約。本約立定後，以一年爲期，彼此各派大臣於大淸京師會晤，互換批准條約。（第五十六條）

賠款專條，係規定英國商虧銀二百萬銀，軍需經費銀二百萬兩，由粵省督撫籌撥，款項交淸，方交還廣州。對法國賠款，係軍需費銀二百萬兩。

第四節　換約戰爭和北京條約

一、換約戰爭

一年後英法兩國於一八五九年三月派公使往北京換約，六月二十日到達大沽口。天津條約締結後，清廷實無意履行，不過藉爲緩兵之計。僧格林沁於外兵退後，乃移軍海口，力修武備，築大沽北塘營壘，炮台分布要害，並在河中設障礙物，橫阻河道以阻敵軍之入。英法兩使率兵艦到後，當地官吏請其改由北塘登陸。英法兩使以中國故意爲難，仍以爲中國無備，二十三日護送的兵艦深入中國防守區域，開炮轟擊；我炮台還擊，英法軍死傷甚多。英法小規模的艦隊大敗，兩公使只得退回上海。此時俄使已進京換約，因談判不成，南下上海。美使由海道進京，到京後因不願行跪叩禮，沒有謁見咸豐，國書轉交後換約南下。

白河衝突不是清廷有計劃的行動，因是時太平天國聲勢尙盛，清廷無力對外作戰，還怕英法海軍攻擾沿海，不想和英法衝突。直隸總督恒福於衝突後，還照會外使換約；但英法公使沒有接受。七月十一日外艦離開大沽海面，上海外商聽到敗報，非常驚慌。兩江總督何桂淸通知外商安心，才沒有停業。此時何桂清正與英法在上海接洽和議，若咸豐稍明大局情形，實行天津條約，未嘗不可挽救危局。無如清廷從咸豐到大臣都不識時務，認爲大沽勝利，是「二十年未有之快事」。兵部尙書全廣疏奏說：「正當乘僧格林沁旣勝之後，厚集兵力，大伸天討，挫彼兇狂；該夷遠越重洋，勢必不能持久，待其窮蹙，取前議而更張之，以絕其覬覦之心」。咸豐見英法軍敗退後，沒有進攻沿海，以為中國業已勝利。咸豐上諭說：「此時兵威既振，豈能將前議之五十六款，悉行照辦。至兵費一層，中國既經得勝，即應該夷賠償，若兩抵不償，已屬通融，安有中國出銀之理？」咸豐要推翻天津條約，和議自不可能。

二、英法攻陷北京後訂約

英國接到報告後，輿論相當激昂，認爲阻止使臣的大沽守將，是奉清廷密旨，清廷應負啓釁的責任。英國議會通過英政府的出兵案，一八五九年十一月聯合法國出兵，派額爾金爲全權公使，出兵一萬八千。法國派葛羅爲全權公使，出兵七千二百，在中國海岸會合；一八六〇年二月法軍先到香港。

一八六〇年（咸豐十年）六月英法聯軍北上，先襲舟山爲根據地。八月二十一日，英法聯軍佔領大沽炮台，八月二十五日佔領天津。僧格林沁大軍退守通州張家灣，聯軍直趨北京，僧格林心和扼守通州的勝保，都打了敗仗。咸豐至此就不顧群臣「堅守京師」之請，逃避到熱河去了。咸豐臨走的時候，特派恭親王奕訢留守北京，督辦和局，十月五日聯軍繼續前進，六日進攻圓明園，十三日佔北京。十八日英法聯軍在圓明園大肆刧掠後，縱火全部焚燬。

奕訢在圓明園被燬後，始毅然承認了英法的要求。俄使想從中取利，陪同奕訢和英法二使交涉，先賠出邮金五十萬兩，再開談判。十月二十四日，奕訢與英使交換天津條約，並簽訂中英續增條約九款。二十五日奕訢與法使交換天津條約，並簽訂中法續增條約十款，這就是中英中法北京條約。

中英北京條約九款要點如次：

一、清帝對換約前發生的事件，表示惋惜。（第一款）
二、英使住京或隨時往來，聽候英國政府命令。（第二款）
三、賠款爲八百萬兩，並訂定分期給付辦法。（第三款）
四、加開天津爲通商口岸。（第四款）
五、清廷准許華民到外洋各地做工，不得禁阻。（第五款）
六、割讓九龍司地方給英國。（第六款）
七、前年所訂天津條約，換約以後，立即實行，新約從簽字日起，不待批准，即行照辦。（第七款）
八、清廷將天津條約北京條命令各省督撫刊刻公佈。（第八款）
九、條約刊刻公佈後，英軍撤離北京。大沽炮臺，登州，北海，廣州等處，俟賠款付清後交還。（第九款）

中法北京條約十款，與中英北京條約大致相同，重要條款如次：

一、賠款改增爲八百萬兩。（第四款）
二、清廷下諭准許人民自由信教，處分濫行查拿的地方官吏，賠還以前天主堂土地產業，准許法國傳教士到各省租買地建築。（第六款）
三、准許華工到法國做工。（第九款）

十一月一日法軍撤離北京，十二月九日英軍才撤離北京。一八六一年賠款全部償清，英法天津廣州等地駐軍，全部撤退，英法委員交還廣州。賠款係在廣州稅收下支付，一年之間，除交付賠款之外，還有多餘的款項。巴夏禮的報告說：英人和廣東人相處很好，以前廣東人的反英運動，是由於地方官吏的鼓勵。

此後中國以天津條約爲藍本，與各國繼續訂約者，有一八六一年中德和好通商條約，一八六三年中荷天津條約、中丹天津條約，一八六五年中比通商條約，一八六六年中意北京條約，一八六四年中西天津條約，一八六九年中奥通商條約。

第五節　此次戰爭之影響

一、中國受了不平等條約的束縛

天津條約北京條約締結後，英法所有要求完全達到。我們若將中英南京條約，虎門條約，中美望廈條約，中法黃浦條約，和天津條約北京條約滙合起來看，就可以知前四約只是不平等條約的發端，後二約才算是不平等條約的大成。南京條約是英國人和我們爭平等的結果，虎門，望廈，黃浦諸約和南京條約是一個系統，雖有不平等條款，如協定關稅及領事裁判權等，但全由清廷的無識和自動放棄。及天津條約訂立，外國人才有意將已得的特權，變爲中國條約的義務。各國以後和中國訂約，大多以天津條約爲藍本。從此，外國人犯法，我們不能過問；關稅的釐訂，我們不能自主；再加上最惠國條款的規定，我國遂受了不平等條約的束縛。

但有一項外人享受權利，就是關稅的管理權，是清廷自願奉送的。諾登（ Norton ）在他所著的中國與列強（China and the Powors）一書說：「在太平天國起義時，將清廷上海的軍隊驅逐出境，稅收官吏隨着逃亡。但租界上的商業照舊進行，無人徵收關稅。於是英法美三國領事會商辦法，決定在中國稅收官吏未到以前，由各國商人將應繳關稅，交由各該國領事館代收。及太平天國滅亡，各國領事將代收稅款交回清廷。但所交稅款數目，較滿清官吏過去所收的超出甚鉅，這使清廷非常驚異。清廷爲增加收入計，遂決計任用外人主持關稅事務。數年之後，清廷設立關稅署，任用英人赫德（Robert Hart）爲總稅務司。在赫德管理之下，海關業務發展至各通商口岸，所有海岸的測量，燈塔的維持，航業的改進，皆由稅關管理，稍後並成立郵政局。此後，除郵政劃出獨立辦理外，其餘業務仍由稅關管理，因之中國關稅遂在英人管理之下。中國與英國有一協定，若是英國商務在中國繼續佔有優勢，中國海關即由英人繼續管理。郵政局由海關劃出成立獨立機構後，則由法人管理。」

二、外交機關之成立與使節之派遣

中國前此對外的交涉事務，皆由各省處理，中央則由理藩院統轄。北京條約後，始依恭親王的奏請，於一八六一年一月新設一個總理各國事務衙門，主持外交業務，命恭親王與大學士桂良戶部左侍郎文祥等管理該衙門事務。同時又命崇厚爲辦理天津牛莊登州三口通商大臣，後來改稱爲北洋通商大臣；命江蘇巡撫薛煥爲辦理廣州廈門寧波上海潮州瓊州臺灣及長江三口通商大臣，後來改稱爲南洋通商大臣。這兩個大臣的位置職務，就是地方的外交官。

同治五年（一八六六）中國接受海關稅務司英人赫德的建議，派候補知縣斌椿及同文館學生數人，隨同赫德遊西方諸國。這是中國首次非正式派往歐洲的使節，所到各處均受歡迎。惟斌椿年齡已六十三歲，對西洋文化不感興趣，原定計劃本擬遊美，但到歐洲後卽返中國。斌椿所著「乘槎隨筆」，多記海程宴會，對中國外交毫無影響。

一八六八年美國駐華公使蒲安臣（Anson Barlingams）任滿，淸廷派爲欽差，往聘歐美各國，並以記名海關道志剛，郎中孫家穀二人爲副使，規定使臣遇事須咨呈總理各國事務衙門，以定准駁，時間以一年爲期。蒲安臣歷聘英美俄諸國，宣傳中國改變閉關政策。蒲安臣不幸病死俄京，從者歸國，使命未完。據志剛「初使泰西日記」所載，凡與外人論及中國變法及舉辦新政，志剛無不表示反對。可見中國對外關係雖有改變，而於西洋文化則尙深閉固拒。一八七〇年天津教案結果，崇厚被派赴法國道歉，是爲中國大員出使歐洲之始。

光緖二年（一八七六年）派郭嵩燾爲駐英國公使，劉錫鴻副之。派何如璋爲駐日公使，張斯桂副之。光緖三年，派劉錫鴻爲駐德奧荷三國公使。光緖四年派陳蘭彬爲駐美西秘三國公使，容閎副之。派郭嵩燾兼使法國。

本章參考書

(一) 東世澂：中英外交史第二章第二節

(二) 東世澂：中法外交史第二章

(三) 黃大受：中國近代史上册第五章

(四) 蕭一山：清史第六章

(五) 清史稿：邦交志二

(六) 蔣廷黻：近代中國外交史資料輯要第三章第四章

(七) Norton: China and the Powers第二章

(八) 中國外交年鑑：中國外交史略，民國二十五年出版。

(九) H.G. Mac Nair: Modern Chinese History-Selected Readings 第七章第八章

(十) H.B. morse: The International Relation of the Chinese Empire第一卷、十四、十五、十六、二十一、二十二、二十四、二十五、二十六各章；第二卷十章。

第五章　鴉片戰役後的中俄交涉

第一節　俄國佔領東北邊境各地

自一六八九年尼布楚條約締結以後，俄人幾十年向遠東侵略的陰謀，和經營的基礎，都完全失敗。此種結果，是由於當昨中國國勢的強盛，俄人知難而退，並不是俄國甘心放棄其東進的野心。鴉片戰爭後，中國弱點完全顯露，俄國又極積向中國侵略。

一、木里斐岳福任西伯利亞東部總督

在鴉片戰爭前，歐洲各國到過北京的人數，以俄國人爲最多，俄國的傳敎士和留學生都可在北京長住。因此，俄人對中國各方面的情形，都較同時代的歐洲人熟習。鴉片戰爭結束後五年（一八四七年），俄皇尼古拉一世遂派少壯軍人木里斐岳福（Count Muraviev）爲西北利亞東部總督，負責侵略中國的責任。木氏到任以後，在伊爾庫次克住了一年，首先分派軍官秘密越境，調查黑龍江沿岸情形，並由堪察加調查黑龍江口及庫頁島一帶，爲其工作的初步。一八五一年遂進入黑龍江，在下流設立二鎭所，即我國戶籍上

的凋呑屯。

經過實地調查以後，木氏權衡國際形勢，深信在英俄爭覇北太平洋的進程中，中國是很難自保疆土的，如俄國落後，黑龍江必爲英國所佔。他於一八五一春回俄述職時，就正式建議俄政府，迅速採取佔據黑龍江的行動。一八五三年俄與英法土等國發生克里米戰爭，一八五四年五月（咸豐四年）木氏率領軍隊闖入黑龍江。當其以軍事行動侵略中國時，反利用中國人反英情緒，來掩飾他的侵略行動。他託北京的俄國主敎，上書淸理藩院說：「本大臣之往東海口岸也，一切兵事應用之項，俱係自備，並無絲毫擾害中國。本大臣此次用兵，不惟淸本國之界，亦實於中國有裨，如將來中國有甚爲難之事，雖令本俄羅斯國幫助亦無不可。」同時，木氏又派員向庫倫辦事大臣詳細解說，據庫倫辦事大臣轉奏淸廷說：「該夷……復又言及英惟利是圖，所有英國情形，盡已訪聞，初意原不止構怨於俄國，並欲與中國人尋釁，且由廣東等地幫助逆匪，協助火藥，甚至欲間我兩國之好。」此時俄皇已將俄國遠東問題的全權交給木氏，並給他和中國舉行談判的權力，木氏還怕他的魯莽行動闖出禍事，所以用花言巧語，以欺騙中國政府，掩飾他的侵略行爲。

二、事實上侵佔黑龍江流域

一八五四年五月十四日，木氏率領汽船一隻，木船五十隻，木筏數十，兵丁一千，闖入我黑龍江；十八日過雅克薩城，與士兵登陸，追悼以前俄國在此的陣亡將士。二十八日將達愛琿，先遣使訪愛琿副都統，說明航行黑龍江的宗旨。當時愛琿副都統見俄軍已臨城下，只得默認其通行。六月二日過松花江，五日達烏蘇里江口，十二日抵馬隆斯克。

一八五五年（咸豐五年）五月，木氏再闖入黑龍江，率領士兵三千，船百餘艘，到愛琿以後，又遣使通知副都統說：「本將軍為備英法軍之攻擊，率汽船及百四艘舟筏，載馬三百頭，男女八千人，大炮小銃與其他軍備下本江，願勿遮礙。」副都統接到這個通告以後，才知道俄人的野心，是永久佔領這些地方，大為驚惶；但是不敢禁止他的通行。於是木氏又得安抵馬隆斯克，以此地為其大本營，自任海陸兩軍指揮官。

一八五三年俄國政府曾致書清廷，請求派員與木氏協立界牌，及劃分無界之近海一帶土地，公文中明認：「自額爾必齊河之東山後邊，係俄羅斯地方，山之南邊，係大清國地方」。一八五五年木氏準備第二次闖入黑龍江時，又遣使到北京，請派大使，戡劃國境。一八五五年九月八日，我國劃境大臣至馬隆斯克，開會時俄方提出下列兩項要求：

一、黑龍江有防禦的必要，已經佔領諸地及海岸一帶地方，應歸俄國所有。

二、維持黑龍江俄國所建要塞與內地之交通，必於黑龍江左岸設聯續殖民地。兩帝國應以黑龍江為天然境界，庶使東部西北利亞可免敵人之襲擊，兩帝國的糾紛，亦可盡免。

俄國大使對於上列的要求，作為正式的文書提出。我國大使提出一八五三年六月十六日俄國樞密院劃界的文案，其中認定黑龍江左岸為中國的領土，駁復俄使提出的要求，木氏對中國大使的反駁，無詞答復；轉而要求黑龍江通航，以保持江口俄國所建的要塞，和維持俄境內的交通。我國大使以此事甚為重大，僅允許轉達北京。因此，邊境問題便無所決定，談判也中止了。

一八五六年克里米戰爭已告結束，木氏第三次闖入黑龍江的準備也已就緒。五月，俄人率大小船隻一百十艘，士兵一千六百六十名下黑龍江，於江左岸重要地方，建設屯營四處，各置守衞兵二十四名或五十名，於是黑龍江左岸事實上落入俄人的掌握。同時木氏又向俄政府奏請，將堪察加半島與鄂霍次克海沿岸以及黑龍江口地方，設立沿海州行政區。

木氏自一八四七年受命為西北利亞東部總督，一八五六年設沿海州行政區，經過僅有十年，事實上已達到佔領的目的，以後的工作，僅是設法取得中國的承認而已。

第二節　璦琿天津北京諸條約

一、中俄璦琿條約

一八五七年俄政府派布雅廷（Poutiatin）為大使，與中國政府協議國境及通商事宜，要求清廷接待，會商機密事件，俄政府咨文中說：

「現在英夷等三國有窺伺佔據之心，乘貴國賊匪之亂，暗相勾結，其志深遠，恐將來或為大患，不得不據實相告。況本國邊境與之界連，倘生事端，亦受其禍。祈將兩國邊界之事，及早完結，以後情願與貴國相安相保，共防將來不測。兩國永遠相互輔助，本國深知大義，非同貪利之國可比也。但願貴國勿懷疑心。」

清廷當時已認識俄人的用心，上諭庫倫大臣說：「俄羅斯狡猾成性，所稱英夷糾合各國欲往天津，伊欲來密商，無非藉端恐嚇，欲於黑龍江外佔據地方。」不允予以接待。布雅廷抵恰克圖，請求由蒙古至北京，即遭庫倫辦事大臣的拒絕。布雅廷不得已，乃由海道至廣東，和英美法的公使聯合，請中國派遣全權大臣到上海，與各國會商善後事宜。結果我國政府的答復是，英法美三國的交涉，由廣東總督辦理，俄國的交涉由黑龍江辦事大臣辦理。

木里斐岳福聽到了中國政府提議，俄國的交涉由黑龍江辦事大臣辦理，立刻通知布雅廷中止交涉，並派重兵駐紮於黑龍江口；然後遣使通知黑龍江辦事大臣奕山，在愛琿舉行會議，商議境界事件。因木氏知道中國內有太平天國之亂，外有英法聯軍之擾，對於黑龍江方面，不會有力量顧及，想用威脅手段，達到侵略目的。

一八五八年五月十七日（咸豐八年四月初五日）黑龍江將軍奕山遵奉廷旨，行抵愛琿，準備與俄使會商國界事宜。時木氏已率領兵船早到。木氏甫晤奕山，即提出四項要求，並限於第二天答復：（一）中俄疆界應改爲黑龍江及烏蘇里江。（二）兩江的航行權屬於中俄兩國，他國船隻不准行走。（三）江左岸中國居民，於三年內移居右岸。（四）在通商口岸俄國應與各國享同等權利，黑龍江亦應照海口例辦理。

這些要求顯已違反尼布楚條約，奕山當予駁斥，並重申舊約規定的國界。但木氏以武力威嚇，奕山遂完全屈服，簽訂了愛琿條約。此約僅有三條，主要的是第一條，重新劃定中俄國界。第一條內容如次：（一）黑龍江松花江左岸由額爾古納河至松花江口，作爲俄羅斯國所屬之地，右岸順江流至烏蘇里江，作爲大清國所屬之地。（二）烏蘇里江以東由中俄共管。（三）黑龍江及烏蘇里江只許中俄兩國船隻行走。（

四）江左自精奇里河以南至豁不莫勒津屯原住人民，仍准照舊永遠居住，歸大清國官員管轄。第二條規定通商，原文如次：「兩國所屬之人，互相取利，烏蘇里江，黑龍江，松花江住兩國所屬之人，令其一同交易，官員等在兩岸彼此照看兩國貿易之人」。第三條是兩方代表的簽名。奕山的簽約報告，於六月十四日到京，咸豐在內外交迫的情形下，只好批准。

璦琿條約把外興安嶺以南黑龍江以北的廣大區域，斷送與俄國。烏蘇里江以東的區域，俄國本沒有開始經營，也糊塗的作爲共管。

二、中俄天津條約

英法聯軍與中國開釁的時候，俄國雖然沒有加入聯軍，也想趁此機會，改善與中國通商條約，所以派布雅廷爲全權大使，到中國來開始活動。布雅廷來中國後，初想和中國單獨議約，遭了中國的拒絕。他又南下和英法美三使致書中國政府，請派使議約。結果俄國與黑龍江辦事大臣交涉，訂立了愛琿條約。英法聯軍進犯大沽天津之時，俄國也有兵艦一艘參加，布雅廷隨同英法公使到大沽口時，便和直隸總督譚延襄進行談判。他要求，一、割讓黑龍江以北烏蘇里江以東土地與俄國。二、許俄人在通商口岸有與他國同等通商的權利，照會中並強調說：

以下兩條如不駁斥，大皇帝欽定，所有兩國爭競之事，皆可消弭。俄國所要求，俟得有消息，竭力勸滅英法兩國，以期中國有益。…………現在先於空曠處所遣人駐紮，且海岸早經外夷窺伺，即應分定，係屬兩國公地，不令外國夷人潛駐之意。倘海岸屬於俄國，則外國之人不致闖入滿洲地方，俄國欲駐海岸，並非敵壓，必與貴國相宜，自有報答。再閱貴國兵法器械，均非外洋敵手，自應更張，俄國情願助給器械，並派善於兵法之員，前往代爲操練，庶可抵禦外國無故之擾。」

清廷對於布雅廷雖抱懷疑態度，但爲不使俄國與英法勾結計，一八五八年六月十三日布雅廷遂得先與桂良締結天津條約，中俄天津條約共十三款，重要內容如次：

一、將百餘年相沿由理藩院呈遞俄國公文的規定，改爲直接行文軍機處或大學士，往來照會，俱按平等。（第二款）

二、除旱路通商外，准在海路之上海，寧波，福州，廈門，廣州，臺灣，瓊州通商。若別國在沿海增添口岸，准俄國一體照辦。（第三款）

三、俄國在通商海口設領事，並得派兵船在彼停泊。（第五款）

四、中國與俄國將從前未經定明邊界，由兩國派員秉公查勘，務將邊界清理，補入此次和約之內。（第九款）

五、日後大清國若有重訂外國通商等事，凡有利益之處，毋庸再議，卽與俄國一律辦理施行。（第十款）

根據中俄天津條約，俄國適用最惠國條款之規定，享受了英法兩國在天津條約中攫取的權利。條約簽定後，桂良又將承認愛琿條約的諭旨，抄送布雅廷。布雅廷爲示好中國計，向桂良表示：「願送中國火槍一萬桿，各項炮位五十尊，送至大沽以表感謝」。又表示：「嗣後夷患亟宜預防，海口炮台萬不足恃，擬備文回國令派修造炮台，並教兵技藝，及看視金銀礦苗各官前來中國，代爲制備一切」。俄人的外交手段，是嚇騙兼施，惡毒已極。

三、中俄北京條約

一八五九年五月，英法各派大使進北京換約，俄國也派伊格那提也夫（Ignotieff）為駐北京公使。伊氏赴任，路過伊爾庫次克，與木里斐約福晤商後，兩人同至恰克圖，伊氏由陸路到北京，木氏則以全力經略烏蘇里江以東的地方。木氏派遣探險隊觀察沿海各處，發現一個大海灣，於是命名為彼得大帝灣，同時確定灣內的海參威港（Vladivostok）為俄國將來太平洋的海軍根據地。一八六〇年六月派軍艦至海參威港開始實際佔領。

一八五九年七月伊格那提也夫到達北京，要求立即劃界，並且造作謠言，欺騙清廷說：

「本國從東至西一萬餘里，與中國相交一百餘年，雖有大事，並未一次交鋒。若英吉利等十餘年之間，常去爭鬪，已經交鋒三次，然逾數萬里地尚且如此，況離此相近乎？若英佛兩國住滿洲地方東岸，兵船火船來時甚易。中國海界綿長，戰法各國皆不能敵。惟本國能辦此事。若中國與本國商定，於外國船隻未到彼處之先，先與本國咨文將此地方屬於本國，我國能保不論何國，永不准侵佔此地，如此中國東界亦可平安。且須知我國欲佔之地，係海岸空曠之處，於中國實無用處。且貴國大臣須知，因本國官員到彼，並未見中國管理此處官員之跡，我們業經佔領數處。」

東北海岸英法不但未曾佔領，且未曾有此擬議。伊氏也知道此中情形，不過作此謠言，以欺不明世界大局的清廷。此時正是大沽戰勝之後，清廷對伊氏的話，自然不肯接受，復文說：『貴大臣所云恐有他國侵略，爲我國防守起見，固屬貴國美意，斷非藉此侵佔我國地方。然若有別國佔據，我國自有辦法。今已知貴國眞心和好，無勞過慮。』伊氏向我國交涉十個月，至一八六〇年五月，未獲任何結果。五月二十八日伊氏憤然離京。他南下上海香港，見了英法的代表，就大罵北京當局的頑固與不守信義，西洋各國應一致對付中國，並且非用武力不可。但他的行動亦被我方探知。六月暫署兩江總督薛煥的奏摺說：

「查俄國使臣忽然驟至，未審意欲何爲，連日亦未來請見。當飭華商楊圻等暗探，旋據報稱………

……今因俄酋到此，極力慫恿英佛打仗。並云在京日久，訴及都門並津沽防堵各情，言之鑿鑿。諄告普魯斯及布來布隆，不必誤聽人言，二三其見，逕赴天津打仗，必須毀去大沽炮臺，和議方能成就。而普酋布酋爲其所感，主戰之意愈堅。」

英法聯軍七月到了大沽口，伊氏也乘船趕到，並寫信給軍機處說：英法與中國有仇，願意代爲調停。可是清廷已知道他的陰謀，加以拒絕。伊氏見詭計不成，便告知法使從北塘進兵，最爲方便。十月十三日伊氏自行進京，十八日寫信給法使說：是他力勸清廷留守大臣接受聯軍條件；同時寫信給恭親王奕訢說：聯軍願意減少賠款，迅速撤兵，是他調停的功勞，要求報酬。奕訢曉得俄使有意居功，從中作祟，他的奏摺曾說：『英佛兩夷之來，皆屬該夷慫恿，倘若從中作祟，則俄夷之事一日不了，卽恐英夷之兵一日不退，深爲可慮。』恭親王等不知道伊氏的招搖撞騙，認爲速決爲要，遂接受伊使的要求，於一八六〇年十一月十四日（咸豐十年十月初三日）簽訂了中俄北京條約，此約共十五條，內容要點如次：

一、根據瑷琿條約第一條，天津條約第九條，再詳明議定兩國邊界。此後兩國東界定爲由什勒喀，額爾古納兩河會處，卽順黑龍江下流，至該江烏蘇里河會處，其北邊地屬俄羅斯國，其南邊至地烏蘇里河口，所有地方屬中國。自烏蘇里河口西南，上至興凱湖，兩國以烏蘇里河及松阿察二河作爲交界，其二河以東之地，屬俄羅斯國，二河西屬中國。自松阿察河之源兩國交界，踰興凱湖，直至白稜河口，順出嶺至湖布圖河口，順琿春河及海中間之嶺，至圖們江口，其東皆屬俄羅斯，其西皆屬中國，兩國交界與圖們江之會處及江口，相距不過二十里。………（第一款）

二、西疆現在未定之交界，此後應順山嶺大河之流，及現在中國常駐卡倫等處，及一千七百二十八年即雍正六年所立沙賓達巴哈之界牌末處起，往西直至齋桑淖爾湖，由此往西，南順天山之特穆爾圖卓爾，南至罕浩邊爲界（第二款）

三、俄國商人除在恰克圖貿易外，其由恰克圖到京經過之庫倫張家口地方，如有零星貨物，亦准行銷。庫倫准設領事官一員，酌帶數人，自行蓋房一所。………（第五款）

四、准俄商在喀什噶爾，伊犂，搭爾巴哈臺貿易，在喀什噶爾並准蓋造房屋聖堂。（第六款）

五、俄國可在通商之處設領事，中國若欲在俄京或別處設立領事，亦聽中國之便。（第八款）

根據中俄璦琿條約和中俄北京條約，我國喪失的土地，其總面積有四十萬〇九百十三方英里，現今的東北九省加上江蘇，比這兩項條約喪失的土地，只多一千四百方英里。法德兩國的面積，比這兩項條約喪失的土地，還少六千五百三十一方英里。

第三節　伊犂條約

一、俄軍強佔伊犂

回部在天山南路，卽漢書所稱的三十六國，唐代伊斯蘭教由阿剌伯傳入，回回部人首先信仰，後來就叫做回教。明季才有阿刺伯人作回酋，徒衆漸盛。乾隆二十四年（一七五九年）平定天山南路，將新疆收歸版圖。同治三年（一八六四年）因陝甘回亂影響，新疆回民並起，妥明據北路烏魯木齊，稱清眞王。浩罕將軍阿古柏據南路喀什噶爾，稱畢條勒特汗。阿古柏聯合北部漢人徐學功，擊敗妥明，佔領天山北路的大半。阿古柏想乘此機會，在中英俄三國領土之間，聯合中央亞細亞一帶的回教徒，建立一個新的國家。

英國暗中援助阿古柏，俄國則不顧阿古柏的勢力擴大。當妥明的勢力退至伊犂時，俄國已派兵進入伊犂境界，據守要隘。及阿古柏勢力北進時，俄國以維持邊境治安爲名，於一八七一年（同治十年）進兵伊犂，回酋阿布特向其投降，俄軍遂佔領伊犂。同年冬季，俄軍更以通商爲名，想進佔烏魯木齊（卽迪化），俄軍進至綏來縣境，被我民軍將領徐學功擊敗，才阻止俄人侵略的進展。同年七月間，駐北京的俄國公使，正式通知我國總理各國事務衙門，俄國暫時佔領伊犂。清政府接到通知後，質問俄國佔領伊犂的理由。俄國答復說：「是爲維持邊境的治安，並不是要永久佔領這些地方；假如中國威令可以達到伊犂的時候，俄國便可以返還伊犂」。經再三交涉，俄國始終堅持這個議論。於是清政府應付這個變故的唯一方法，只有平定回亂，收復新疆一帶的失地。

二、左宗棠平定新疆

一八七五年（光緒元年）清廷任命左宗棠爲欽差大臣，督辦新疆軍務。此時清廷意見，可分兩派。一派是李鴻章的主張放棄，封阿古柏爲外藩，理由是：『海防爲中國腹心，密邇京師，一日有事，京師動搖；邊塞猶中國之肢體，縱新疆不守，亦難危及京師。』李鴻章從現實打算，以爲海防重於邊防，又怕俄，英，土，皆助回以抗我，他怕『師老財病，慮生他變』。一派是左宗棠的主張進攻，他說：

「重新疆所以保蒙古，保蒙古所以衛京師，俄人拓境日廣，由西而東萬餘里，與我北境相連，僅中段隔有蒙古。徙新宜還，曲突宜先。……臣一介書生，位極人臣，今年已六十有五，何敢妄貪天功？惟伊犁既歸俄有，阿古柏又據喀什噶爾，若置之不問，必有日蹙百里之勢，後患何堪設思！」

清廷接受左宗棠的主張，決意出兵西征，宗棠率部隊一百四十一營，副督辦金順（原任烏魯木齊都統）率部隊四十餘營。宗棠進兵新疆，用「剿撫兼施，糧運兼籌」辦法。光緒二年（一八七六年）六月，劉錦棠率湘軍直抵烏魯木齊，又三月而北路肅清。光緒三年三月，進軍南路，十餘日即克復達坂，托克遜、吐魯番三城，阿古柏知事不可爲，乃服毒死。其子伯克胡里仍在喀什噶爾稱汗，英國駐華公使威妥瑪見阿古柏失敗，代爲遊說，請中國不必進攻太急，並請立爲保護國；廷議搖動。左宗棠上疏揭穿英人的黑幕說：

「自浩罕爲俄人所併，安集延諂附英吉利，英人亦蔭庇之。今復以護持安集延爲辭，保護立國爲義，其隱則恐安集延爲俄人所有。夫安集延非無立足之處，何待英人別爲立國？卽欲別爲立國，則割英地以與之，或卽割印度以與之可也。何乃索我腹地以市恩？且喀什噶爾爲古疏勒國，漢代已隸中國，固我舊土也，而英人直以爲阿古柏固有之地，其意何居？從前恃其船砲橫行海上，猶謂只索埠頭，不取土地，許，則並索及疆土矣。彼陰圖爲印度增一屏障，公然強我於新疆撤一屏障，此何可。今我愈示弱，彼愈逞強，勢將伊於胡底…………前聞英人遣使至安集延，臣已馳告劉錦棠張曜，囑其善爲看待。如論及回事…………請回肅州大營，臣自有以折之。」

清廷對其主張，嘉許採納，從此英人無法施其狡計。九月，劉錦棠長驅直入，所過回城，多開城請撫，因爲阿古柏最殘暴，浩罕人姦淫回民婦女，誅求無饜，故回民不服，歡迎清軍，所以在兩個月內就把南疆收復了。伯克里胡等逃入俄境，俄人助其率殘回內犯，又爲我軍大敗而去。新疆底定，只有伊犂的問題了。

三、崇厚交涉的失敗

當清廷對俄使提出強佔伊犂抗議時，俄使以爲我國不能平定新疆，答復說：「俟清廷發令能行於此方，然後退還」。但左宗棠大兵一到，回亂全平，殊出俄人意料之外。清廷根據俄使復文，要求退還伊犂，俄人無所藉口，只得索取保守的費用，因循推託。光緒四年（一八七八年）清廷派崇厚到俄國去交涉。崇厚只曉得伊犂兩個字，其餘一概不問。光緒五年（一八七九年）秋季，與俄政府簽定返還伊犂條約十八條，其中規定重要內容如次：

（一）俄國交還伊犂於中國。

（二）中國償俄兵費五百萬盧布。

（三）因歸還伊犂，中國應將鄂爾畢斯河以西，及南部特克斯河兩岸土地割讓與俄國。

（四）改正從前塔爾巴哈臺條約所定之齋桑泊國境。

（五）俄國於伊犂，塔城，喀什噶爾，庫倫外，得添設領事官於嘉峪關，烏里雅蘇臺，吐魯番，科布多，哈密，烏魯木齊，古城。

（六）俄商在天山南北路貿易均不收稅。

（七）俄商得由張家口經通州赴天津，或由天津往他港及內地城市，販賣貨物；又得由上述路線運輸貨物到俄國。

（八）條約批准後，五年內不得修改。

（九）總理衙門對於俄商呈請解除粗茶課稅一節，應卽可決。

此約傳至北京，一時朝野議論沸騰，清廷不肯批准條約，並議崇厚死刑。俄國聲言交涉決裂，令遠東艦隊故作聲勢，從海參威開到日本海面。其實俄國西北利亞總督已告俄使，謂俄國兵力不敵左宗棠，要求讓步。左宗棠的見解是：『茲一矢未聞加遺，乃遽捐棄要地，饜其所欲，譬猶投犬以骨，骨盡而噬不止，此可爲嘆惜痛恨者矣！』他主張：『先之以議論，委婉而用機，次決之以戰陣，堅忍以求勝。』清廷命左宗棠爲欽差大臣，赴新疆整理軍備。光緒六年（一八八〇年）四月，宗棠由肅州出發，五月初八日到哈密，開始準備一切。

但李鴻章原不贊成用兵新疆，更不敢與俄人交戰，他又不敢冒天下之不韙，公開講和，於是使用手段，請英將戈登來向清廷說：『中國如要對俄作戰，應先預備三件事：一、遷都西安。二、長期戰爭，至少十年。三、滿人放棄政權，因爲在長期戰爭中，滿人政權，必難維持。倘若這三件事作不到而冒昧打仗，簡直就是瘋子。』清廷聽了戈登的話，始決心求和，特召左宗棠入京備顧問，以和緩戰機，並派駐英公使曾紀澤赴俄交涉。

四、曾紀澤力挽成約

曾紀澤奉命後，請清廷先赦崇厚之罪，以緩和俄人的感情。紀澤是我國當時最瞭解國際形勢的外交家，他不主張打仗，上奏痛陳大勢和利害關係說：

「伊犁一案，大端有三，曰分界，曰通商，曰償款。籌辦之法亦有三，曰戰，曰守，曰和。言戰者謂左宗棠，金順，劉錦棠諸臣，擁重兵於邊境，席全勝之勢，不難一鼓而取伊犁，似也。臣竊以爲伊犁地形險要，攻難而守易，主逸而客勞，俄人之堅甲利兵，非西陲之回部亂民，所可同日而語。……俄人恃其詐力，與泰西各國爭爲雄長，水師之利，推廣至於東方，是其意不過欲藉伊犁以啓釁端，而所以擾我者，固在東而不在西，在海而不在陸。……一旦有急，尤屬防不勝防。或者謂俄多內亂，其臣不暇與我爲難。臣則以爲俄之內亂，實緣地瘠民貧，無業之民者衆也。俄之君臣，常喜邊陲有事，藉侵伐之役，以消納思亂之民，此該國以亂靖亂之覇術，而西洋各國之所稔知。……又或者謂連結歐洲各邦，足以怵俄人而奪其氣，是固欲以戰國之陳言，復見諸今日之行事。……曩者俄土之役，英人助土與拒俄，大會柏林，義聲昭著，卒之以義始者，實以利終，俄兵未出境，而塞卜勒士一島，已入英人圖藉矣。……

……是戰之一說，今固未易言也。

言守者，則謂伊犁邊境，一隅之地耳，多予金錢，多予商利以獲之，是得邊地而潰腹心，不如棄之，亦足守我所固有。伏維我朝自開國以來，所以經營西域者至矣。……迨至乾隆二十二年，伊犁底定，全國從此安枕，腹地亦得以息肩。是伊犂一隅，夫固中國之奧區，非僅西域之門戶也。……今舉伊犂而棄之，如新疆何？更如大局何？而說者又謂姑紓吾力，以俟後圖，然則左宗棠等軍，將召之使還乎？抑任逍遙境上乎？召之使回，而經界未明，邊疆難保無事；設有緩急，不惟倉卒無以應變，即招集亦且維艱。任其久留，則轉餉浩繁，不可以持久也。……

我皇太后皇上憫念遺黎，不忍令其復遭荼毒，遣派微臣，思有以保全二百年來之和局，則微臣今日之辯論，仍不外分界，通商，償款，三大端。……俄約既經崇厚定議，中國誠為顯受虧損，然必欲一時全數更張……俄人桀驁狙詐，無端尚且生風，今於已定之約，忽云翻異，而不別予一途，以為轉圜之路，中國人設身處地，似亦難降心相從也。臣之愚見，以為分界既屬未定之局，自宜持以定力，百折不回。至於通商各案，惟當即其太甚者，酌加更易，餘者似宜從權應允。……得失雖暫未公平，彼此宜互相遷就，庶和局終可保全。……」

曾紀澤到俄國後，他根據國際公法，條約未經批准，不能算正式成立，去向俄人交涉。經過幾十次的辯論，從一八八〇年八月四日起，到一八八一年二月二十三日止，共交涉五十一次，始將伊犂條約改定完成，伊犂條約共二十條，要點如次：

（一）俄允將一千八百七十一年俄兵代收伊犂地方，交還中國。

（二）賠償俄國兵費及民間損失九百萬盧布。

（三）伊犂西邊地方，應歸俄國管屬。中國伊犂地方與俄國地方交界，自別珍島山，順霍爾果斯河，至該河入伊犂河滙流處，再過伊犂河，往南至烏宗島山廓里札特村東邊，自此處往南，順同治三年塔城界的所定舊界。

（四）同治三年塔城界約所定齋桑湖迤東之界，查有不妥之處，應會同勘定，以歸妥協。

（五）俄國照舊約在伊犂，塔爾巴哈臺、喀什噶爾、庫倫設立領事官外，准在肅州，及吐魯番兩城設立領事。其餘如科布多，烏里雅蘇臺，哈密，烏魯木齊，古城，五處，俟商務興旺，始由兩國陸續商識議設。

（六）俄國人民准在中國蒙古地方貿易，照舊不納稅，其蒙古各處及各盟設官與未設官之處，均准貿易，亦照舊不納稅。並准俄民在伊犂，塔爾巴哈臺，喀什噶爾，烏魯木齊，及關外之天山南北兩路貿易，暫不納稅，俟將來商務興旺，由兩國議定稅則，卽將免稅之例廢棄。

（七）俄商由陸路至中國內地者，可照舊經過張家口通州前赴天津，或由天津前往別口及中國內地。俄商又得由上述路線運輸貨物到俄國。

（八）陸路通商章程自換約之日起，於十年後可商議酌改，如十年限滿六個月未請商改，應仍照行十年。

（九）將來陸路通商另定稅則，凡進口出口之稅，均按值百抽五之例定擬。於未定稅則以前，應將現照上等茶納稅之各種下等茶出口之稅，先行分別酌減。

曾紀澤所訂伊犂條約，挽回了伊犂南部的土地，及一部份通商權利，但償款加至九百萬盧布。這是中國用外交手段，收回喪失權利的第一次。當時英國駐俄大使稱贊他說：『憑外交從俄國取回牠已佔領的土地，曾侯要算第一人』。紀澤自己却說：『此次俄人棄已得之權利，全由俄土戰後，財殫力竭，其君臣雅不欲再啓釁端，故得從容商改，和平了結。誠恐議者以俄羅斯如此強大，尙不難遣一介之使，馳一紙之書，取已成之約而更改之；執此以例其餘，則中西交涉，更無難了之事；斯言一出，將必有承其弊者。』此種不矜不伐，操心慮患的態度，實値得欽佩。

新疆平定後，淸廷採用左宗棠建議，改建新疆爲行省。光緒十年（一八八四年）冬淸廷設甘肅新疆巡撫，以烏魯木齊爲省治，改名廸化，任劉錦棠爲巡撫，是爲新疆施行與內地同等統治之始。

本章參考書

一、何漢文：中俄外交史第五章
二、吳相湘：俄帝侵略中國史第二章第三章
三、蕭一山：清史第九章（三）
四、黃大受：中國近代史第五章第四十一節至第四十四節
五、蔣廷黻：最近三百年東北外患史（上）
六、李劍農：中國近百年政治史第三章第三節
七、蔣廷黻：近代中國外交史資料輯要上卷第五章中卷第十章
八、H.B. morse: The International Relation of Chinese Empire 第二卷十六章

第六章　中法中英的交涉和衝突

第一節　中法交涉與中法戰爭

一、天津教案

自葡萄牙人與中國通商以來，中國一般人民對於歐人的不了解和誤解，雖然經過了約二百年，並且經過了鴉片戰爭和英法聯軍之役，對歐人還是不了解和誤解。一八六〇年中英中法北京條約以後，各國傳教士得進入內地傳教，因外國教士不尊重中國的禮俗，更激起民間的反感，幾乎有教士的地方，都先後發生教案。其中以同治九年（一八七〇年）的天津教案，最為嚴重。

天津的法國女修士創有「仁慈堂」一所，因無人願送子女入堂受育，乃用金錢奬勵貧苦之家，送兒女入堂，自然引起社會的猜疑。同治九年夏（一八七〇年），天津氣候亢熱，民間謠言甚多，有謂教堂用藥迷拐幼孩者，有謂義塚有屍骨暴露者，有謂暴露之屍均係教堂所棄者，有謂天主教挖眼刮心者。適仁慈堂中兒童日有死亡，津民更信謠傳，羣情大憤，欲派人入堂調查。但女修士堅拒不允，更令大家信以為眞；民衆呼嘯而集，包圍教堂，發生口角與毆打。北洋通商大臣崇厚即派兵前往彈壓，已可無事。不料法國駐天津領事豐大業(H.V. Fontanier)突然帶洋鎗二桿，衝進衙署，一見崇厚，即開鎗射擊，幸未擊中。時街市已聚羣衆數千，形勢洶湧，豐大業出署後，行至中途，遇見前往彈壓暴民的天津知縣劉傑，豐大業又向劉傑開鎗，將其隨從打傷。道旁民衆眼見此事，忿怒不可再忍，遂羣起將豐大業痛毆至死。同時，憤怒的羣衆闖入教堂，將其中教士教民五十餘人，全部殺死，又誤殺俄國商人三名，英美兩國教堂也各毀一所，天津擾亂，事態嚴重。

此時直隸總督曾國藩請病假，清廷乃命赴天津查辦。法國因領事被殺，想聯絡英美俄三國乘機要挾。曾國藩知情形緊急，預立遺囑，曾氏因有準備一死決心，處理問題極有條理。他恐法英美俄聯合謀我，特奏請將誤殺俄商，及誤毀英美教堂交涉，先行解決，不使和法國事件混合。到天津後，查明種種謠言，全係誤傳。對法國則決和平交涉，允許懲兇賠償道歉。法國在此時期，提出苛刻條件，除懲辦人犯之外，還要知府知縣和提督陳國瑞三人抵命。在法國代辦強硬交涉期間，普法戰爭發生，法國只得照曾氏所允諾者了結。清廷除賠款懲兇和將知府知縣二人遣戍外，並派崇厚到法國道歉。

在曾國藩力持鎮靜，與法國代辦交涉期間，滿朝文武均攻擊曾氏，罵曾氏媚事洋人。清廷遂改派曾氏爲兩江總督，另派李鴻章繼任直隸總督。天津教案雖在李氏任內解決，而大體決定還是在曾氏任內。李鴻章於一八七〇年秋任直隸總督，直至一八九五年，任職達廿五年之久。

二、中法對於越南的交涉

甲、法國侵略越南，先承認爲獨立國。越南從漢代起，都同中國保持密切關係，清代是每四年入貢一次。到十八世紀中葉，西方勢力開始侵入越南，法國的傳教士已在越南活動。

法國在遠東的侵略，係以越南爲目標。一八六二年（同治元年）法國乘戰勝中國之餘威，兼以清廷有太平天國之亂。乃藉口傳教士被殺，進兵攻越南，強迫越南訂立法越西貢條約，由越南割讓下交趾三州與法國。一八七四年法軍藉法人販私鹽衝突問題，攻陷河內，迫越南訂立第二次西貢條約，要點爲：1.法國承認越南爲獨立國。2.越南外交由法國主持。3.法人可航行於紅河。是時清廷對於法越訂約，並未注意。但紅河一帶，因劉永福黑旗軍的力量，法人不能通行。劉永福的黑旗軍，原係太平天國舊部，自中國避入北圻已有十餘年，後受越南招撫，鎮守紅河一帶。

一八七八年歐洲爲解決土俄問題，召開柏林會議，德相俾士麥勸法國代表放棄收復歐洲失地的念頭，如欲在海外發展，德國願意協助；法國頗以爲然，乃積極展開越南的侵略。一八八〇年（光緒六年）法國藉口越南未履行條約，將紅河開放，欲由法國出兵，代越南肅清紅河的「匪類」。

乙、中法交涉無結果，法以越南爲保護國。時越南欲與鄰國及歐洲各國加強關係，排除法國勢力，曾與暹羅接觸而無結果，但於一八八〇年一月二十七日，與西班牙簽定條約。同年又諮詢廣西巡撫，貢使何時可以入境。法政府略聞其事，欲加阻止。適曾紀澤在俄國，得悉法人野心，乃向法外部提出抗議。次年曾紀澤向李鴻章建議應付越南問題辦法數點：一、越南派代表長期駐北京；二、越南派員到法國任中國使館隨員；三、通知越南不可輕與法人立新約；四、令越南以服從中國命令爲言，開放紅河。李鴻章對紀澤的建議不能採納，尤其反對開放紅河一點，認爲無異引虎入室。紀澤的建議既未實行，中國在外交上失去主動的地位，法國則步步進逼，欲派兵剿滅紅河的黑旗軍。

一八八二年李鴻章與法使寶海，在天津擬定解決越南問題的草約三款：一、中國撤退滇桂邊境的軍隊，法國聲明決無侵佔越南領土之意。二、開寶勝（地在越境）爲商埠，中法在此貿易，中國可立關抽稅；三、中法分界保護越北自治。當李鴻章與寶海協議草約時，清廷方面以黑旗軍「志堅力足」，「夷見黑旗，相率驚避」，主戰者甚多，對李鴻章所訂之約，當然不滿。法國亦以寶海未達到預期目的，次年將寶海撤回，否認草約。

一八八三年法國撤回寶海，另派駐日公使托里固（A. Tricon）爲全權大臣到中國交涉，一面作軍事行動的準備。清廷命李鴻章赴上海與法使會議，法使因鴻章無會商越事之全權；鴻章因主和備受攻擊，態度亦頗消極，會議無結果而散。上海會議結束後，法軍大舉向越南進攻，在越北方面，劉永福獲得勝利；但在南部，法軍由海防攻陷順化，直逼東京（註一），越南政府向法求和，於一八八三年八月訂立順化條約，使越南成爲保護國。

丙、曾紀澤主張備戰言和。曾紀澤是時再向法國政府抗議，法國竟說：『法國之保護安南，並非今日起，在一八七四年已然；現惟重堅舊約而已。』紀澤爲斡旋和平，特別讓步，主張東京秩序，由中國恢復，紅河航行事件，當竭力以赴法國之望。但此時法國已不承認中國的宗主權，直接拒絕；交涉至此，外交上已無挽回餘地。紀澤立即電告清廷，力主一戰。並致書李鴻章，分析國際形勢，列舉八項理由，認爲對付法國，必須「禦之以剛」。他認爲『法人之性，欺軟怕硬，雖誇大而喜功，實燥急而畏難，輕於發端，怠於持久，吾華備戰愈顯，則了事愈易。』曾紀澤主張備戰言和，清廷知悉順化條約後，主戰派如張佩綸，陳寶琛，張之洞等，力倡武力援越。惟奕訢李鴻章兩人不贊成輕開戰端，主張用外交方式解決越南糾紛，並命岑毓張樹聲籌辦邊防，任劉永福爲越南經略大臣，令滇省出兵越南北圻，並接濟黑旗軍抗法。

三、中法和戰的經過

甲、黑旗軍攻河內失敗。順化條約定立後，法使託理固至天津與李鴻章交涉，欲中國承認順化條約，另訂中越邊界。李鴻章主張以北緯二十度爲界，紅河流域全屬中國；法使主張以北緯二十二度爲界，爭持未決。法入乃決定用武力貫澈其目的，向黑旗軍進攻。黑旗軍雖忠勇，但雙方武器懸殊，自不能敵。一八八四年法軍乘勝進攻我北寧駐軍，我軍節節失利，不能不退守邊境。時奉命與劉永福聯絡的唐景崧，在黑旗軍中已住八月之久，他所著的「請纓日記」，對此次戰役的敍述頗爲詳實。景崧告劉永福三策：上策爲據保勝十州爲老巢，簡精銳越卒，收七省之稅，號召賢俊之士，請命中國，予以名號，功在萬世。中策爲攻河內，爲個人揚名。下策則株守保勝。劉永福採用中策。一八八三年五月十九日黑旗軍進迫河內，因武器懸殊，法軍反攻，傷亡頗衆，不能不撤退。

乙、中法媾和草約，中國放棄越南。一八八四年四月二十日，法國海軍將官福祿諾（Fournier）到天津，李鴻章認爲：『與其兵連禍結日久不解，待至中國餉源潰絕，兵心民心動搖，或更生他變，似不若隨機因應，早圖收束之。』清廷批准李鴻章這項原則；李鴻章遂與福祿諾於五月十一日訂中法媾和草約，承認法國與越南訂立的條約。李、福、簡約共五款內容如次：一、撤退中國在越南的駐軍。二、不傷中國威望體面，不索賠款。三、中國對法越所有已定與未定各條約，均置不理。四、兩國於三月後派全權大臣會議詳細條款。

中法媾和草約定立後，法人在諒山，強迫我廣西駐軍立時撤退，因此發生衝突，互有傷亡，我軍在諒山大勝。法使竟因此責中國違約，要求賠償軍費。清廷派曾國荃與法使談判，法方堅持賠款，談判不成，法使於八月三日照會曾國荃，和談期限已滿，今後將自由行動。

丙、法人橫蠻無理，中國對法宣戰。法方所謂自由行動，就是法將孤拔（Corbe）率海軍攻福州馬尾，我兵船大小十一艘倉卒應戰，被打壞九艘，自鑿沉二艘。孤拔移軍臺灣，佔據基隆，宣佈封鎖臺灣。消息傳到北京，清廷大憤，八月二十七日發布上諭宣戰。宣戰上諭如次：

「越南乃我大清封貢之國，一百餘年載在典册，中外咸知。法人狡焉思逞，肆志鯨吞，先據南圻各省，旋又進據河內等處，戮其人民，利其土地，奪其賦稅。越南向本怯懦苟安，私與立約，並未奏聞，挽回無及，越南亦與有罪也；是以姑予包涵，不加詰問。光緒八年（一八八二）冬間，法使寶海在天津與李鴻章議約三條，當飭總理各國事務衙門會商妥籌，法人又撤使翻覆，我存寬大，彼益驕貪。越之山西、北寧、等省，爲我軍駐紮之地，清查越匪，保護藩屬，與法國絕不相涉。本年二月間，法兵竟來撲犯防營，當經降旨宣示，正擬派員進取，力爲鎭撫。忽據該國總兵福祿諾先向中國議和，……………特命李鴻章與議簡明條約五款，互相畫押。諒山，保勝、等軍照約應於定約三月後調回。乃……………該國不遵守條約，忽於閏五月初一初二等日（陽曆六月二十三日，二十四日），以巡邊爲名，在諒山地方直撲防營，先行開炮轟擊，我軍始與接仗，互有殺傷。……………乃竟始終怙過，飭詞抵賴，橫索無名兵費，恣意要狹，輒於六月十五日（陽曆八月五日）佔據臺北基隆山炮臺，經劉銘傳迎剿獲勝，立卽擊退。本月初三（陽曆八月二十三日）何璟等甫接法領事照會開戰，而法兵已至馬尾先期攻擊，傷壞兵商各船，轟壞船廠，雖經官軍焚燬法船二隻，擊燬電船一隻，陣斃法國兵官，尙未大加懲創。……………此事係法人背盟肇衅。至此外通商各國，與中國訂約已久，毫無嫌隙，斷不可因法人之事，有傷和好。…………即法國官商敎民等願留內地，安分守業者，亦飭一律保護。倘有干預軍事等情，一經査出，即照公例懲法。…………」

此諭既降，中法遂入於戰爭狀態。我國海軍雖敗，但臺灣在劉銘傳固守之下，法軍不敢深入，僅能佔據基隆一港。陸路方面，我軍則大獲勝利。一八八五年三月法軍進攻南關，我駐軍敗退，廣西提督馮子材率兵來援，大勝法軍，克復鎭南關，二十八日我軍收復諒山，法軍沉其餉銀大炮於河。

丁、法軍失敗後請和。法人此役係單獨行動，於淸廷宣戰後，態度已趨緩和。此時淸廷號稱中興，實力尙不可侮。同時法國與英國有埃及的衝突，又恐德國乘機打擊，不願戰爭延長。我國駐德公使許景澄，駐英公使曾紀澤來電報告，均謂法人願和，「津約外無求」。三月三十日法國議會得諒山慘敗戰訊，大爲震驚，群起向內閣質問，總理費理 (M.Julis Ferry) 引咎辭職。新閣產生後，對和議更爲積極。

我國方面，李鴻章覺得：「借諒山一勝之威，與締和約，則法人必不再要求」。曾紀澤也說：「此時議和尙覺體面」。一八八五年四月四日中國海關職員金登幹 (Mr. Duncan Campbell)，奉命在巴黎成立中法媾和草約，以遵守天津媾和草約爲原則，四月二十七日李鴻章與法使會於天津，訂立中法媾和條約。越南從此遂正式讓給法國。

淸廷於下令停戰後，諭督府將帥說：「桂軍甫復諒山，法兵即據澎湖，馮子材等若不乘勝回師，不惟全局敗壞，且恐孤軍深入，戰事一無把握。縱再有進步，越地終非我有，而全臺隸我版圖……此時既已得勝，何不圖收束，………不得違誤，致生他變。」英美人批評說：『這戰爭雙方均未得光榮的勝利。』

就當時形勢說，李鴻章爲全局着想，即時議和是不能非難的。但當越事初起時，不能接納曾紀澤的建議，在上海時復不能堅決主和，致使和戰不定，終將越南犧牲。

四、中法越南條約

根據中法停戰協定，法國派政務局副局長戈可當（George Corgordan）與金登幹會商和約。六月九日李鴻章與法使巴特納（M. Jules Patenotre）訂立中法越南條約十款，主要內容如下：

一、越南諸省與中國邊界毗連者，其境內，法國約明自行弭亂安撫……惟無論遇何事，法兵永不得過北圻與中圻與中國邊界。……法國旣擔保邊境無事，中國約明亦不派兵前往北圻。……（第一款）

二、凡法國與越南自立之條約，章程，或已定者，或續立者，現時並日後均聽辦理。（第二款）

三、在六個月內，由中法兩國派員在北圻交界處勘定界限。（第三款）

四、護照。居住北圻之法國人法國所保護之人，他國人，欲過界入中國者，須由法國邊界官員發給護照。在北圻之中國人欲入中國者，只由中國邊界官員自發憑單卽可。但中國人欲由陸路往北圻者，應由中國官請法國官發給護照。（第四款）

五、通商。在保勝以上，諒山以北指定兩處，准法國商人居住，並設立領事官。（第五條）

六、法國在北圻一帶開闢道路，鼓勵建設鐵路。彼此言明日後若中國擬創造鐵路時，中國自向法國業此之人商辦，……惟彼此言明，不得視此條約爲法國一國獨受利益。（第七款）

七、此約一經彼此畫押，法軍立即退出基隆，並除去在海面搜查等事；畫押一個月後，法國必當從臺灣澎湖全行退盡。（第九款）

觀上列內容，中國除收復基隆澎湖外，根據第二款第四款，等於承認法國在越南之絕對保護權。根據第五款，中國在越南中國邊境開商埠兩處，准法國設立領事。根據第七款，准法人在越南邊境中國地界，有建築鐵路之優先權。

中法戰爭結束，清廷收復基隆澎湖後，已知臺灣的重要。光緒十三年（一八八七年）清廷將臺灣改為行省。

羅惇融在「中法兵事本末」敍述此役說：『……諒山既大捷，法人乃介英人赫德，在天津向鴻章求和，言彼此撤兵，不索兵費。鴻章既始終持和議，天津約成，鴻章會奏言法人必無翻覆，及法人毀約開戰，鴻章負重謗。令法人求和，鴻章亟欲護前約，乃奏言澎湖既失，臺灣必不可保，當藉諒山一勝之威，與締和約，則法人必不再要求。朝廷遽納其議，立命停戰……命諸軍皆退還邊界。將士皆扼腕憤痛，不肯罷兵。……當時關外糧道大通，士氣激昂，法已大挫，法國至兩罷其外部。乘勝而逐法軍於越南，困臺之師，自當速退。而朝臣習於苟安，又偏信鴻章之言，倉卒而成和議。雖關外大捷，而仍失越南，灰士心而長敵燄，皆苟且誤之也。自諒山一役後，中國不復有此榮譽矣。』

中法條約簽定後，光緒十一年六月廿四日（一八八五年八月四日），德宗通諭中外說：『上年四月間，特准李鴻章與法國總兵福祿諾，議定越南通商事宜，無非戢兵安民之意；迨後諒山一役，不得已而用兵。越南地極炎荒，士卒每多瘴故，且相持半載，各損師徒，藩屬人民亦罹鋒鏑，朕心憫焉。自十二月間總稅務司英人赫德，以兩國本無嫌隙，力請仍照津約，棄怨修好。朕惟仰維上好生之德……命李鴻章與法使巴特納重訂新約十條。於越南北圻邊界定地通商，言歸於好。現在法國退基隆澎湖之兵，我亦將滇粵各軍撤回國內。………從此荒服免遭兵燹，海宇共慶平安。………今當和局既定，特通諭中外，俾咸知朕意。』

中法越南條約，承認越南為法國保護國，而德宗此項上諭，將割讓越南之事，一字不提，可謂糊塗已極。當命諸軍退還邊界時，「將士皆扼腕憤痛」。孫中山先生自傳說：「予自乙酉中法戰敗之年，始決傾覆清廷創建民國之志。」因鑒於清廷的糊塗昏憒，為救中國，唯有傾覆清廷之一途。

第二節　中英交涉與緬甸之喪失

一、瑪嘉理案與烟臺條約

英人瑪嘉理（A.R. Margary）係英使館書記官，一八七四年英探測隊長柏郎（Browne）奉命自緬甸取道入雲南，瑪嘉理得總理衙門護照入滇，欲由滇至緬甸，迎柏郎赴滇。瑪嘉理行至滇緬邊境，為土人所殺。英使威妥瑪（Thomas Francis Wade）遂向總理衙門提出賠款要求，並要求派員赴英通好，查辦失職官吏，派使臣赴印度商雲南貿易事宜。威妥瑪欲以武力威脅，並拒絕第三國調停，離北京南下。用意是報告英政府，主張開戰。清廷不願衝突，派李鴻章至烟台，與英使會商，一八七六年九月十三日締結中英烟台條約。

中英烟台條約計有三大端，要點如次：

一、中國政府賠償瑪加理邮款及用費二十萬兩。

二、中國允派大臣使英國謝罪。

三、開宜昌，蕪湖，溫州，北海，爲商埠，並許英國於各該埠設立領事。又安徽之大通，安慶，江西之湖口，湖北之武穴，沙市，四川之重慶等處，允許英輪停泊。

四、雲南通商事務，由英國派員與雲南巡撫就地商之。

五、兩國法律不同，各口岸審判事件，只依被告爲何國人，即由何國官吏審判。

六、承認在商埠劃定租界。第二端第二款：新舊各口岸，除已定定有各國租界，應勿庸議。其租界未定各處，應由英國領事官會商各國領事官，與地方官商議，將洋人居住處所，劃定租界。

烟台條約中又另定附約，允許英國派員由北京啓程，經甘肅青海或四川以入西藏，赴印度探訪路程，並發護照及知會沿途各級官吏保護。烟台條約，不僅擴大英國在長江的勢力範圍，且擴大了領事裁判權的範圍，又在商埠可以劃定租界。在中英烟台條約之前，並無所謂租界，只規定外商可以携帶眷屬，在商埠居住。太天天國之役，清軍在上海撤退，清軍逃亡，由外人暫行管理居住區域，事實上取得居住地的行政權和警衛權。中英烟台條約承認了上海的既成事實，並且可以在其他商埠劃定租界。從此租界正式規定，凡是租界，中國均不能管理，由外人管理，造成了侵犯中國主權的一項不平等條約。

二、英國併吞緬甸經過

乾隆五十一年（一七八六），緬甸臣服中國，定十年一貢之例。自英國勢力侵入印度後，英緬之間便時有衝突。道光四年（一八二四）英人以海軍攻佔仰光，直逼緬京阿瓦。一八二六年緬甸與英國簽訂和約，許割地賠款。至咸豐初年（一八五二），英軍再攻緬甸，佔領南部富饒區域。時雲南有回亂，緬甸因交通斷絕未入貢，清廷不知實情。一八八四年緬王欲聯合法國抗英，英人爲先發制人計，突進兵直逼緬京，俘虜緬王。一八八五年佔領全緬甸。一八八六年一月一日印度總督拍倫德加特(Sir Harry Prendergast)宣稱：緬甸已廢國王，所有領土均爲英后之屬地。

時緬甸土司仍多反抗英國者。光緒十一年（一八八五）各稔祚土司坐把自滇邊遣使上書備貢求援，文曰：

「緬甸自開國至今，地方沾仰皇恩，四方平靜。不期於本年九月內，有洋人戛日勵統帶洋兵七千餘名，佈散流言，云稱送前往洋國之緬太子漾染，漾偶，前來復國，緬官俱被朦混，洋人遂將國王拿獲，送往洋國。緬甸官民等無賴，聽伊號令。坐把不忍坐視亡國之慘，並不屑聽洋人調度，情願傾心歸復中國。現今………聚兵二萬有餘。同伊爭戰，無奈力不能支，邀求奏懇皇上，發兵救援，將洋兵掃蕩，諸事願聽指揮，官民無不樂從。」

次年春，稔祚坐把又會其他各處土司具稟乞援說：

「各坐把土司會盟，同起義兵，齊心固守，屢次打仗，因英國船炮皆利，不能取勝。陸路我等堅守，恐亦難支持，勢在危急，無可奈何，前曾兩次專人赴天朝，求發救兵，至今未蒙指示，實深焦急。特復遣何瘷已等在赴騰越，務懇轉奏天朝大皇帝發兵救援，代爲恢復。或懇求簡派大官，前往英國調和，另立緬員管政，安撫百姓。縱英國已佔水陸之地，不肯退還，即將我等未降陸路之地，擇立緬君，亦所至顧。即每年納與英國租息些須，亦無不遵。如英國皆不應允，則唯有拼命一戰，勝則或有轉機，不勝則我等男女情願投奔中華，永爲子民，誓不受英人凌虐。萬望各位大人念我等國破君亡，百姓無依，英兵時常攻打，如在水火之中，即速奏明大皇帝，或發兵救援恢復，或派大官前往議和。……」

緬甸土司求援，當時雲南總督曾代爲轉奏；但清廷在中法戰爭之後，只圖苟安自保，上諭不准遽開邊衅，坐視緬甸忠義之士，慘遭殺戮，使緬甸淪爲英國的保護國。

三、中英緬甸條約

緬甸土司向中國求援，清廷置之不理。駐英公使曾紀澤向英國交涉，因中國沒有行動爲後盾，曾紀澤之交涉，徒勞無功。英國佔領緬甸後，曾紀澤乃別圖挽救之道，要求英人另立緬王，英人允：『另立王，管教不管政，照舊進貢中國。英攝緬政，以防外患。』旋因英內閣改組，繼任外相否認另立緬王之議，爲敷衍中國計，允許『每十年由緬督備前緬王應貢之物，派緬員呈進。』

一八八六年七月二四日（光緒十二年六月廿三日），總理各國事務衙門與英使歐格訥訂中英緬甸條約五款，內容如下：

一、因緬甸每屆十年，向有派員呈進方物成例。英國允緬甸最大之大臣，每屆十年循例舉行。其所派之人，應選緬甸人。（註二）

二、中國允英國在緬甸現時所秉一切政權，均聽其便。

三、中緬邊界應由中英兩國派員共同勘定，其邊界通商事宜，亦應立專章，彼此保護拓興。

四、烟台條約另議專條派員入藏事，現因中國察看情形諸多窒礙，英國允即停止。至英國欲在印藏邊界議辦通商，應由中國體察實際情形，設法勸導，振興商務。如果可行，再行妥議草程。倘多窒礙難行，英國亦不催問。

上述條約第一款，係英外部允諾曾紀澤者，英使為迎合清廷自尊糊塗心理，自樂於承諾；但事實上此後緬甸並未入貢。第二款最重要，無異承認緬甸為英國之屬國。第三款劃定邊界，當時迄未劃定。若果清廷援助緬甸土司抗英，中國可能獲得緬境接近中國之大部；但清廷置諸不理，緬甸邊界問題迄無法解決，英人更乘機侵佔滇邊片馬，江心坡，班洪，等地。第四款算是英國的讓步。英國於侵佔緬甸後，欲與清廷締約，承認其侵佔的結果；英使歐格訥遂根據烟台條約派人入藏的條文，要求總理各國事務衙門立即施行，同時又要求與中國解決緬甸問題。清廷允諾條約之締結，而拒絕英人入藏之要求。這是英國外交的手段，作表面讓步，但事實上英國仍派員入藏。

（注一）當時越南分為三部：東京（北圻）：安南（中圻）：交趾支那（南圻）。首都在順化。

（注二）中英緬甸條約規定，每十年向中國進貢一次，但此約訂後，緬甸朝貢一次後，即不再朝貢。

本章參考書

一、**束世澂**：中法外交史第三章

二、**李定一**：中國近代史第七章第三節

三、**束世澂**：中英外交史第四章

四、**蕭一山**：清史第九章（四）

五、方豪：中國近代外交史（一）第九章第十章第十一章

六、羅惇　：1.中法兵事本末，2.中英滇案交涉本末（見左舜生中國近百年史資料初編）

七、唐景崧：請纓日記

八、蔣廷黻：近代中國外交史資料輯要中卷第九章第十一章

九、H. F. MacNair: Modern Chinese History 第十一章

十、H. B. Morse: The International Relation of Chinese Empire　第十四章第十七章

第七章　中日交涉與甲午戰爭

第一節　日人侵佔琉球

一、日本維新後決定侵略中國政策

一百年前，日本還是閉關自守的時代。一八五三年（咸豐三年）美國艦隊司令潘理（Perry）携帶美國國書，駛入江戶，要求通商，方打開了日本的門戶。當時日本的人民，也和中國人一樣，都反對通商，排斥夷人，因爲商約是江戶幕府訂立的，日本人遂對幕府攻擊，於是有「尊王攘夷」的運動。一八六七年日皇明治卽位；德川幕府及各地藩主，在尊王攘夷輿論督促之下，把大權歸還明治天皇，日本始成爲一個統一的國家。

明治天皇卽位以後，鑒於中國拒絕接受西方文明所遭受的命運，就注重維新事業，用新黨來管理政治，歷史上稱爲明治維新。日本維新以後，他們有所謂南進政策，要向南洋群島去發展，有所謂大陸政策，要向中國的沿海來侵略。南進政策必先侵佔臺灣，大陸政策必先佔領朝鮮，他們只要前進一步，必然要與中國正面衝突。

日本的外交和俄國一樣，是雙管齊下的，卽一面修好一面侵略。一八七一年（同治十年）日本派伊達宗城爲正使，與李鴻章會議於天津，訂修好條約及通商章程，這個條約是平等互惠的，但訂約時日本要求和西洋各國的條約一樣，李鴻章答復說：「西洋各國，此國商民至彼國，要遵該國規矩禁令；遇有訴訟事件，卽由地方官持平審辦，領事等官，不得擅專。中國與西洋換約之初，多因勉強成交，又不深悉歐洲習俗，致受誆騙，約已換定，無可如何。每見領事作威作福，心實不甘。」因此，我國堅持彼此均享有領事裁判權及關稅協定，日本沒法子要求，只好承認。一八七三年（同治十二年）日外務大臣副島種臣親來北京換約，探聽中國虛實，發現中國仍然墨守傳統的舊觀念，尙未接受西洋國際法的新觀念，認爲中國有機可乘，乃決定先向臺灣下手。

二、日本以牡丹社事件，對臺灣出兵

副島種臣回國後，日本就向臺灣進兵，這是開始向中國侵略的嘗試。臺灣事件因琉球問題而起。同治十年琉球人及日人乘船遇颶風，漂至臺灣南部之東海岸，被牡丹社山地同胞殺死數十人，日本便欲藉此興兵，一面封琉球爲藩王，並照會各國以取得國際上之承認；一面由副島種臣向淸廷詰詢水手被害之事。淸廷答以「生番係化外之民，未便窮治」。日人憑着這句話，便解釋爲可以自由行動；同治十三年（一八七四）派西鄉從道率陸海軍三千，逕在臺灣東南海岸附近登陸，進攻牡丹社，並在海岸卑南地方，作屯田持久之計。臺灣省通志大事記敘述此事說：「同治十年（一八七一）年十一月六日琉球古宮島民六十九人，因風飄至臺灣東南端八瑤灣，溺死三人，餘六十六人登陸，誤入牡丹社，被土番殺害者五十四人，餘往鳳山縣人送府城。……同治十一年（一八七二年）一月十日，琉球難民在我官役護送之下，初由台南乘輪赴福州，至是遣返琉球。……八月十二日，日本冊封琉球王尚泰爲藩主，欲確定日琉之關係，爲進犯臺灣之依據。……十月，日本以互換條約爲名，派副島種臣爲全權公使，來華試探中國態度。……同治十二年（一八七三年）二月十一日，日本以琉球宗主國自居，訓令副島種臣向清廷提出生番殺害琉民之交涉。……同治十三年（一八七四年）一月，日本置臺灣番地事務局長琦，以參議兼大藏卿大隈重信主之，亟謀入侵臺灣。二月十八日，日本授陸軍中將西鄉從道爲臺灣番地事務都督，正式宣布進兵侵臺。三月二十二日，日本登陸瑯璚之社寮。……四月七日，日軍與牡丹社、高士滑社番人戰於石門，互有死傷。……十八日、日軍分三路進攻，燬牡丹、高士滑等社，建大本營於龜山，作久駐計。……」

清廷聽到這個消息，派沈葆楨率兵萬餘赴臺，督促日軍退出，英美等國亦不贊成日本此種行動。日本以英美駐日公使有違言，又恐中日戰爭引起，軍事尚無把握，乃派大久保利通來北京交涉，遵從英國調停，雙方議定由中國償撫卹銀十萬兩，貼補日軍在臺房屋修建費四十萬兩，並承認日軍是保民義擧。和約僅有三條第一條說：「日本此次征臺灣，係保民義擧，中國不認爲不是。」這無異默認琉球是日本的屬地。

日本野心，因臺灣事件的得利，更增高他侵略的慾望，從此遂向中國瘋狂的侵略。清廷對日讓步的理由，事後大學士文祥說：

「夫日本東洋一小國耳，新習西洋兵法，僅購鐵甲船二隻，竟敢藉端發難。而沈葆禎及沿海疆臣等，僉以鐵甲船尚未購妥，不便與之決裂，是此項之遷就了事，實以製備未齊之故。若再因循泄沓，而不亟求整頓，一旦變生，更形辣手。」

李鴻章當時已看清楚了日本是中國的勁敵，並且知道中日的勝負，要看那一國新軍備進步得快。他特別注重海軍，因爲日本必須先在海上得勝，然後才能進攻大陸。所以他反對以武力收復新疆。然淸廷在一無識之婦人主持之下，因循泄沓，不求整頓，李鴻章的準備工作不能完成；要和要戰，他也無從決定。甲午一戰失敗，中國遂淪爲世界三等弱國。

第二節　日本侵入朝鮮

朝鮮同日本一樣，都是受中國文化薰陶極深的國家。在歐勢東侵後，日本已放棄中國文化，急起仿效西洋文化。朝鮮仍抱殘守闕，不與外界接觸。同治初年，朝鮮國王李熙年幼，其生父李昰應攝政，號稱大院君。朝鮮和日本，因爲鄰封的關係，素常交好通商。在明治維新前，日本對韓外交，由對馬島的諸侯執行。維新以後，大權歸於日皇，日韓交涉改由中央政府主持。大院君是個十分守舊的人，厭惡日本的維新，因而拒絕與日本往來，並規定與日本交涉者處死刑。

副島種臣到北京時（一八七三），詢問中國是否管理朝鮮的內政和戰？總理衙門回答說：「中國對於高麗，雖與冊封及正朔，然其內政和戰，皆高麗自主，與中國無關係。」這種答復，已無異放棄中國對朝鮮的宗主權。副島種臣回國後，日本的「征韓論」大起，他們想以武力打破日韓外交僵局，同時還有四個動機：一、可以洗刷豐臣秀吉失敗的恥辱。二、可以防制歐洲列強如英俄，使不得植勢力於距日最近之地。三、和中國爭奪朝鮮，可以表示日本是東亞的強國。四、征韓可爲不得志武士謀出路，引起國民一致對外，使息止對政府的譏評。

一、日韓江華條約承認朝鮮獨立

光緒元年（一八七五），琉球問題解決後一年，日本派軍艦到朝鮮沿海測量水位，日艦停泊江華灣，派日兵乘小艇入漢江窺探，爲朝鮮炮台守兵轟擊，日艦還炮，毀炮台。消息傳到日本，征韓論者之勢大熾，欲乘勢攻韓。當時日本的政治家如伊籐博文、大久保利通等人，以日本羽毛未豐，不可輕舉妄動，力加阻止。於是日本外交軍事雙管齊下，一面派森有禮來北京試探中國的態度，一面派黑田淸隆率艦隊到朝鮮去交涉通商及友好條約。當森有禮正與李鴻章辯論朝鮮是否中國屬邦時，黑田淸隆已用武力屈服韓國，訂立日韓江華條約（一八七六）。承認朝鮮是獨立自主國，開埠通商，日人在商埠有領事裁判權，這就是否認了中國在朝鮮的宗主權。中國對這種條約應該抗議，並應設法糾正的；但日本和朝鮮將條約通知中國時，淸廷沒有向日本提出抗議，也沒有責備朝鮮的擅自訂約。

二、中國主張朝鮮與各國通商以制日本

日韓訂約後三年（一八七九），日本乘中俄關係緊張時，滅琉球置冲繩縣。事後中國力爭，不得，只好作爲懸案。淸廷見喪失琉球後，已不能對朝鮮問題視若無睹，恭親王等人認爲：「日本恃其奸詐，雄視東隅，前歲臺灣之後，未受懲創，今年琉球之廢，益張氣燄。臣等以事勢測之，將來必有逞志朝鮮之一日，卽西洋各國亦必有羣起而謀朝鮮之一日。」李鴻章對朝鮮問題更特別注意，他認定日本對朝鮮有領土野心，並認定西洋各國對朝鮮只圖通商傳教；英美法在朝鮮的權利愈多，就愈要反對日本的侵略。恭親王和

李鴻章等都主張開放朝鮮，讓各國與朝鮮發生關係，使「日本不致無所忌憚」。因此，李鴻章寫信給朝鮮要人，主張朝鮮與泰西通商，以制日本。但韓國守舊派並不覺悟，仍堅持成見，不與西洋各國立約，韓使金允楨竟稱：「與其通洋而存，不如絕洋而亡」。

三、一八八二年中國平定朝鮮內亂

光緒七年（一八八一）大院君李昰應完全失勢，新黨以王妃閔氏爲中心，欲維新自強，組織新政府，訓練新軍隊。次年，才由中國政府介紹，與英美德法各國訂立通商條約。但在美韓條約訂立後不滿兩月（一八八二），朝鮮發生內亂。李昰應鼓動兵變，誅戮閔族要人，圍攻日本使館，日使花房義質逃回日本，陸軍中尉掘本被殺。時李鴻章丁憂在籍，清廷命其速卽北上，處理朝鮮事變，署理直隸總督張樹聲立派軍艦三艘抵仁川。又派吳長慶率所部淮軍直入朝鮮京城，平定內亂。吳長慶誘捕李昰應，連夜送到中國拘禁，然後捕殺亂黨，亂事迅速平定。日兵來遲，無所借口。韓王恢復政權後，派人與日使會議，訂立日韓濟物浦條約。除由韓國道歉，懲兇，賠款（五十五萬兩）外，並許日本駐兵京城，護衛公使館。從此，中日兩國都有軍隊駐在朝鮮京城，形成對峙的局勢。

中國在漢城的勝利，使許多人輕敵。張謇主張將朝鮮滅亡，張佩綸和鄧承修主張李鴻章在烟台設大本營，調集海陸軍隊，預備向日本宣戰。惟有李鴻章比較清楚，清廷將張等奏摺交李鴻章通盤籌劃迅速復奏。鴻章復奏說：

「中國若果精修武備，力圖自強，彼西洋各國方有所憚而不敢發，而況在日本？所慮者，彼若預知我有東征之計，君臣上下齊心，聯絡西人，廣借洋債，多購船炮，與我爭一旦之命，究非上策。夫未有謀人之具，而先露謀人之形者，兵家所忌。……日本步趨西法，雖僅得形似。而所有船炮，略足與我相敵。若必跨海數千里，與角勝負，制其共命，臣未敢謂確有把握。第東征之事不必有，東征之志不可無。中國添練水師，實不容一日稍緩。」

鴻章主持軍政大計，他主張力圖自強籌辦海防，東征日本的事情，不過是紙上空談。鴻章為統籌朝鮮問題，向清廷提出數事：一、中國派商務委員駐紮韓國；二、代朝鮮練兵；三、駐兵朝鮮以防日；四、增強中國海軍實力；五、加強遼東防務；六、防止俄國勢力侵入朝鮮。這幾點意見大致都一一推行。鴻章薦德人穆麟德為韓國改良海關，並由吳長慶所部軍官袁世凱代朝鮮訓練軍隊。

四、一八八四年中國平定日使發動政變

此時朝鮮的政局，已形成兩黨對峙之勢。一面是親日的開化黨，領袖是洪英植、金玉均、林詠存諸人，後盾是日本公使竹添進一郎。另一派是親華的事大黨，領袖是閔泳翊、金允植諸人，後盾是中國駐韓幫辦袁世凱。一八八四年中法戰爭緊急，日使竹添進一郎認為中國無暇東顧，乃暗中策動政變。十月十七日親日派洪英植、金玉均等，在日人鼓動之下，藉郵局成立典禮，邀請各國使臣及朝臣赴宴；宴終，突率日人訓練之韓兵暴動，刺殺事大黨人士，衝進王宮，挾制韓王下詔，請日兵入衛，並宣佈獨立，派開化黨人組閣。事變後兩日，袁世凱帶兵進宮，朝鮮衛兵作內應，雙方夾擊日軍，血戰一日，日使竹添見不能抵抗，乘夜率兵潛回使館。韓人憤日兵之助亂，大肆報復；竹添以事已失敗，自焚使館，率兵逃往仁川；洪英植

爲亂兵所殺，金玉均等隨竹添逃亡，在日人保護下逃往日本。至此，開化黨完全失敗，韓國政權又爲事大黨掌握。

五、中國在朝鮮實行積極政策

竹添是個浪人外交家，他在朝鮮的行動，超過了他公使的職權。事變以後，國際輿論大都不以爲然。日本政府只得召回竹添，另派員與朝鮮訂立「漢城條約」，由朝鮮賠款十三萬兩，並向日道歉了事；同時向中國表示決無啓釁之意。一八八五年日本派伊籐博文到天津，與李鴻章會商，成立天津條約，規定兩國軍隊都在朝鮮撤退，由韓國自練新軍；此後韓國有事，一國出兵時，應通知締約之國，事定卽行撤退。此約締結，日本在朝鮮已和中國有同等的權利。

一八八五年（光緒十一年）英俄兩國因阿富汗問題衝突，幾致開戰。英國爲防俄人南下，突佔朝鮮南端之巨文島，俄人則圖佔朝鮮東北的永興灣。韓國海關監督德人穆麟德，爲執行德國助俄向遠東發展的政策，暗中慫恿朝鮮聯俄，韓王遂秘密派員赴海參威請求俄國保護。在這種情形之下，英國感覺危險，日本更怕英俄在韓得勢，都慫恿中國在朝鮮實行積極政策。於是中國在國際的矛盾局面下，在朝鮮推行積極政策，維持了十年小康的局面。此時在朝鮮爲中國負責的，是未滿三十歲的袁世凱。

第三節　日本掀起了戰爭

一八九四年（光緒二十年）韓國發生東學黨之亂。朝鮮政權一八八四年復歸舊黨，舊黨又分事清派和事俄派，鬥爭很烈，政治腐敗。東學黨遂借這個機會，揭竿而起，他們兼用儒佛老之說，雜以迷信，和中國義和團的性質相近。他們以逐滅夷倭，廢除苛捐雜稅爲號召，一般排外守舊痛心苛政的人，都相率加入，一時聚衆五六萬人。韓兵往討，迭次失利，韓王遂向中國乞援。李鴻章於五月初遂奏派葉志超聶士成率淮軍一千五百名往朝鮮，並按天津條約，於五月二日通知日本。

一、日本決心作戰

日本自竹添失敗後，因恐英俄力量侵入朝鮮，一面慫恿中國在朝鮮實行積極政策，一面整軍經武，極力擴張陸海軍，十年來日本已完成侵略準備。同時日本對中國內幕，了解清楚，他們知道清廷的腐敗，和中國軍事準備的缺點。他們顧忌的是素負盛名的李鴻章，但他們了解李鴻章暮氣已深，而且清廷的軍事外交鴻章也不能完全支配。日本在東學黨之亂後，認爲係千載一時機會；未接中國通知，立卽遣派大軍七千餘人到漢城。東學黨聞中日均派兵到臨，紛紛潰散。亂事旣平，中國要求日本同時撤兵，日人不僅不撤兵，反陸續增兵，在軍事上取得先發制人的優勢。

日本這種行動，顯係有意挑釁，在國際觀感上，頗居不利地位。日本內閣總理伊藤博文和外相陸奧宗光，乃決定用一種外交手段，轉換形勢；遂提出由中日兩國派出共同委員改革朝鮮內政的建議。如中國不接受此項共管朝鮮的辦法，日本決意單獨行動。這明是激怒中國，和中國挑戰的行動。陸奧宗光事後紀錄說：「余假此好題目，非欲調和已破裂之中日兩國關係，乃欲因此以促其破裂之機，一變陰天，使降暴雨，或得快晴耳。」

二、李鴻章以夷制夷的失敗

日本決心作戰，已昭然若揭，李鴻章知道中國的缺點，不願和日本打仗，他想用以夷制夷的辦法，迫日本講和，在形勢緊張之時，中國將領葉志超電陳上中二策：上策速派大軍由北來，與葉兵相呼應，免致進兵無路；中策速派商輪將牙山駐軍撤回，秋後再圖大擧。鴻章則以上策須緩辦，中策又嫌示弱。鴻章在軍事上既不準備戰爭，在外交上又不肯讓步，他的錦囊妙計，在利用英俄的調停，以迫日講和；但清廷的最高決策，又非鴻章可以左右，結果是調停不成，中國被迫而戰。

甲、俄人調停無效。俄國對於朝鮮問題，比英國更爲關切，六月二十日俄國駐華公使喀西尼奉命歸國，路過天津，訪晤李鴻章。鴻章提到：曾和俄前公使議定，彼此不侵朝鮮地方。這次日本派兵太多，似有作用，俄國不應漠視，請俄使電告外部轉令駐日俄使，切勸日本和中國約期同時撤兵。俄使喀西尼對鴻章的建議，認爲對俄無損，且可增加俄國在遠東的勢力，正符合俄國在西北利亞鐵路尙未完成，遠東軍備尙未充實前，不願遠東多事的國策；於是表示同意。次日鴻章回拜俄使，又告以「日重兵威脅，實欲干預朝鮮內政，爲侵奪之謀，華決不允」。俄使謂：「俄韓近鄰，亦斷不容日妄行干預；並謂使華以來，惟此件交涉於俄關係最重，務望彼此同心力持。」六月廿五日俄使派巴參贊告鴻章：俄廷已命喀西尼留在天津洽商，並訓令駐日俄使彼得羅夫向日本政府提出勸告。巴參贊又告：「如日不遵辦，電報俄廷，恐須用壓服之法；俄以亞局於彼關係甚重，若任日人擾亂，華俄未便坐視。」鴻章對俄使的意見，甚爲重視，以為俄國出面調停，必可制止日人蠢動：所以七月一日電報袁世凱說：「俄廷疊諭該使調處，必有收場。」

六月二十五日駐日俄使彼得羅夫訪陸奧宗光，告以中國邀請俄國調停；並問如果中國撤軍，日本政府是否同意撤退日軍，陸奧却把責任推在中國方面，並向俄使保證兩點：一、日本除希望朝鮮獨立外，毫無他意。二、日本不作攻擊性的挑戰；萬一開戰時，日本決處防守地位。

三十日俄使又奉訓令，送交日政府一公文，內稱：關於中日撤兵事件，朝鮮政府已請各國使節援助，因之俄國政府勸告日本政府接受朝鮮請求，否則日本應負重大責任，特此忠告。陸奧對此忠告，雖覺驚愕，但日本已決心作戰，經過內閣的討論，決定不必因俄國勸告而撤兵。七月二日陸奧向俄國政府提出答復，措詞極和婉，重申日本決無侵略朝鮮疆土之意，一俟該國內亂完全消除時，卽行撤兵。俄國的干涉態度，表面上相當積極，但俄使已知日本無撤兵可能，俄國既不能用壓服之法，外交手段又不能轉變日本的決心，調停遂中途停頓。七月九日俄使喀西尼派巴參贊告李鴻章：「俄只能勸日本撤兵，再與華會商善後。」已明說放棄「壓服之法」，李鴻章以夷制夷政策，終告失敗。

乙、英人調停不成。英國恐中日發生戰爭，有礙遠東利益，有願意調停的表示。一八九四年六月中旬英使歐格納路過天津，鴻章寫信歐格納，請電英廷勸阻日本進兵，英使允告外部，轉囑駐日英公使辦理。鴻章見英國願意調停，進一步勸英國以武力威脅日本，六月三十日鴻章電總理衙門說：

「傾英領事携歐使函來稱：『……聞俄廷出爲排解，有諸』？答：有之，但俄雖韓近鄰，未能無故動兵。。若英水師雄天下，如我前在烟臺看大鐵甲船，實爲東海第一。應請歐轉電外部，速令水師提督帶十餘鐵甲快船，逕赴橫濱，與駐使同赴倭外部，責其以重兵壓韓無禮，擾亂東方商務，與英大有關係，勒令撤兵，再議善後。諒倭必遵，而英與中倭交情尤顯，此好機會，勿任俄着先鞭。」

但清廷主張對日本大張撻伐，對鴻章以夷制夷政策，不以爲然。軍機處寄鴻章密諭說：「倭人肇釁，挾制朝鮮，倘致勢難收束，中朝自應大張撻伐，不宜借助他邦，致異日別生枝節。……李鴻章此議，非但示弱於人，仍貽後患，殊屬非計，着無庸議。」其實英國出面威脅日本辦法，是鴻章個人的幻想，就是英使歐格納本人，也不贊成派艦赴日之說，並未向本國建議。

清廷負責總理衙門的是慶親王奕劻，七月九日和日本公使小村見面。小村主張先商定處理朝鮮辦法，再談撤兵；奕劻主張兩國先撤兵，再議辦法。小村出總理衙門後，往訪英使歐格納，說是總理衙門違約，英使以爲奇怪。七月十二日英使訪問奕劻。英使首先說：「我上次來說朝鮮的事，貴衙門並未定有辦法，失此機會，未免可惜。」奕劻立卽回答：「總要日本先撤兵，後商量，並非未有辦法。」英使又說：「此事不宜多請別國說合，並不宜多處商量。……日本既出多兵，恐所求不遂，不能和商了。此事須早定主義，若再延遲，實在無益。」英使遂提出：「一、改革朝鮮內政。二、兩國赴朝鮮商辦。三、共保朝鮮，四、日本商民和在朝鮮中國商民一體看待。上幾件事中國可否允許?」奕劻表示：「有的可商，有的不可商，但仍須撤兵後才可商定」。英使歐格納於是說：「如此說，貴衙門卽係不願商量，我算白費話了。」英使對調停事件失望而去。小村將經過報告日本，陸奧宗光反而大喜，認爲中國拒絕英使調停，使日本可以自由行動了！

日本內閣乘中國放棄英使調停機會，電令小村於七月十四日向清廷提出第二次絕交書，就是最後通諜。七月十六日英使雖表示再度調停，日本已拒絕接受。英國電令駐日公使巴柴特要求日本政府，若中日開戰時，不在上海附近從事戰爭，以免影響英國利益。陸奧宗光表示接受，以避免英國的干涉。

日本在軍事上，外交上布置成熟後，七月二十三日用兵佔領朝鮮王宮，強迫韓王宣言獨立，由大院君李昰應攝政，廢除中韓間一切條約。在未對我宣戰（八月一日）前，於七月二十五日在朝鮮海面擊沉中國運兵船高陞號；七月二十八日炮擊牙山華軍。這就是「萬一開戰時，日本決處防守地位」的行動。

第四節　中國被迫應戰

一、李鴻章主張不堅定

鴻章深知中國海陸軍的脆弱，不願戰而主和，請託俄使英使調停。在俄英兩使調停時，鴻章不作調停失敗的準備，因循拖延，既不贊成葉志超的上策，速派大軍赴韓，與葉兵相呼應，作戰爭的準備；又不贊成中策，撤退牙山駐軍，以避免軍事的衝突。

清廷當時昧於敵情，輕視日本，以為北洋練陸軍二十餘年，海軍近十年，戰西方各國或不足，以敵日本當有餘。清廷的大臣從翁同龢起，都極力主戰。以為「倭不度德量力，敢與上國抗衡，實以螳臂當車；以中國臨之，直如摧枯拉朽。」七月一日清廷密諭鴻章說：

「現在倭焰愈熾，朝鮮受其迫脅，勢甚岌岌，他國勸阻，亦徒託之空言，將有決裂之勢。李鴻章督練海軍，業已有年，審量倭韓形勢，應如何先事圖維，熟籌措置，倘韓被迫攜貳自不得不聲罪致討。彼時倭兵起而相抗，亦在意及之中，我戰守之兵及糧餉軍火，必須事事籌備，確有把握，方不致臨時諸形掣肘，貽誤事機。李鴻章老於兵事，久著勤勞，着即詳細籌劃，迅速摺奏。」

清廷這次密諭，尚無可疵議。和戰之議欲決無鴻章，已屬明顯。鴻章如主戰，即應調兵遣將，採用葉志超上策。鴻章如主和，應建議在外交上讓步，不必固執先撤兵後商談，拒絕英使的調停。鴻章既不堅決主和，亦不準備作戰，這是李鴻章不及左宗棠之處。曾紀澤能以外交手段，向俄國索回一部權利，與左宗棠之堅決主戰，實有連帶關係。李鴻章不備戰以言和，主和又不堅決主和，僅想依賴外人，欲圖敷衍了事。

二、清廷的主戰

清廷主戰最力的，是翁同龢，光緒受翁的影響，始終主戰。清大臣對鴻章依賴調停，軍事觀望的態度，極爲不滿。翰林院侍讀學士文廷式在七月十二日上奏說：

「……此次倭人無故忽用重兵，名爲保商，實圖朝鮮。…………事涉數月，而中國之辦法，尚無定見，北洋之調兵，亦趦趄不前。近聞倭人朝鮮南五道，已改官制，設炮臺，征商稅，又以四條挾我。而議者尙懷觀望，是使中國坐失事機，而以朝鮮俾倭也。夫以西洋強敵，越南之事，中國猶不惜竭兵力以爭之，故能稍安十年。今以區區倭人，而令得志，如此數年之後，天下事尙可問乎？…………」

禮部侍郎志銳七月七日上奏說：

「李鴻章與譯署大臣主持此事，一味因循玩誤，輒籍口於釁端不自我開，希圖敷衍了事。…………今日人之據朝鮮，以四條挾我，儼然有開釁之心。我若急治軍旅，力敵勢均，猶冀彼有所憚，不敢猝發，是示以必戰之勢，轉可爲弭釁之端，不然，則我退而彼進，只求無釁不可得也。又聞該大臣等，事既急切，專恃外國公使從中調處，藉作說和之客，以圖退兵之計。事起之初，則賴俄使，俄使不成，復望英使，英使不成，又將誰易？………既無可恃之勢，又無可假之權，全憑口舌折衝，雖俄英各使逞辯譸張，果能化弱爲強。強日人以就我範圍乎！………爲今之計，應請………速飭北洋大臣李鴻章，厚集兵力，分駐韓境，尅期進發，迅赴事機。………兵齊之後，權勢維均，然後徐議更張，詳訂新約。敵情本有虛實，邊患更有重輕，壯我之氣，而後可以講和，充我之力，乃無妨言戰。」

文廷式和志銳的意見，均甚切實，對鴻章之「尚無定見」，「因循玩誤」，都痛予批評。我們不能說清廷無遠識之士。鴻章運用外交手段，不能認是錯誤，但運用外交手段，不提出相當讓步條件，又不用其政治地位以影響清廷的決策，這是鴻章可批評之處。

三、清廷被迫宣戰

日人決心挑戰，七月二十五日沉中國運兵輪高陞號，二十八日襲擊中國牙山守軍，八月一日清廷遂下宣戰諭旨，日本同日亦向中國宣戰。清廷宣戰諭旨說：

「朝鮮爲我大清藩屬，二百餘年，歲修職貢，爲中外所共知。………倭人無故派兵，突入漢城，嗣又增兵萬餘，迫令朝鮮更改國政，種種要挾，難以理喻，我朝撫綏藩服，其國內政事，向令自理。日本與朝鮮立約，係屬與國，更無以重兵欺壓，強令改革之理。各國公論，皆以日本師出無名，不合情理，勸令撤兵，和平商辦。乃竟悍然不顧，迄無成說，反更陸續添兵。朝鮮百姓及中國商民，日加驚擾，是以添兵前往保護，詎行至中途，突有艦船多隻，乘我不備，在牙山口外海面，開炮轟擊，傷我兵船，變詐情形，殊非意料所及。該國不遵條約，不守公法，任意鴟張，專行詭計，釁開自彼，公論昭然。用特布告天下，俾曉然於朝廷辦理此事，實已仁至義盡。而倭人渝盟肇釁，無理已極，勢難再予姑容。着李鴻章嚴飭派出各軍，迅速進勦，厚集雄師，繼續進發，以拯韓民於塗炭。……」

中國宣戰時，還不知日軍襲擊我牙山守軍情形，故諭旨中沒有提到。中國宣戰，打仗的責任是派在李鴻章頭上。李鴻章最注意海軍，但李鴻章說：「自光緒十四年未增一船，丁汝昌屢求添購新式快船，臣仰體時艱款絀，未敢奏咨瀆請，臣當躬任其咎。」在甲午戰前，李鴻章大閱海軍，英人曾建議：「必添購快船兩艘，方能備日制勝」，因介紹二艘售與中國。翁同龢長戶部，藉口款絀，加以阻撓，後來這兩隻船為日本購去，其一就是後來打沉我船最多的「吉野」，中國當時的軍艦速度不及日艦之快，艦上大砲不及日艦之多。至陸軍方面，中國駐在平壤附近，僅有一萬四千人，軍隊的紀律不佳，奉命指揮的葉志超又懦弱無能。八月一日宣戰，到十月，中國海軍敗退威海衞，陸軍由平壤敗退安州。一八九五年二月威海衞失陷，丁汝昌自殺，我北洋艦隊慘被消滅。三月牛莊營口相繼失陷，遼東半島為日軍佔領。

四、戰敗後的清廷

中日戰爭發生，舉國上下均認倭人以弱敵強，不堪一擊。日本自信能勝中國，也想不到勝得如此容易。中國海軍陸軍均戰敗後，大家並不面對現實，作一反省，却將戰敗之罪，諉諸李鴻章一人。一八九四年十月三日，三十五名翰林聯名參奏。十月五日張謇痛參鴻章誤國，他說：

「直督李鴻章自任北洋大臣以來，凡遇外洋侵侮中國之事，無一不堅持和議。……自來中外論兵，戰和相濟，西洋各國無一日不存必戰之心，故無一人敢敗已和之局，李鴻章兼任軍務洋務三十餘年，豈不知之？……本年五月間，日釁已見，使李鴻章得袁世凱數十密電之後，援十一年第三條約，詰以派兵何不先行知照，則日謀可伐，不至於戰。……卽得汪鳳藻電復之後，其時日兵尚不甚多，布置尚不甚密，使派葉志超聶士成率一二十營，如吳長慶徑入漢京，挾王歸我，易客爲主，徐待理論，亦尚不礙於和。……朝鮮弊政，本應中國早爲酌改。日既以是爲請，我何妨令袁世凱與議，折日惠韓之謀，收我撫字屬國之權。……李鴻章則始終執其決棄朝鮮之議……而昭日人『華斥不顧，勢難中已』之言，卒釀兵端，一敗塗地。……試問以四朝之元老，籌三省之海防，統勝兵精卒五十營，用財數千萬之多，一旦有事，……曾無端立於可戰之地，以善可和之局。稍有人理，能無痛心……李鴻章非特敗戰，並且敗和。……」

李鴻章因此受了「拔去三眼花翎，褫去黃馬掛，以示薄懲」的處分。李鴻章上書自辯說：

方戰事初起時，中外論者皆輕視東洋小國，以爲不足深憂。臣久歷患難，略知時務，夙夜焦思，實慮兵連禍結，一發難收。蓋稔之倭知蓄謀與中國爲難，已非一日，審度彼此利鈍，尤不敢掉以輕心。凡行軍制勝，海戰專恃砲船，陸戰惟恃鎗砲，稍有優絀，則利鈍懸殊。日人於近十年來，一意治兵，專師西法，傾其國帑購置船械，愈出愈精。中國限於財力，拘於部議，未能撒手舉辦。……無餉，無械，無兵……以北洋一隅之力，博倭人全國之師，自知不逮。」他並且向淸廷建議：「不存輕敵之心，責令諸臣多籌薪餉，多練精兵，內外同心，南北合勢，全力專注，持之以久，而不責旦夕之功，庶不墮彼速戰求成之詭計。就目前（一八九四年九月）軍事而論，惟有嚴防渤海以固京畿之藩籬，力保藩陽以顧東省之根本，然後厚集兵力，再圖大舉。」李鴻章已提出對日長期抗戰的建議。但清廷看見戰敗，就力圖講和，墮入日人速戰求成的詭計。

八月一日宣戰，九月底慈禧太后已傾向和議，擬聯俄以制日。十一月初，總理衙門曾電駐英公使龔照瑗，請英俄德法美意等國調停。十一月中旬派天津海關稅務司德璀琳赴日試探和平，被日本拒絕。一八九五年一月派張蔭桓邵友濂赴日講和，仍被拒絕。二月十二日清廷開復李鴻章一切處分，任爲頭等全權大使。三月五日鴻章出京赴日，三月十九日到達日本馬關。

第五節　中日馬關條約及其影響

一、伊藤不識大體

李鴻章抵馬關後，與伊藤博文會談，伊藤知中國急欲停戰，對議和條款，秘不宣佈；三月二十一日故意提出停戰極苛刻條件，以迫鴻章。伊藤要求佔領天津、大沽、山海關，並將駐軍一切軍需交與日本軍隊暫管。二十四日會談，鴻章放棄先行停戰要求，先索議和條件；伊藤定在次日上午提出。鴻章會後回行館，途中遭日人刺殺，被槍彈擊中左頰。鴻章被刺後，當日照會伊藤、陸奥，因受意外，明日不能與會，陸奥恐鴻章藉口負傷，半途歸國，他在自述中說：

「余察內外人心所趨向，此際不施善後之策，卽發生不測之危害，亦所難料。內外之形勢，已不許再交戰矣！若李鴻章藉口負傷，於使事半途歸國，非難日本國民之行爲，巧誘歐美各國，再使其居中周旋，不難得歐洲二三強國之同情。若招致歐洲強國之干涉，則我對中國之要求，陷於不得不大行讓步之地位，亦所難料。」

陸奧向伊藤建議，應許鴻章無條件停戰，較爲得計，伊藤無異議。三月三十日停戰條約簽定，共六條。停戰範圍只限奉天直隸山東三省，臺灣澎湖除外；限期是二十一天，到四月二十日爲止；過期和議不成，停戰條約卽行中止。

二、馬關條約

伊藤逼迫鴻章簽訂馬關條約，割讓遼東半島，臺灣及澎湖列島，賠款三萬萬；經鴻章再三交涉，伊藤僅允減去賠款一萬萬，其他絲毫不讓。四月十七日，馬關條約簽字。馬關條約共十一款，重要內容如次：

一、中國認朝鮮國確爲完全無缺的獨立自主國家。（第一款）

二、中國將遼東半島，臺灣全島及附屬島嶼，澎湖列島，永遠讓與日本。（第二款）

三、賠款銀二萬萬兩，分作八次交完，第一次五千萬，在本約批准互換後六個月交清；第二次五千萬，本約批准後十二個月交清。餘款平分六次逐年交納，第一次餘兩年內交清，第二次於三年內交清，第三次於四年內交清，第四次於五年內交清，第五次於六年內交清，第六次於七年內交清。第一次交清後，未經交完之款，應按每年值百抽五之息；但在三年內全數清還，免交利息。（第四款）

四、中國讓與地方人民，准在二年內遷居讓與地方之外，任便變賣所有產業，退去界外，限滿之後尚未遷徙者，視爲日本臣民。（第五款）

五、中日兩國過去條約，一律作廢，另立通商行船條約及陸路通商章程，訂約時應以中國與泰西各國現在約章爲本。（第六款）

六、中國允增開沙市、重慶、蘇州、杭州爲通商口岸。（第六款）

七、日本臣民在中國通商口岸，得自由從事各種製造工業。各種機器僅納入口税，得自由裝運入口。日本人在內地製造之貨物，其一切課税均照日本輸入貨物之例辦理，享受一切優利豁免。（第六款）

八、日本輪船得駛入長江至重慶，並得駛入吳淞江及運河至蘇州杭州，輪船得附搭行客裝運貨物。（第六款）

觀馬關條約的內容，可謂十分苛刻。以賠款說，鴉片戰爭賠款二千一百萬元；英法聯軍之役，對英法各賠款八百萬兩；向俄國收回伊犂，賠款九百萬盧布；再加上若干零星賠款，總數不到五千萬兩。而對日本此次的賠款，超過中國歷年賠款的四倍以上。以割地說，鴉片戰爭僅割讓香港一島，中法戰爭僅承認越南獨立；此次條約，不僅承認朝鮮獨立，而且割讓中國的領土臺灣和遼東半島。以在中國通商口岸從事各種製造工業說，更是中國國民經濟的最大致命傷；西方的帝國主義者，屢次壓迫中國受城下之盟，皆未提出如此的條款。自馬關條約有此條款，各國皆援最惠國之待遇，一律共享；於是中國工業，全被帝國主義的資本所壓倒，不能抬頭。以另訂新約說，以中國與泰西各國現在約章爲本，從此日本人在中國享有領事裁判權，及各國所取得的一切權利。日本對中國「一步不讓」的政策，激起中國人一致的仇恨。遂產生了一八九六年中國親俄仇日的政策。同時，各帝國主義者看見日本豐富的收獲，和滿清政府的腐敗無能，遂有劃分勢力範圍，瓜分中國的企圖。

三、俄德法三國干涉還遼

在中日戰爭發生，至一八九五年三月，俄國以爲只要能保證朝鮮獨立，對中日問題儘可旁觀。四月十一日俄國已知道日本向中國要求的條件，在開大臣會議時，財相微德（Sergei Witte）極力主張干涉日本，退還遼東半島。他說：

「日本所發動的戰爭，是我國修築西北利亞鐵路的結果。一切西歐國家以及日本，都好像覺得瓜分中國之期不遠。……………日本的計劃佔領南滿，對俄國是一種威脅，或者日本將由此而佔有朝鮮的全部。日本取得六萬萬盧布的賠款後，即將在新佔領的地方，建築防禦工事，而且將誘致好戰的蒙古人和滿洲人，再往後就要開始一次新的戰爭了。在這種狀況之下，說不定日本天皇，就將變成中國的皇帝。俄國遲早免不了要和日本衝突。……………這裡就發生一個問題，將允許日本佔領南滿，等待西北利亞鐵路完成後，再求補償呢？還是現在就斷然阻止日本的佔領？這兩者之中，以現在的積極行動較爲有利。現在不必提阿穆爾邊界的重新勘定，也不必攫取領土，以免同時得罪了中日兩國。……………應斷然聲明，俄國不能讓日本佔領南滿。……………如日本竟意外的拒絕了俄國的外交要求時，那就要派遣軍艦向日本敵對，並轟擊日本的海港，但不可佔領任何地方：這時俄國就成了中國的救命恩人，中國一定重視俄國的功績，將來自能以和平方法修改俄國的疆界。…………」

微德的建議，爲俄皇所採納，俄國遂聯合法德兩國，於四月二十三日同時向日本提出勸告，放棄佔有遼東半島，是時距李鴻章簽訂馬關條約僅有六日。日本接獲勸告後，伊藤、陸奧等商議，決定對三國最後可以讓步，但對中國一步不讓，繼續逼迫中國政府批准馬關條約，並進行換約的工作。結果，由中國增加賠款三千萬兩，收回遼東半島。

四、李鴻章對日本的勸告

一八九五年三月二十日，李鴻章與伊藤博文首次會晤於馬關，日外相陸奧參與此項會議，據陸奧紀錄說：

「李鴻章與伊藤總理係舊相識，故私人談話，達數小時之久。彼不似古稀以上之老翁（時年七十三歲），狀貌魁梧，言談爽快，曾國藩謂其容貌詞令，足以服人，誠屬確評。…………彼謂：『中日兩國爲亞細亞洲常被歐洲強國猜疑之大帝國。且兩國人種相同，文物制度亦相同，今雖一時交戰，不可不回復彼我永久之交誼。幸而此次干戈止息，則不特恢復從來之交誼，且冀再進而爲親睦之友邦。…………西洋之大潮，日夜向我東洋洋流，是非吾人協力同心，講防制之策，黃色人種結合以抗白色人種之秋乎！深信此次交戰，當不礙恢復此兩帝國之天然同盟。』更謂：『此次戰爭，實獲得兩個良好結果：其一，日本利用歐式海陸軍組織，功績顯著，以證黃色人種亦不亞於白色人種。其二，依此次戰爭，中國覺醒其長夜夢，是實日本促中國自奮，以助其將來之進步，利益可謂宏大。故中國雖有多數人怨恨日本，然余却多感荷。且中日兩國爲東洋大帝國，日本有不弱於歐洲之學術知識，中國有天然不竭之富源，若將來兩國得相結托，則對抗歐洲強國，亦非難事。』」

這一席話，確有眞知灼見。然戰勝之日人，正驕矜不可一世，自然聽不入耳。李鴻章對日人的勸告和孫中山對於日人的希望相同。可惜•人器小易盈，不知反省，中日不斷衝突，幾使中日兩國同歸於盡。

本章參考書

一、李定一：中國近代史第八章

二、蕭一山：清史第十章

三、黃大受：中國近代史中冊第十一章

四、陳博文：中日外交史第二章

五、羅惇曧：中日兵事本末，威海衛熸師記，割臺記（見左舜生中國近百年史資料初編）

六、闕　名：馬關議和中之伊李問答

七、姚錫光：東方兵事紀略

（上兩文載左舜生中國近百年史資料續編）

八、陸奧宗光：日本侵略中國秘史

九、蔣廷黻：近代中國外交史資料輯要中卷第十二章第十三章

十、臺灣省通志：卷首下大事記

十一、H. B. Morse" The International Relation of Chinese Empire 第三卷第一章第二章

第八章　中俄密約到門戶開放

第一節　中俄密約的簽訂

一、清廷「聯俄制日」論的形成

甲午戰爭以前，清廷無所謂外交政策。李鴻章的外交政策不過是「以夷制夷」。馬關條約簽訂後，朝野輿論趨向與友邦聯盟。當時清廷因爲俄國代爲索還遼東並貸我白銀壹萬萬兩，作對日賠款之用，對俄國都有好感。慈禧太后李鴻章等，素來主張親俄，侍郎如許應騤等，疆吏如劉坤一張之洞等，都主張和俄國締結密約，高唱聯俄制日的論調。

劉坤一於一八九五年五月十日奏請聯俄制日，其節要如次：

「奏爲密陳大計，聯俄拒倭……事……自越南之役，中國措施失當，頗爲各國所輕，此次與倭議和，諸多遷就，益收四夷窺伺之漸。…………我自度力不能敵，不可不亟聯邦交，以資將伯之助。以臣愚見，各國之患猶緩，惟日本之患爲急。夷倭之強，非俄所願，倭之擾我東三省，亦爲俄所忌；是以中日和約，業經割予遼東，而俄與法德勒令退還，詎專爲我，亦自爲耳。我乘此時與之深相接納，互爲聲援，並稍予便宜，俄必樂於從我，縱不能保我沿海各省，而東三省與俄毗連之地，倭必不敢生心。………或謂俄國與中國接壤最寬，將來必為害於中國，臣前此亦以為然，今則頗知其說之謬，亦視我之撫馭何如。………

八月八日張之洞上奏，請求聯俄，其原文節要如次：

「今日救急要策，莫如立密約以結強援。從古各國角立之時，大率皆用遠交近攻之道，而於今日中日情勢為尤切。今日中國之力，斷不能兼與東西洋各國相抗……若不急謀一紓禍之方，恐無喘息自強之暇。查外洋近年風氣，於各國泛交之中，必有獨加親善之一二國，平時預定密約；有戰爭時，凡兵餉軍火，可以互相援助。若無密約者，有事便守局外，不肯干預。今欲立約結援，自惟有俄國最便。緣英以商服中國之利，法以教誘中國之民，德不與我接壤，美不肯預人兵事，皆難議此。查俄與中國，乃二百餘年盟聘鄰邦，從未開釁，本與他國之屢次構兵者不同，且其擧動濶大磊落，亦非西洋之比。………」

上述議論見解，是當時有地位的人士所主張，足以反應當時國人痛恨日本，不惜聯俄以拒日的態度。清廷親俄的空氣如此，遂促成李鴻章使歐，祝賀俄皇加冕典禮，締結了中俄密約。

二、中俄密約及簽訂的經過

一八九六年（光緒二十二年）二月十四日，清廷派李鴻章為欽差頭等出使大臣，往俄國致賀俄皇加冕；另領敕諭，前往英、法、德、美四國親遞國書。鴻章初奉命時，以年已七十有四，傷病時發，具奏懇辭。後奉諭慰留，鴻章只好上奏謝恩，勉承大命，他疏奏說：『今合五洲強大之區，儼同六國縱橫之局，為從來所未有，實交際所宜隆。況俄國本通聘最早之邦，而加冕又異族最隆之禮，但有益於交隣之道，何敢憚夫越國之行。……一息尚存，萬程當赴。』鴻章此行，很想由外交上的折衝，以收聯俄制日之效。

俄國得到鴻章出國消息，便準備隆重招待，俄皇派親王克託木斯基（Prince Khtomsky）到蘇彝士運河來迎接。四月十七日抵俄境敖得薩，即受特別的護衞和歡迎。四月三十日抵聖彼得堡，晤俄外相羅巴諾夫，財相微德，定於五月四日謁見俄皇。

俄國負責與李鴻章交涉的，是對遠東有絕大野心的微德。微德在自述中，述其向鴻章鄭重聲明說：

「我國既聲明中國領土完整之原則，此後必當繼續此種主張，惟為實現此種主張，須於必要時，處於能以武力幫助中國之地位，而此種地位，因俄國軍隊集中於西部之故，須以鐵道將歐洲俄羅斯海參崴及中國，聯絡一起，始能成功。當中日戰役，俄國雖向海參威派遣軍隊，因無鐵道聯絡，故軍隊進行遲緩，及抵吉林，戰事業已終了。故余以為保持大清帝國之完整，須由俄國築成經過滿州北部而達海參威之鐵道。」

同時更向鴻章指述，如計劃中之鐵道實現以後，俄屬及經過華境之土地，其生產力將大為增加。微德又怕鴻章對於日本有所顧忌，他又說：日本對於此路，也必定表示贊許，因為日本也可以藉此路和歐洲各國聯絡。微德又說：如果由中國自行修築，恐非十年不成，所以主張由俄國代薦公司修路。

李鴻章對於微德築鐵路經過滿州北部的提議，表示反對，微德便以不能再助中國來威脅。次日（五月四日）鴻章向俄國呈遞國書後，下午再由俄皇秘密的接見談判，和鴻章討論修築鐵路問題，鴻章遂接受了俄人的建議。據他於五月六日致總理衙門電訊說：

「向例遞書後不再見，俄皇藉回宮驗收禮品為名，未正接見，令帶經方傳報，不使他人聞知。……

引坐便殿賜坐暢談。彼謂俄國地廣人稀，斷不侵佔人尺寸土地。中俄交情最密，東省接路，實爲將來調兵捷速，中國有事，亦便幫助，非僅利俄。惟華自辦，恐力不足。或令在滬華俄銀行承辦，妥立章程，由華節制，定無流弊。各國多有此事例，勸請酌辦；將來難保英日不再生事，俄可出力援助云云。較微德所議加厚，未便壅於上聞，請代奏。」

經過俄皇這次的接見後，中俄密約的談判，便開始進行，並且談論到兩國軍事同盟問題。五月二十二日遂商訂了中俄密約，代表中國的是李鴻章，代表俄國的是羅巴諾夫和微德，中俄密約共六條，原文如次：

大淸國大皇帝陛下暨大俄國大皇帝陛下，因欲保守東方現在和局，不使日後別國再有侵佔亞洲大地之事，決計訂立禦敵互相援助條約，…………立定條款如左。

第一款　日本國如侵佔俄國亞洲東方土地，或中國土地，或朝鮮土地，即牽碍此約，應立即照約辦理。如有此事，兩國約明，應將所有水陸各軍，屆時所能調遣者，盡行派出，互相援助，至軍火糧食，亦盡力互相接濟。

第二款　中俄兩國既經協力禦敵，非由兩國公商，一國不能單獨自與敵議立和約。

第三款　當開戰時，如遇緊要之事，中國所有口岸，均准俄國兵船駛入，如有所需，地方官應盡力幫助。

第四款　今俄國爲將來轉運俄兵禦敵，並接濟軍火糧食，以期妥速起見，中國國家允於中國黑龍江吉林地方，接造鐵路，以連海參威。惟此項接造鐵路之事，不得藉端侵佔中國土地，亦不得有碍大淸國大皇帝應有權利，其事可由中國國家交華俄銀行承辦經理，至合同條款，由中國駐俄使館與銀行就近商訂。

第五款　俄國於第一款禦敵時，可用第四款所開之鐵路運兵、運糧、運軍械。平常無事，俄國亦可由此鐵路運過境之兵糧，除因轉運暫停外，不得借他故停留。

第六款　此約由第四款合同批准舉行之日算起照辦，以十五年爲限，屆期六個月以前，兩國再行商辦展限。

上述中俄密約，載於外交部編印的中外條約彙編，俄國公開發表的中俄密約，內容也相同。但因係密約，當時嚴守秘密。一八九六年十月三十日上海字林西報突公開刊佈「中俄特別條約」十二條，就是世人所謂「喀希尼密約」。這一僞造密約，是英國新聞記者在俄國使館，竊取一八九六年四月喀西尼準備向中國提出交涉的綱要，編造而成的。因爲以後的事實，證明了所陳要點接近事實，遂引起國際間的注意。

按照這一僞造密約，俄國取得在北滿二條鐵路建築權，取得爲中國建築至瀋陽吉林鐵路的優先權，又獲得在東三省的採礦權，派遣軍事教官訓練三省士兵的練軍權，和膠州灣的租借權，與旅順大連的使用權。

三、中國對中俄密約的反應

一八九六年五月二十日李鴻章在俄簽訂中俄密約甫畢，駐俄英大使向鴻章探詢眞相，鴻章否認中俄立約。六月二十九日抵德國漢堡時，又有新聞記者來訪，詢問中俄密約的眞相，鴻章亦矢口否認。十月三十日上海字林西報刊載所謂喀希尼密約十二條，很引起中國朝野人士的憤激。

一八九七年一月二十日山東巡撫李秉衡上奏，根據喀西尼密約內容，論俄約的流弊說：

「臣嘗舉十二條新約反覆視之，無非彼享其利，我罹其害，俄之所謂厚施於我者，不過反我遼南數州縣之地耳，而我亦會以三千萬贖之於日矣。今復以修路允俄，鐵路附於我土地，有土地而後有鐵路。今我之土地，而俄修之，是俄有之也。夫失於日者不過東省數州縣，乃德俄之居間排解，不獨酬之以奉天全省，並吉林黑龍江兩省之地而附益之，恐未有如此失計之甚者矣。且今之危謀我大局者，又不止一俄也。即以保遼一役言之，俄之外有法有德。……萬一德法援俄口實，以肆其無厭之求，其徇之乎？否乎？至不與保遼之役而與俄為敵者，則又有英。夫英國陽暱我，陰袒日，而實則嫉俄者也。……萬一英與俄為爭霸而逞其捷足之謀，其徇之乎？否乎？不徇其請，則立開兵釁，徇其請則無以立國，如之何其可也。……我能自強，即失俄之援，俄亦無如我何。我不能自強，俄即援我，我其如英法何？縱觀古今得失之林，橫覽中外成敗之迹，未聞有恃人為援，而可以自強者也。」

同時，河南巡撫劉樹棠上奏說：

「自強者不敗，因人者不成，如准俄接路橫過吉黑兩省，又准其派兵保護，中國豈復尚有自理之權。……即使並無此約，而俄人之交亦不足深恃。臣嘗縱觀各國大勢，惟俄主權獨重，專以開疆拓土為雄，其餘之國主權皆主於商業，非萬不得已，不遂興戎。臣逆料此數年年內，俄不生心，可保他國無兵戈之事。若與俄人訂此密約，竊恐合從之師，不旋踵而至。」

李秉衡劉樹棠等上奏痛論聯俄之錯誤，但當時清廷自慈禧太后以下，都主張聯俄，而中俄密約業已簽訂，這些反對的主張，當然不能發生效力。與李鴻章有密切關係的嚴復，在此時發表「中俄交誼論」，鼓吹聯俄主張，他說：

「上年李中堂之使俄也，覲其皇帝，謁其親王宰相外部，無不以中國之變法自強相勗，俄使吳王答聘來華，禮儀之隆，情文之備，爲向來外國使臣所未有。…………中國今日之接納俄聯，不特事勢之必然，亦情理之當然。然而悼時憫物之士，皇皇惴惴，…………亦若今日中國與俄國，明日中國即爲俄有，或私居而竊嘆，或大聲而疾呼，僉謂國家外交之策不宜如此。…………善其後將奈何？曰：今日之中國，不但當聯俄，且當法俄。吾今既毅然決然以聯俄之政策，又曷不以大彼得之心爲心，大彼得之政爲政，屈九重之駕，觀列國之風，內興文治，外修武備，求他人之所以文明，以去我之粗鄙；求他人之所以強盛，以救吾人之危弱；求他人之所以開化，以革吾之拘泥譾陋。果如是也，不特俄人之交可以歷久而不渝，即泰西各國，亦將從容揖讓，消弭兵戎之禍於無形無聲之中，是中國目前自救之策，既出於聯俄，則將來自強之策，即當法俄以全聯俄之誼。」

無論反對或贊成，都主張中國自強，嚴復更主張變法，這實在是根本要圖。但腐敗的清廷，不足以語此。一年後的百日維新，不僅未收變法之效，慈禧太后再度垂簾聽政後，清廷更日趨腐敗。

第二節　列強在中國的侵略

一、德國侵佔膠州灣

俄德法三國干涉還遼以後，德國於一八九五年秋，要求在天津漢口兩地，設立租界，經清廷允諾。但德國並不滿足，想在中國海岸，取得一個貿易和軍事上的根據地。十月，德國公使紳珂（Schenck）向總理衙門交涉，要求租借港口；接着德國軍艦在厦門出現，盛傳德國要索取金門島。清廷對德國租借港灣的要求，深恐列強援例，一面拒絕德使的要求，一面訓令許景澄向德國外相交涉。

許景澄交涉時，德國態度強硬，無放鬆租借港口的意思。德人認為遠東局勢，英日和俄法對立，俄法拉攏德國，德國需要開埠屯艦，才可聯絡，借地一事，俄法不致為難。德國想在中國侵佔港口，擴張勢力，是時業已決定。到一八九七年春，德國兩度考察膠州灣後，認為膠州灣是優良港口，於是選定膠州灣為租借目標。

一八九六年十二月，德國新公使海靖（Heyking）向清廷交涉租借膠州灣，租期為五十年，清廷怕各國援列，堅持不允。一八九七年一月海靖再度要求，清廷乃予拒絕。因清廷堅持不能租借，德人遂想用武力侵佔，同時試探各國的意見。德國首先接觸的，當然是俄國，希望俄國的諒解。俄皇尼古拉二世表示對德艦入膠州灣，俄國既不能贊成，也不能反對。俄國外交官無法阻止德人在遠東發展，慫恿德人租借山東以南的海港；但德人怕與英日衝突，不肯接受；並告知英國，以博英國之好感。英人不願德人在山東以南發展，並以德人在山東發展，且可牽制俄人之勢力；英人對德人侵佔膠州灣，也沒有異議。同時德國又向日本表示好感，承認福建是日本的勢力範圍，日人自然也沒有異議。德國在外交上布置就緒，已準備武力侵佔。一八九七年十二月遂藉口德國傳教士二人在山東鉅野縣被殺，派遣艦隊侵佔膠州灣。

德人侵佔膠州灣以後，先造成既成事實，再與清廷交涉。在交涉時，李鴻章還想商請俄國代為索還；

但俄德早有默契，不僅不接受鴻章的邀求，反要乘機租借旅順口。清廷既不能對德作戰，外交上又毫無辦法；一八九八年三月六日，由李鴻章翁同龢和德使海靖簽訂中德膠澳租借條約三大端，重要內容如次：

第一端　膠州灣租期爲九十九年，並准建設砲台，保護地棧和港口。

第二端　一、中國准德國在山東修築鐵路：（1）從膠州灣經濰縣靑州至濟南。（2）從膠州灣至沂州經萊蕪至濟南。二、設立德華公司修造鐵路。三、鐵路附近左右各三十華里的礦產，准由德商開辦。

第三端　以後山東省開辦何項事務，或需外資外料，德國有優先承辦之權。

照條約規定，已承認山東爲德國勢力範圍。

二、俄國強租旅順大連

一八九七年十二月德國佔領膠州灣，清廷因和俄國有同盟密約的關係，希望俄國能派遣軍艦，監視德艦的行動。但俄國不僅不協助清廷，反利用這個機會，在中國取得一個海軍根據地。一八九七年十一月初，俄國知道德國佔領膠州灣的計劃，外交大臣莫拉維夫（Murarieu）向俄皇建議，認爲德國在膠州灣的行動，爲俄國取得旅順大連的最好機會。俄皇特召集御前會議，討論這個問題；在會議中表示反對的，是簽訂中俄密約的財政大臣微德。微德力言中俄兩國會結有軍事聯盟，防禦日本侵略，同時又屢次宜言承認中國領土之完整。在此情形之下，佔領中國港口，實爲最大的失信。即拋開道德觀點說，此種計劃，對俄國本身利益也很危險。此外俄國佔領的海口，又必須有鐵道的聯絡，這樣必至引起糾紛，發生不良結果。微德的意思，是不願早日揭開虛偽親善的面具；但是俄皇的御前會議，竟決定率直的侵略行動，實行佔領旅順大連。

此時駐北京俄國代辦通知總理衙門說：謂奉俄皇訓電，已派兵船由海參威赴膠州，監視德國。十二月二十二日，俄國艦隊到達旅順，海軍登岸，發生許多強暴殺人的事。此時俄代表又照會中國政府，說俄國並無奪取中國領土之意，佔領旅大，是爲了保護中國，免受德國的侵略；德國軍隊撤退的時候，俄軍也立即撤退。此時清廷還以爲俄國是眞心的幫助，並且供給俄國軍艦的煤。

一八九八年二月十七日，駐俄公使楊儒見俄皇時，俄皇還說俄艦是爲保衞中國而來，且提及展修鐵路問題。三月三日俄代辦巴布羅夫向總理衙門提出租借旅順大連，和延長鐵路的要求，限期五天答復。總理衙門奏請派許景澄爲頭等欽差大臣，從德往俄交涉。許景澄三月十二日拜訪俄外相莫拉維夫，會談的情形，許景澄報告總理衙門說：

「頃外部訂晤，稱膠事已定，英已得長江利益，法亦有索件，故俄必須租得不凍海口，爲水師屯地，保護兩國利益，各款前已電巴（指俄代辦巴布羅夫）。現將租期及租界電巴，轉達總署。…………告以事關中國大局，中國允俄，則英法日必生心，中俄交密，務請體察。彼云：『俄已告明英法等國，務請電達總署，從速答復。俄主意在必成，惟租界遠近，或可酌商』。等語。詞意堅執，大非昔比。…………」

三月十五日許景澄謁見俄皇，俄皇所提的要求和外相一樣。景澄以巴代辦的限期急迫，要求從容商議。俄皇說：『俄國在東方不能不有一駐足之地，現在外部所定條款及畫押期限，我們早經籌定，實難改動。』同時模拉維夫還威脅景澄說：『頃接巴代辦電，總理衙門仍無確實答復，如過三月二十七日，訂約不成，俄國將另有辦法。』

在交涉進行中，俄艦南下示威，三月二十三日清廷耽心俄國動武，光緒命李鴻章張蔭桓爲全權大臣與俄代辦訂約。一八九八年三月二十七日，在北京簽訂旅大租借條約九款；五月十日許景澄楊儒在俄聖彼德堡簽訂旅大租界條約及續約。重要內容如次：

旅大租借條約要點：

一、中國允將旅順口大連灣暨附近水面，租與俄國。（第一款）

二、租期以二十五年爲限，期滿後可商量續借。（第三款）

三、旅順口作爲俄國海軍港，只准中俄船隻出入。大連灣除口內一港，由中俄兵艦出入外，其餘地方爲商港範圍，各國船舶可出入。（第六款）

四、俄國在旅順口大連灣得自備經費，蓋造各軍所需住所，建築砲台，安置防兵。（第七款）

五、准許中東鐵路公司修造到大連灣支線，或到營口鴨綠江的支線。（第八款）

旅大租借續約要點：

一、從遼東西岸亞當灣之北起，穿過亞當山脊，至遼東東岸皮子窩灣北盡處止，其以南的水陸區域，均准俄國享用。（第一款）

二、中東鐵路經過地方，不將鐵路利益給與別國人。（第三款）

三、從遼東西岸蓋平河口，經岫岩北至大洋河沿洋左岸至河口，定爲隙地。中國國家承認：（1）非俄國應允，不將隙地地段，讓與別國人享用。（2）不將隙地東西沿海口岸與別國通商。（3）非俄

國應允，不將隙地地段內造路開礦，及工商各利益讓與。（第二款第五款）

以上兩約締結後，俄國向各國宣告大連爲自由貿易港。中國以三千萬兩贖回的遼東半島，竟變成了俄國的掌中物。一八九八年九月，俄國竟將遼東租借地，設置關東省，以旅順爲首府，派遣總督，簡直視爲俄國領土。俄國在兩年前訂立中俄密約時，對於北滿的侵略，尚用一種柔滑的手段。現在對於南滿，便不客氣的使用橫蠻手段，來完成其在滿州的侵略。俄國利用中俄密約，作侵佔中國領土的護身符，將滿州劃爲俄國的勢力範圍。因此，引起各國的效尤，開瓜分中國之端，中國對於中俄密約，眞是不見其利，徒受其害。

三、法國索償後又強租廣州灣

甲、迫割江洪。干涉還遼的三國，得報酬最早的是法國。當微德進行第一次借款給中國時，法使奉政府命，提議雙方訂中越邊界，要求中國以湄公河（卽瀾滄江）上流東岸江洪一段與法，俄使也助法使進行。總理衙門被迫應允，一八九五年六月二十日在北京簽訂中法續議界務專條附章五款，將猛烏、烏得等地給與越南。同日又簽訂中法續議商約專款附章九款，要點如下：一、通商口岸，蠻耗改在河口；龍州、蒙自照舊；新開雲南思茅。二、由四口運出土貨，或由安南運往四口，減稅四成。三、中國將來在雲南廣東廣西開礦，先向法國人員商辦。四、越南鐵路可修入中國境內。五、思茅和越南互接電線。

乙、要求修築鐵路。一八九五年十二月法使向總理衙門提出修築越南龍州鐵路，法使繼續要求，總理衙門無法拒絕，一八九六年六月，允許由法國公司承辦。一八九七年二月法使又提出下列要求：一、海南島不割讓給別國。二、延長龍州鐵路。三、開採雲南兩廣礦山。四、修築雲南越南商業道路。經法使再三要挾，六月九日總理衙門復文，應允：一、龍州鐵路修成後，可延長至南寧百色。二、開採雲南兩廣礦山時，法國有儘先開辦權。三、准許法國修築鐵路至雲南省會。

丙、強租廣州灣。一八九八年三月中國承認德國租借膠州灣後，法國向中國提出三項要求：一、雲南兩廣不得割讓與他國。二、從東京至雲南昆明的鐵路，由法國承辦。三、在南海租借儲煤港口。清廷最初是婉拒，訓令駐法公使交涉。我公使回電說：『外交部稱：議院不平，請派兵艦重辦，要求必須接受，否則另想辦法』。四月十日總理衙門復文法使，應允法國要求。但因相借期限及範圍未獲協議，至次年十一月始訂條約，要點如下：一、中國租廣州灣與法海軍儲煤，限期九十九年。二、法國治理租借區域得建築砲臺，駐兵防守。三、法國可從廣州灣修建鐵路，達於雷州西岸安舖。

四、英國強租威海衛和九龍

俄國佔領旅順大連時，英國極為反對；英人認為旅大之佔領，將為瓜分中國之開始。是時英國強大的海軍，不能阻止俄國在大陸的進展，英國陸軍更非俄國之敵；於是英國遂改變政策，與俄國妥協，在中國劃定勢力範圍。一八九八年一月，英俄允許互相自由行動。英國計劃，想以整個華北為俄人勢力範圍，長江一帶則為英國勢力範圍。一八九八年三月俄國迫中國租借旅大，同月二十五日英國公使向總理衙門要求，照俄國租借旅大條件，許英國租借威海衛；理由是俄國以旅順為軍港，對中國危險太大，只有以威海衛租借英國，才可以抵制俄國。是時威海衛向為日軍佔據，英國向日交涉，承認福建是日本的勢力範圍，使日本不反對英國租借威海衞。英國又向德國表示，威海衞只作軍港，不修鐵路，不妨碍德國利益，並承認山東是德國的勢力範圍，和德國取得協議。

英國在談判租借威海衞時，一八九八年四月中國允許法國不割讓雲南兩廣，又承認租借廣州灣。英國又向中國要求租借地方，以爲對抗。英國所提條件如下：一、擴展九龍租地；二、鐵路建築權；三、保證不予法國開礦築路的特權；四、開放南寧；五、不得割讓雲南廣東於他國。中國最初嚴拒，英使憤然說：『中國租借廣州灣與法國，危及香港，所以英國租九龍以爲抵制。若中國能拒絕法國不租廣州灣，英國亦不租九龍。』清廷不得已，於一八九八年六月九日與英簽訂中英展拓香港界址專約，七月一日簽訂議租威海衞專約。

中英展拓香港界址專約要點如下：一、租借區域詳細界限另定，以九十九年爲期。二、租借地歸英國管轄，九龍城內中國官員，仍可在城內司事，但以不妨碍英國武備爲條件。三、大鵬深州二灣水面，中國兵船仍可使用。

中英議租威海衞專約要點如下：一、山東威海衞的羣島及威海灣全部，和沿灣濱達十英里地，爲租借區域。二、租借期與俄租旅順相同（二十五年）。三、在租借區域英國可建築砲臺，駐兵設防或建築醫院。四、租借區域歸英國管轄，但在不妨碍英國兵備之下，中國官員仍可在威海衞城辦事，灣內水面中國兵船仍可使用。

五、日本要求福建不割讓給別國

在德佔膠州灣，俄佔旅大後，日本駐華公使向總理衙門大臣，當面要求中國不將福建省內之地讓與或租與別國，一八九八年四月二十日並正式提出照會。二十四日總理衙門復照說：『本衙門查福建省內沿海一帶，均屬中國要地，無論何國，中國斷不讓與或租借也。』日本接復照後，便以為福建是其勢力範圍。

在德俄英法各國紛紛向中國壓迫租地，中國上下自感氣憤，對甲午後仇日心理，反因而冲淡。一八九八年秋，日本前首相伊藤博文來華遊歷，清廷中有人主張，「中國外交，終以聯日為上策」。甚至有人主張，「破除成見，留相伊藤，以聯日本，而行新政」。所以戊戌政變以後，中國留日學生數量大增。

六、意大利要求租借三門灣被拒絕

一八九九年二月意大利看見各國在中國紛紛取得權利，也想援均勢主義，在中國海面取一海軍根據地。意大利也想用各國威脅辦法，派兵船數隻來中國海面。意使向總理衙門要求，租借浙江的三門灣，清廷以當時各國分割之議已止，對這無理要求當然拒絕。意使又向總理衙門提出最後通牒，限期四日答復。中國積憤之餘，上下均一致主戰，決心以戰爭拒絕意大利的要求。意大利事實上不能用武，意政府對意使行動認為不當，撤回公使，後另派新使到任，與中國談判仍無結果，終於放棄要求。

第三節　門戶開放政策的來源

一、中國對俄態度的惡化

一八九八年德國強租膠州灣，劃山東爲其勢力範圍，俄國強租旅順大連，強修南滿鐵路，劃東三省爲勢力範圍；法國強租廣州灣，要求兩廣雲南的優越權利；英國強租九龍和威海衞，並保持長江流域的優越權利；日本指定福建爲其勢力範圍；這就是所謂瓜分之禍。

俄國是中國同盟國，密約訂立不到兩年，便和德國動手來宰割中國；於是朝野的聯俄政策，頓成動搖。過去主張聯俄的疆使劉坤一張之洞都改變了主張；劉坤一主張聯英，張之洞主張聯英日，維新派如康廣仁楊深秀等也主張聯英日。嚴復曾著中俄交誼論，主強聯俄，這時也一變其原來主張，揭發俄國的陰謀，並強調列強瓜分中國之不智。他說：

「非但英爲失計，即德法亦僅看頃刻花耳。先雖瓜分，後必仍歸獨呑，欲均勢而卒不得均。其（指俄國）併呑全球之志，非但仍在，且實速之。……………橫分直分無一可者，則唯有反求諸不分之策孰任之？曰此英日與美所當共任也。必此三國聲合，明揭八字於中國曰：『代禦外侮，逼改內政』：……先以此而餘可次第舉行。夫然後中國幸賴以存，五洲各國因之而永存。」

給事中張仲新疏奏曰：

「應明降諭旨，宣言中國土地，斷不與人，一切政權，統歸自主，自開口岸通商，各國公沾利益，以杜暗割之漸。………俄國餂以甘言，而潛施毒計，爲病之本；各國因抵俄而來，爲病之標。爲今之計，惟有速與英美日聯盟，並與德奧意聯盟，相待以誠，各國之心自平，互相牽制，專爲我用，而俄謀亦息矣。」

當時有識人士都主張：「盡開沿海口岸，以利各國而拒俄」，這就是美國對華門戶開放政策的張本。

二、美國提出門戶開放政策

當時各國中最不贊成瓜分中國的是英國，因英國對中國貿易最多，中國一旦被瓜分，英國商務必受重大打擊，所以傾向門戶開放政策。其次不贊成的是日本，日本當時是新興國家，雖然以福建為勢力範圍，但所獲有限，當然不利於中國的瓜分。且英日已有同盟趨勢，英國既傾向門戶開放政策，日本自樂於贊同。美國是時已取得菲律濱，對遠東商業利益，已密切注意。美國在中國未取得勢力範圍，且深恐勢力範圍盛行，妨碍美國在華利益。在英人慫恿之下，遂提出了所謂門戶開放政策。

一八九九年九月六日美國國務卿海約翰（John Hay），對駐英德俄三國大使，發出訓令，命各大使向駐在國提出對華門戶開放政策，其原則有三：一、各國在中國所獲得的勢利範圍或租借地，以及通商口岸的投資事業，彼此不得干涉。二、各國勢力範圍內的各港，無論對於何國進口商品，皆遵照中國現行海關稅率賦課（自由港不在此例），其稅款由中國政府徵收。三、各國勢力範圍的各港，對於各國進港船舶，不課本國以上的進港稅。各國勢力範圍各鐵路，對於他國貨物，不收超過本國以上運輸費。十一月美國又將同樣訓令，發給駐法意日大使，六國收到通牒以後，英國同意答復最早，法日意德先後表示同意，惟俄國答復含混。一九〇〇年三月二十日，海約翰發表通牒，宣稱門戶開放，成為列強的共同對華政策。

肯南（George F. Kennan）在其所著五十年美國的外交，敘述門戶開放政策的由來說：

「美國外交史上的另一個挿曲，……就是海約翰的門戶開放照會的發出。……大略是這樣，有一個時期歐洲列強正準備瓜分中國，要把他的若干部份歸他們獨佔使用，而美國國務卿看到了他們的意圖，就對他們發出照會，要求他們在中國尊重門戶開放，亦卽各國權利平等，及中國領土與行政完整的原則，以此抵制他們，並且多少挫拆了他們的計劃。當時輿論對這個事件的解釋，也就是傳到我們今日教科書的解釋。蘇利文（Mark Sulivan）在他的『我們的時代』（Our Times）一書裡，概括說得很好：「對中國的門戶開放政策是一個美國觀念，是被標榜出來與別國所實行的勢力範圍政策相對抗的。…………門戶開放是美國外交上最光榮的插曲之一，是仁愛的動機，配合了交涉的活力與巧妙的一個榜樣。對海氏政策表同意的那些政治家和民族，沒有一個是願意這樣作的。這彷彿要求每個尊重眞理的人起立，那些說謊的人就不能不首先站起來。他完全看透了他們，他的洞察人類天性，是他最強的才具之一種。』然而，讓我們記住這種解釋，却更眞切地看看實情究竟是怎樣？

在一八九七年底和一八九八年初頭，有一種眞實而非無理的中國會被瓜分的憂懼。…………那時英國人是對華貿易的絕對優勝者，他們佔有貿易額的百分之八十。…………因爲佔着有利的地位，英國商人向來擁護中國的門戶開放，這就是對於消費性商品的輸入，在關稅待遇港口征課等等，各國一律平等。……
……英國政府認爲：議論門戶開放，並公開要求承認它，仍是有用處的。他們不願英國商人在任何地方受排斥，而且，如果商業上的開放原則得到普遍尊重，對於別國戰略上和政治上的擴張，也可以給予相當的限制。

依這樣的背景，英國政府在一八九八年三月，對美國政府作了一次關於門戶開放的正式交涉。………
…英國外交部對我們的交涉，顯然是殖民大臣張伯倫（ Joseph Chamberlain ）強要他們作的。張伯倫有一個美國妻子，對於英美的政治合作，抱有很大的熱望。他在內政上是有力量的，在外交上策的處理上也佔有一個重要的地位。………

國務院在那個時期，連一個遠東司還沒有，國務卿是年老的薛爾曼（John Sherman），欠缺活力，近於衰老，且已準備卸去職務。實際上華盛頓不啻說，無能爲力，英國政府也沒有再提這個問題。

依我看來，英國的外交部對美國的答覆，沒有什麼特別的失望，但我們駐英大使海約翰對這個問題感覺興趣。………那年夏末海氏被任爲國務卿，他在英國時，曾和幾個英國人，特別是張伯倫，談到這個問題。………海氏於一八九八年後數月中任國務卿時，在遠東事務上沒有顧問，他於是把他的朋友當時任駐希臘公使的羅克希爾（W. W. Rockhill），召回華盛頓。羅氏曾在中國任職，但他已離中國七年，對於情勢已有些昧然。

羅氏於一八九九年春天回國。………六月中，羅氏的一個英國的老朋友從北京到了華盛頓，他叫希比斯萊（Hippisley）是赫德之下，統轄中國海關的第二號人物。………希氏主張美國提出「在華一般商業的門戶開放」，………羅氏聽信了希氏的觀念。………八月二十四日海氏授權羅克希爾，照希氏的建議逕往前進。羅克希爾就大部份以希氏所草的一份備忘錄爲依據，寫成了一個文件送給總統，得到了許可。於是依據這個文件，草成了一組照會，送致在中國有利益的各國。………

各國政府對這個照會的待遇，說得最好，只是微溫而已。英國人絕沒有表示熱情，却爲了這個公式的應用於九龍，爭論了很久，結果給了一個有條件的承諾；就是英國對我們的原則，可以同意到其他各國所能同意的程度。………俄國回答的言辭，是隱晦而難捉摸的。………在一九〇〇年三月二十日海約翰宣佈已從各國都得到滿意的保證，他而且認爲那些保證是確切的和決定性的。」

海約翰宣佈的門戶開放政策，由肯南的叙述，是很勉強的，英國雖然首先提議，事後已很冷淡。由此，可以知道美國雖然提出門戶開放政策，而不能以實力維護門戶開放政策的原因。肯南在其著作內，頗認美國此項政策不當，給美國生出了若干麻煩；但這是肯南見解的偏狹。

本章參考書

一、何漢文：中俄外交史第六章第三節第五節
二、吳相湘：俄帝侵略中國史第五章第六章
三、黃大受：中國近代史中册第十二章
四、蕭一山：清史第十一章（二）
五、挑谿漁隱等：李傅相遊歷各國日記
六、方　豪：中國近代外交史第十四章
七、George F. Kennan 著，徐芸書譯：五十年來美國的外交。
八、中外條約彙編：有關各條約
九、Clyde: United States Policy toward China (1940) 第三十章
十、H. F. Macmair: Moder Chinese Hirtory 第十三章五十六節五十七節

第九章　義和團事變

第一節　義和團的興起

一、對於傳教士的反感

一八六〇年（咸豐十年）後，基督教傳教士大批湧到中國，窮鄉僻壤，都有傳教士的足跡。此時來華的教士，同兩百年前利瑪竇等人所處的情勢，完全兩樣。明末清初耶穌會傳教士，都經過嚴格的選擇和訓練，能憑藉其廣博的學識，高尙的德行，以取得中國人士的敬重；傳教時，能吸收水準較高的信徒。到了清初，因羅馬教皇反對耶蘇會調和的思想，與中國風俗習慣衝突，到雍正元年，清廷將傳教士逐出中國。西洋傳教士的再度來華，開始於中法黃浦條約；英法聯軍之役以後，清廷始允傳教士赴內地傳教。在中國而言，是被迫允諾；在傳教士而言，是戰爭勝利的權利。加以傳教士不了解中國文化，甚至抱着傳播文化開化野蠻人之態度，在這種不和諧的情況下，自易引起中國人的反感和衝突。

傳教士在民間引起反感的原因：（一）他們不尊重中國的習慣，凡入教者不祭祖先，不敬神佛，不崇孔子，又可男女混雜同作禮拜，使一般士大夫和民衆，都把教民當作喪心病狂之徒，而視傳教士爲傷風敗俗的人。(二)一般無識教民借着傳教士的勢力,欺壓平民;傳教士又借領事裁判權爲護符,動輒袒護教民;函告領事公使,向北京總理衙門交涉,地方官往往以此獲罪。因此,大多數地方官都怕獲罪,不願爲教民的事,開罪教士。於是凡遇教民衝突案件,地方官不問是非曲直,總是讓教民滿意而去,良民受到欺壓,無處申寃,遂釀成民間仇教的心理。

二、慈禧的仇視外人

民間仇視外人,發生了許多教案,但尙未興起重大波瀾。戊戌政變以後,從慈禧到守舊大臣,仇視外人,光緒是時雖然被囚,名義上仍是皇帝。逃亡在外的康有爲梁啟超等,反對慈禧,鼓吹保皇,更加強慈禧廢立光緒的決心。一八九八年冬,慈禧令軍機處探詢南方督撫的意見,兩江總督劉坤一等表示反對,守舊派的主張,不能不暫行擱置。

一八九九年(光緒二十五年)冬,慈禧又擬廢立光緒,榮祿建議先擇宗室近支王子,立爲皇子,緩緩的承繼大統。慈禧採納榮祿計劃,一九〇〇年一月立端郡王載漪之子溥儁爲皇子,號稱大阿哥。立大阿哥消息公布後,上海紳商蔡元培等千餘人,發電力爭,請求保護光緒。海外華僑在保皇黨策動之下,也紛紛電爭。此時守舊派想得各國外交上的承認,運動外國公使前來慶賀;但外國公使均不理,守舊派不敢貿然廢立,因此遷怒外人。同時康梁又在海外繼續鼓吹保皇,在外國政府庇護之下,清廷無可如何;租界的報紙對守舊派大加批評,清廷也無可如何,對外人的仇視更加深了一層。慈禧和守舊派雖然仇視外人,但在屢次戰爭失敗之餘,知道外人槍砲利害,不敢向外人開釁。

三、清廷利用義和團

義和團是民間秘密會黨之一，初名大刀會，盛行於黃河淮河流域，乾隆時曾予嚴禁。十九世紀末葉，大刀會勢力復盛，自稱神靈附身，不懼槍炮。民間有仇教心理，認爲教會所恃者不過槍炮，於是受教會或教民欺侮的人民，紛紛加入。清廷自慈禧至守舊大臣，竟妄想利用義和團勢力，以扶清滅洋，義和團事變遂一發而不可收拾。

一八九七年（光緒二十三年）李秉衡任山東巡撫，見大刀會同教會作對，大加鼓勵，是年殺死德國傳教士二人，使德國有侵佔膠州灣的口實。李秉衡因此事被革職，由毓賢繼任巡撫。毓賢到任後，更扶助大刀會，改名義和團。義和團遂宣稱扶清滅洋，焚教堂，殺洋人，山東全境騷然，引起各國抗議。一八九九年清廷以袁世凱繼任巡撫，袁氏痛加圍剿，義和團在山東不能立足，逃至河北。直隸總督裕祿不惟不禁止，反而表示歡迎，義和團在河北又大爲得勢。

毓賢入京，力陳義和團神術，不畏洋人槍炮，慈禧和守舊派所怕的，正是洋人的槍炮，扶清滅洋的口號，更投合慈禧等人的心意，於是授毓賢爲山西巡撫，允義和團入天津北京。

義和團在河北得勢後，蔓延於天津南部，及河北中部，稱領袖爲大師兄，二師兄，三師兄；稱洋人爲大毛子，教士爲二毛子，教民爲三毛子。義和團殺洋人，焚教堂，屢次焚燬電線鐵路。凡攜帶洋貨，或與新興事業有關的人，不管是否教民，都稱爲二毛子。甚至他們要搶要殺的人，都以奸細二毛子呼之。清廷准義和團入京後，廟宇都設壇場，出入宮禁，任意焚掠，義和團此種幼稚狂妄的行動，清廷一般昏庸無識的大臣，竟認爲數十萬義兵，不期而集，乃煎雪國恥千載一時之良機。昏庸毒辣的慈禧也盲從附和，居然不分靑紅皂白，於六月二十一日下令對各國宣戰。

宣戰詔書未下以前十日，日本使館書記官杉山彬已被董福祥甘軍所殺，前五日德國公使克林德離開使館赴總理衙門途中被襲殺，但甘軍及所謂義兵團攻僅有四百餘守兵的使館區，將近二月，仍然無功。

第二節　淸廷宣戰的荒謬

一、四次御前會議後向各國宣戰

一、第一次御前會議。六月十六日午刻慈禧召開會議，侍讀學士劉永亨，請旨令董福祥驅逐亂民。端王厲聲高呼：『好！此卽失人心第一法。』永亨不能畢其詞，慈禧默然。太常寺卿袁昶詳言：『拳實亂民，萬不可恃；就令其有邪術，自古及今，斷無仗邪術成事者。』慈禧駁之曰：『法術不足恃，豈人心亦不足恃乎！今日中國積弱已極，所仗者人心耳！若併人心而失之，何以立國。』吏部侍郎許景澄說：『中國與外國結約數十年，民教相仇之事，無歲無之，然不過賠償而止。惟攻殺外國使臣，必召各國之兵，合而謀我，何以禦之？主攻使館，將置宗社生靈於何地？』載漪、載瀾均言，義和團是義民，人心不可失。光緒表示反對曰：『人心何足恃，徒滋亂耳，……今諸國之強，十倍日本，若我啟釁，必無倖全。』第一次御前會議無具體結果。會後上諭李鴻章着迅速來京，袁世凱着酌帶所部，迅速來京。

二、第二次御前會議。十七日再召集會議，光緒主和，認爲我國積弱，兵不足戰，用亂民以僥倖求勝，實不可恃。但載漪爲激怒慈禧，假造洋人照會四條：『一、指明一地，令中國皇帝居住。二、勒令皇太后歸政。三、代收各省錢糧。四、代掌天下兵權。』慈禧宣讀假照會後，激怒異常，堅決主戰，載漪，溥良等激昂陳辭，極力主戰。光緒雖主和，仍不生影響。

三、第三次御前會議，十八日晨召大臣入見，仍是商議和戰，會議時聯元、王文韶反對圍攻使館，均被慈禧載漪申斥爲夷人進言，光緒泣爭無效。

四、第四次御前會議：十九日下午再召見大臣，慈禧決定宣戰，派許景澄等往各國使館通知，限二十四小時內離京，派兵護行。光緒不願輕開釁，執景澄手曰：『更妥商量。』慈禧斥曰：『皇帝放手，勿誤事。』聯元泣諫曰：『法蘭西爲傳教國，釁亦起自法，卽戰，只能仇法，斷無結怨十一國之理；果若是，國危矣！』慈禧置若不聞。

六月二十一日發佈宣戰詔諭說：

「上諭：我朝二百數十年，深仁厚澤，凡遠人來中國者，列祖列宗，罔不待以懷柔。迨道光咸豐年間，俯准彼等互市，並乞在我國傳教，勉允所請。初亦就我範圍，遵我約束。詎三十年來……………朝廷稍加遷就，彼等負其兇橫，日甚一日，無所不至；小則欺壓人民，大則侮慢神聖。我國赤子仇怨鬱結，人人欲得而甘心，此義勇焚燬教堂屠殺教民所由來也。朝廷仍不肯開釁如前保護者，恐傷吾人民耳！故再降旨申禁，保護使節，加邺教民。……………乃彼等不知感激，反肆要挾。昨日公然有杜士蘭照會，令我退出大沽口炮台，歸彼看管，否則以力襲取，危詞恫嚇，意在肆其披倡，震動畿輔。朕今涕泣以告先廟，慷慨以誓師徒，與其苟且圖存，貽羞萬古；孰若大張撻伐，一決雌雄。連日召見大小臣工，詢謀僉同。近畿及山東義兵，同日不期而集者不下數十萬人；下至五尺童子，亦能執干戈以衞社稷。彼仗詐謀，我恃天理；彼憑悍力，我恃仁心。無論我國忠信甲冑，禮義干櫓，人人敢死。卽土地廣有二十餘省，人民多至四百餘兆，何難剪彼兇燄，張國之威！………爾普天臣庶，其各懷忠義之心，共洩神人之憤，朕實有厚望焉！欽此。」

惲毓鼎崇陵傳信錄記載四次御前會議說：『方事之興，廟謨蓋已預定，特藉盈廷集議，一以爲佐證，一以備分謗。始也端王主之，西朝聽之。厥後勢浸熾，雖西朝亦無如何。……當宣戰之日，固逆計異時之必歸於和，使館朝夷，皇位夕易矣！大事旣成，盲風怪雨，不轉瞬而月星明朗，雖割地以贖前愆，亦所不恤。』端王載漪極力主戰，目的仍在廢立光緒，不過藉御前會議，以掩天下人之耳目。淸廷自慈禧以至親貴大臣，竟相信義和團神靈附身，槍炮不入，已屬荒謬已極。宣戰也不分靑紅皂白，對世界有條約各國一律宣戰，其荒謬更屬驚人。像這樣荒謬的人主持中國大計，喪權辱國自屬意中之事。

二、疆吏反對和東南各省保境安民

六月二十一日宣戰上諭發出以後，淸廷欲召回駐外國各公使，各公使互相電商，認爲亂命，置之不理。各駐外公使會銜發電，奏請保護使館，卽所以保護駐外使臣；保護在華外人，卽所以保護在外華人。中南部各省督撫也不服從淸廷亂命。

六月二十九日劉坤一張之洞奏陳中外情勢和東南大勢說：

「竊謂此次大患，在與各強國一齊開釁。目前大沽已失，京都危急。拳匪僅恃邪術，各國非比流寇，雖幸獲勝仗，各國斷不甘心。勢必增調重兵報復。論兵力，一國烏能敵各國？不敗不止。論大勢，各國焉肯讓一國？不勝不止。豈有拳匪可操常勝而無一敗之理？……長江商務，英國爲重，各國覬覦已久，懼英而不敢先發。英亦慮各國干預而不敢強佔，以啟各國戎心。我只可就其所忌，而羈縻牽制之。若觸怒一國，勢必羣起而攻，大沽覆轍，可爲遠鑒。……再出使各國大臣，此時請勿遽行召回；各使臣下旗歸國，即是明示決裂……以後更難轉圜，似仍令暫住各國。……』

李鴻章時任兩廣總督，對清廷亂命，是首先不聽的一人。他曾諫阻清廷開釁，力請保護使館。清廷宣戰後，屢次電催鴻章北上，他恐怕無補時艱，遲遲其行。他聯絡劉坤一張之洞等，保護長江一帶外商教民，嚴辦匪徒，不承認二十日以後的亂命；中南各省督撫都表示同意，等於表示變相的中立態度。東南各省的免於兵禍，李鴻章、劉坤一、張之洞等確有功勞。七月八日清廷調李鴻章爲直隸總督兼北洋大臣，七月二十一日鴻章到上海後，摺奏說：

「竊維中外構釁，自古有之，而制馭之方，要在審己量力，擇而處之。我朝自道光中葉以來，外禍日滋，漸成坐困，馴至庚申之變，擾我京師。……自是法擾越南，盡撤藩籬，日爭朝鮮，喪師失地。尤無理者，德佔膠州灣，俄佔旅順大連，英租威海衞九龍，並推廣上海租界，內地商埠。法入廣州灣，侵入沿海之地百餘里。種種要挾，萬難忍受。於此而不圖自強，是謂無恥，於此而不思報怨，是謂無心。臣受國家深恩，負天下厚望，豈不願大張撻伐，振我皇威。……無如熟審眾寡之不敵，細察強弱之異形，宗社所關，豈可投鼠，卵石之敵，豈待蓍龜。誠以近事言之，紫竹林洋兵僅二三千人，拳匪他軍，實盈數萬，以一敵十，鏖戰旬日，斃洋僅數百，殺華人已及兩萬，而兵火傷夷又以數萬計。是兵與匪共戰寡弱之外人，皆不敵矣。又京城使館本非城郭，使臣隨參水兵本非勁旅，拳匪及董軍攻之，兼旬不克，爲所傷害又以數千計；是兵與匪合攻孱弱之外人，亦不敵矣。…………若各以十餘萬眾，直撲都城，固守不能，播遷不得。雖欲如木蘭之巡幸，而無聖保阻遏之師；雖欲如馬關之議和，而無伊藤延接之使。彼時拳匪四散，朝右一空，親賢誰倚？樞輔無材，此以皇太后皇上爲孤注一擲也。思之寒心，奚忍出口！夫拳匪假借神靈，妄言符咒，誤民惑世，本盛世所必誅。…………伏祈宸衷獨斷，速紬庸妄之臣工，立斬猖狂之妖孽。知義和團是匪非民，亟宜痛加剿洗；知扶清滅洋乃假託名號，不可姑息養癰。立簡重臣，先清內匪；善遣駐使，速送使軍。…………臣客寄江南，手無一兵一旅，卽使奔命赴闕，道途險阻，徒爲亂臣賊子作菹醢之資。是以小作盤桓，預籌兵食，兼覘敵志，徐圖排解。仍俟佈置稍齊，卽行星馳北上，謹奏。

此時，清廷因戰敗，急欲議和；又因劉坤一等十餘督撫之建議，八月七日表示誠意議和，派鴻章負責和議。總理衙門將這消息告訴各國公使，但和議仍無從進行，鴻章仍然滯留上海。

三、聯軍入京之暴行

聯軍攻北京兵力約一萬八千人，計日軍約八千人，俄軍約四千八百人，英軍約三千人，美軍約二千一百人，法軍約八百人，奧軍五十八人，意軍五十三人，德國當時軍隊尚未到達。聯軍入京後，始推德將瓦德西爲統帥。

六月十六日大沽砲臺陷落，首先奮勇奪取砲臺的是日軍。六月二十一日清廷宣戰。七月十三日天津淪陷，特別賣力的還是日軍。天津雖然淪陷，但我軍與聯軍激戰十餘日，聶士成、宋慶等軍隊勇敢善戰，聯軍不敢輕於向北京進攻。中日甲午戰後，外人輕視中國，以爲有兵一萬，便可橫行中國。經過天津之戰後，知道中國軍隊實能作戰，不敢輕率進兵。同時俄德各國另有野心，竟見不同，難以合作。眞想援救公使的，是英美日三國，七月下旬，日本在英國邀請之下，派來大批援兵，日人欲在各國軍隊前表演勇武，即欲前進，各國經三次會議後，決定八月四日出兵。八月十四日攻陷北京。

聯軍入北京後，燒殺搶刼，無所不爲，其中搶刼姦淫最慘的，是俄法德印度軍隊，尤以俄最甚，日軍軍隊紀律較佳。據總稅務司赫德在北京看到眞相的紀錄說：

「吾人逐漸恢復秩序，但其進行極爲緩慢。余對現代軍隊戰爭之方法，至爲失望。聯軍中最野蠻的，是俄德法軍，印度軍亦然。日軍軍紀較佳，首先恢復防區秩序；美軍次之。九月十一日，英將在會議席上報告，各國防區內都有華人，俄區却只有狗而已。美國十月二十日的陸軍報告，美軍防區一個月以來，華人爭來營業，相隔一街的德國防區，幾乎沒有人跡。因爲華人聲稱德軍無物不搶，至於日軍雖不搶刼民物，但日軍向政府報告：迄於十月第一星期，日軍共得米二十五萬石，銀二百六十三萬七千七百兩。

赫德是英國人，沒有述及英人的行動，據瓦德西拳亂筆記報告說：『聯軍佔領北京之後，曾特許軍隊公開搶刼三日，其後更繼以私人搶刼，北京居民所受之物質損失極大……在英國方面，……所搶之物，均須繳出，一齊堆在使館大屋之內，加以正式拍賣，如是者累日。由此所得之款，按照官級高低，加以分派，其性質略如戰時掠獲金。因此之故，無一英人對於搶刼之事，視爲非法行動』。

第三節　辛丑條約締結經過

一、各國的態度和李鴻章北上議和

八月十四日北京外城淪陷，十五日慈禧和光緒等微服西逃。二十七日在西安派奕劻卽日馳回京城，便宜行事；並派李鴻章會同奕劻辦理。九月十四日鴻章在清廷及疆吏催促之下，乘招商局輪船北上，十八日抵大沽口轉天津。十月一日接北洋大臣兼直隸總督印。各國中歡迎鴻章出任和議大臣的，首推俄國。美國的態度也較緩和。據瓦德西十月七日筆記說：『李鴻章居於華界彼之舊日衙門中，由俄衞隊保護，並有一次由哥薩克兵護送，乘肩輿穿過租界。彼到津後，卽立刻設法冀余招請。……余對李氏請求，每拒絕之。』十月五日鴻章前往北京，和幕友三人，住在京西賢良寺內，頗爲淒涼。此時幸各國意見不一致，鴻章在各國矛盾情況下，得以進行和議。

俄國在北京淪陷前後，一面用武力侵佔東三省，一面對中國表示友好關係，八月二十五日俄國外交部通告各國說：

「此次聯軍意外敏捷，解除各國使館包圍，並驅逐北京附近暴徒，其主要目的已達。今俄政府提出善後四原則：一、維持各國共同一致。二、維持中國過去之體制。三、除去瓜分中國原因。四、共同恢復北京中央政府，以維持國內秩序。以上四點，當荷各國贊同。惟我國因海蘭泡遭受砲擊，向東三省出兵，實爲保護鐵路，無他意。將來東三省秩序恢復，當卽撤兵。現欲謀北京善後，須各國合力，恢復中國中央政府。………俄政府現以中國皇帝既不在京，則公使不必駐京，將命俄使及俄軍退往天津，俟中國恢復實力，和各國談判時，俄國當與列國一致，分派代表協商。」

當時各國不滿舊政府的行動，俄國這一動作，表示支持舊政府，是想討好清廷，作將來取得權利的地步。俄國通知各國後，俄軍撤往天津，俄使也單獨出京。俄國此一行動，僅法國表示同意，英美德日均答以撤兵時間未到，俄使只得再回北京。

日本美國此時對華政策，比較友好，軍紀亦較佳，對居民不加損害。日政府命令日使對中國採寬大政策，在和議進行時，日外務省向中國建議：『寧賠款，勿割地。』日本之所以如此，因知日、俄將發生衝突，想使中國人改變對日本的印象。美國決心維持中國門戶開放政策，不贊成德國的強硬態度，也不願佔領中國的領土。德國的態度最壞，在和會時主張對中國強烈報復，並極力主張在條約上限制中國，使中國受制於西人。奧，意兩國公使，因與德國同盟關係，總是支持德國。英國是時正與俄國爲敵，不願俄國在東亞的坐大，欲利用德國以抗俄，故對德國所提出懲兇賠款的要求，均表贊成。英國爲聯德制俄計，十月十六日在倫敦簽訂英德協約四條：

「一、中國之河川及沿海各港。無論何國臣民貿易，及其他各種正當經濟上之活動，皆得無差別自由開放，以謀各國共同永久之利益，凡英德二國勢力可及之中國領土，相約守此原則。二、英德兩國政府，不利用現時之紛擾，在中國獲得任何領土利益，且維持中國領土不變更之政策。三、若他國利用現時之紛擾，無論用何方式，欲獲得領土利益時，兩締約國爲保護本國在華利益所採取之步驟，應保留初步諒解，協商應付。四、兩國政府應將本協定通知奧，法，意，美，日，俄等有關各國，並勸告接受本協定所採之原則。」

英德協約內容，無異重新宣告對華門戶開放政策，目的就在制止俄國的侵佔東三省。英德協約徵求各國同意時，奧意兩國因係德國同盟國，首先贊成。美國提倡門戶開放政策，日本不利於中國之瓜分，美日均表贊同。法俄兩國也先後承認。此項協約經各國贊同後，瓜分中國之說，遂作罷論。

十月六日法國政府通電各國提出議和案六條，作交涉的基礎：一、在北京各國公使提出禍首，加以適當處罰。二、禁止輸入軍器。三、中國對各國政府及私人，付出相當賠款。四、各國使館駐紮衞兵。五、拆毀大沽砲台。六、天津大沽選擇二三處駐外兵，保護大沽到北京的安全自由。這六個原則，各國均表示贊同，李鴻章奕劻議和，是接受法國建議的六點，做談判基礎。

二、辛丑條約內容

一九〇〇年十二月二十四日奕劻與各國代表簽訂議和大綱十二條。一九〇一年九月七日，中國全權大臣和十一國公使在西班牙公使館簽訂和約十二款，完全執行議和大綱的規定。聯軍在九月十七日，從北京撤退，除規定駐兵地點留兵外，聯軍在九月二十二日從直隸省撤退。因爲一九〇一年的干支是辛丑，國人簡稱辛丑條約，條約內容要點如下：

一、德國公使克林德被害，派醇親王載灃代表向德國道歉。日本書記生杉山彬被害，派戶部侍郎代表向日本道歉。（第一款，第三款）

二、懲辦傷害諸國國家及人民之禍首諸臣：端郡王載漪輔國公載瀾，均定斬監候罪名。莊親王載勛，左都御史英年，刑部尚書趙舒翹，均定爲賜令自盡。山西巡撫毓賢，禮部尚書啟秀，刑部左侍郎徐承煜，均定爲卽行正法。吏部尚書剛毅，大學士徐桐，前四川總督李秉衡，均已身故，追奪原官，卽行革職。又兵部尚書立山，吏部左侍郎許景澄，內閣學士聯元，太常侍卿袁昶，因上年反對拳亂被害，開復原官，以示昭雪。（第二款）

三、將諸國人民遇害被虐之城鎭，停止文武各等考試五年。（第二款）

四、軍火暨製造各種機器，禁止進口二年。嗣後各國以爲有仍應續禁之處，亦可將二年之限續展。（第五款）

五、賠款銀四億五千萬兩，年息四厘，合利息共計銀九億八千二百餘萬兩。賠款分三十九年還清，於一九〇二年正月初一日起，至一九四〇年終止。賠款由關稅鹽稅項下支付。賠款分配比例如下：俄得百分之二十九，德得百分之二十，法得百分之十五、七五，英得百分之十一、二五，日得百分之七、七，美得百分之七、三，意得百分之五、九，比得百分之一、九，奧得百分之〇、九，其他百分之三。（第六款及附件十三）

六、擴展各國使館界，內設使團管理，並得自由防守，各國得駐軍保護。（第七款）

七、將大沽砲臺及有礙京師至海道之各砲臺，一律剷平；並准許各國在黃村，廊坊，楊村，天津，軍粮城，塘沽，豐臺，唐山，灤州，昌黎，秦皇島及山海關駐兵。（第八款九款）

八、廢除總理各國事務衙門，改設外務部，班列六部之前。（第十二款）

九、將下列上諭，在各府廳州縣布告兩年：一、永禁或設或入與諸國仇敵之會，違者皆斬。二、各國人民遇害被虐各城停止文武考試五年。三、各省大吏及有司各官在所屬境內，如再有傷害諸國人民之事，必須立時彈壓懲辦，否則該管之員卽行革職，永不敍用。（第十款）

十、各國駐京兵隊除防守使館者外，於一九〇一年九月十七日撤退。各國在直隸駐兵除規定駐兵各地外，於一九〇一年九月二十二日撤退。（附款）

從清廷接受議和大綱十二條起，到辛丑條約正式簽字，歷時八月之久。辛丑條約簽訂後，奕劻、鴻章報告簽約經過說：『去年十一月初一日始據送到和議總綱十二款，不容改易一字。臣等雖經迭送說帖，於各款應商之處，詳細開說，而各使置若罔聞，且時以派兵西行，多方恫喝。臣等相機因應，筆秃唇焦，卒以時局艱難，鮮能補救。』可知辛丑條約，是照各國要求簽訂的。

第四節　清廷失敗的原因和影響

一、失敗的原因

一、清廷政府組織不良。甲午之戰失敗，論者多歸咎李鴻章，我們平心觀察，鴻章雖不能不負責任，實不能負重大責任，應負重大責任的是慈禧太后。看了庚子清廷宣戰的情形，更可明白。

漢代皇帝的詔命，要由丞相副署；唐代皇帝的詔命，要由門下省副署。明代皇帝自兼丞相，皇帝直接管理六部，皇帝的詔命也要六部副署。從漢代到明代，皇帝不是絕對的專制，有大臣連帶負責，皇帝錯誤的地方，還有挽回的餘地。到了清代，皇帝的詔命不要任何大臣副署，可以直接發出。六部有滿漢尙書各一，滿漢侍郎各二，六部均無主管大臣，無異由皇帝兼任丞相，又兼任六部首長，政治的決定僅由皇帝一個人負責。在這樣制度之下，有英明的皇帝，國家尙可有爲，在康熙雍正時代，對這一個笨重機器，尙可運用自如。乾隆中年以後，貪愛娛樂，朝政已由小人把持，對這一個笨重機器，已運用不靈。乾隆以後，如嘉慶道光咸豐都是平庸的皇帝。咸豐死後，慈禧竊據政權，幸有曾胡左李的協助，平定太平天國，清廷號稱中興。慈禧僅知運用權謀，謀個人的私利，毒死慈安太后，逼死同治皇帝，控制光緒皇帝。她是一個陰險毒辣，不識大體的婦人，只知道把持政權，對世界大勢毫無所知，僅因載漪等假造照會的激怒，居然向全世界宣戰。所以辛丑條約應負責任的，當然是主持大政的慈禧。慈禧所以能危害中國的安全，就是清代政府組織的流毒。這是清廷外交失敗的根本原因。

二、清廷的荒謬糊塗。鴉片戰爭之失敗，是中國第一次在海上遇着強敵，「不知彼」是不能怪的。鴉片戰爭失敗，賠款二千一百萬元，可謂創鉅痛深。但道光咸豐均不研究英人的情況，一八四九年香港總督來廣州交涉入城事宜，並未準備打仗，但英人退去後，居然認爲中國大勝利。一八五九年英法兩使到北京換約，被我軍擊退後，咸豐居然以勝利自居，想推翻天津條約。一八九四年日本了解中國腐敗情形，藉故挑戰，但清廷輕視日本，在外交上毫不讓步；海軍專款不用以購買兵艦，移作修頤和園之用；宣戰時則着李鴻章嚴飭派出各軍，迅速進剿。一八七九年崇厚與俄人訂立伊犂條約時，清廷不敢對俄作戰。一八九四年對認爲不堪一擊的日本宣戰，結果是招致慘敗。而在一九〇〇年竟敢向各國一律宣戰，所恃者僅係自稱不畏槍砲的義和團。清廷荒謬糊塗如此，眞是可以嘆息痛恨。

清廷政府組織是絕對的獨裁，其行動又如此荒謬糊塗，中國有識之士，知道非推翻滿清政府，不能挽救中國危亡。庚子以後，革命勢力一日千里，是國人對清廷失望痛恨的結果。

二、失敗的影響

一、民族自信心的喪失。中國甲午戰敗，一般人均歸咎李鴻章，或歸咎於滿清政府，一般民衆與士大夫的心理並未屈服。義和團事變，是滿清政府，守舊士大夫，以及民衆所滙合凝聚而成的力量，但是澈底失敗了。經此次失敗，清廷將不准仇視洋人的布告，在全國各地張貼兩年；從此無人敢再輕外仇外，民族自信心完全喪失，使人民逐漸養成畏外媚外的心理。梁啟超在辛丑年清議報描寫當時士大夫風氣的轉變說：『吾聞數月以來，京師及各省都會，其翻譯與通事之人，聲價驟增，勢力極盛，於是都會人士，咸欣而慕之。昔之想科第者，今皆改而從事於此途焉。』從此，那些買辦式媚外的態度，遂爲風尙。

二、中國民族被各國輕視。鴉片戰爭以來，中國雖迭次戰敗，但世界各國尙承認中國是一個文化水準相當高的弱國。義和團事變後，各國輿論都一口咬定義和團行動野蠻，決非文明國家的行動。從此遂蔑視中國民族，使海外華僑及留學生有形無形間，受到無可估計的損害。所以我們承認，南京條約是我國國際地位低落的開始，辛丑條約是中國民族地位低落的關鍵。

上述兩項是義和團事變對中國惡劣的影響，但下列兩項對中國則有較佳的影響。

三、瓜分中國觀念的消失。義和團利用邪說，煽動羣衆，是方法的不當，但他們反抗外人的英勇，確有民族主義和愛國的意識。他們視死如歸，前仆後繼的大無畏精神，已表現中國民族不可侮的精神。義和團事變以前，各國常討論瓜分中國問題；但在義和團事變以後，瓜分中國的觀念漸漸消失了。總稅務司赫德著「中國實測論」說：

「今次中國之問題當以何者爲基礎而成和議乎？大率不外三策：一曰分割其國土，二曰變更其皇統，三曰扶植滿州政府是也。……策之最易行者，莫如扶植滿清朝廷；而漫然扶植之，則亦不能絕後日之禍根。……中國人數十年在沉睡之中，今也大夢將覺，漸有中國爲中國人之中國的思想。故義和團之運動實由其愛國心而發，以強拒外人爲目的者也。雖此次初起，無人才，無器械，一敗塗地。然其始羽檄一飛，四方響應，非無故矣。自今以往，此種精神必更深入人心，瀰漫全國。他日必有義和團之子孫，肇砲荷槍，以行今日義和團未完之志者。故今之計，列強當以瓜分爲最後一定之目的，而現時當一面設法，順中國人之感情，使之漸忘其軍事思想，而傾服於我歐人；如是則所謂黃禍者，可以烟消燼滅矣。」

瓦德西在拳亂筆記說：

中國領土之內，除開西北兩面的蒙藏外，共有人口四萬萬，均係屬於一個種族，並不以宗教信仰相異而分裂；更有精明華胄的自尊思想，充滿腦中。……倘若中國方面將來產生一位聰明而有魄力之人物，爲其領袖，更利用世界各國貢獻，與彼之近代文化方法，則余信中國前途，尚有無窮希望。……至於中國人所有好戰精神，尚未完全喪失，可以此次拳民運動中見之。在山東直隸兩省之內，至今當有十萬人加入，彼等之敗，只是由於武裝不良之故。其中大部份，甚至於並武器而無之。」

瓦德西任聯軍統帥，對中國民族不敢輕視，認中國前途尚有無窮希望。赫德認爲義和團之運動實由其愛國心而發，此種精神必更深入人心，當時不能瓜分中國；其他的外人，也有同樣的看法。所以這一次事變，各國雖然戰勝，只是挫折中國民氣，和勒索賠款，而沒有割地的要求。

四、革命運動的加速。義和團變亂中，清廷所表現的愚昧無識行動，已到令人驚駭的程度。凡屬有志救國之士，莫不對清廷表示絕望，一齊走上革命的道路。孫中山先生在自傳敍述庚子惠州起義失敗說：『經此失敗而後，回顧中國之人心，已覺與前有別矣。當初次之失敗也，舉國輿論莫不目予輩爲亂臣賊子，大逆不道。……惟庚子失敗之後，則鮮聞一般人之惡聲相加，而有識之士，且多爲吾人扼腕嘆惜，恨其事之不成矣。前後相較，差若天淵。吾人睹此情形，衷心快慰，不可言狀，知國人之迷夢，已有漸醒之兆。加以八國聯軍之破北京，清帝后之出走，議和之賠款九萬萬兩而後，清廷之威信掃地無餘，而人民之生計從此日蹙。國勢危急，岌岌不可終日，有志之士，多起救國之思，而革命風潮自此萌芽矣！』

本章參考書

一、李定一：中國近代史第十章
二、蕭一山：清史第十一章（四）
三、黃大受：中國近代史下第十五章第十六節
四、李劍農：中國近百年政治史上冊第五章
五、王光祈譯：瓦德西拳亂筆記
六、赫　德：中國實測論

七、羅惇曧：庚子國變記　拳變餘聞

八、惲毓鼎：崇陵傳信錄

九、孫中山：孫文學說第八章

十、H.B. Morse: The International Relation of Chinese Empire 第七、八、九、十各章

十一、H.F. Mac Nair: modern chinese History 第十三章五十九節六十節

第十章　俄國侵佔東北與日俄戰爭

第一節　俄軍強佔東三省

一、軍事佔領後，任意殺戮

自俄佔領旅順大連以來，因築路連港，對於當地人民諸多侵擾，各地人民都深恨俄人。因此，當京津一帶義和團勃興的時候，排外風潮自然蔓延及於關外，中東路和南滿路都屢被拆毀，並且有攻擊俄人之事。及六月二十一日宣戰的上諭發佈，六月二十五日奉天副都統晉昌督兵燒天主教堂，破毀鐵嶺鐵路，旋攻遼陽鐵道，於是俄國邊境的鐵道員司，都退回俄境；南境的鐵道員司，都退入大連；中部的鐵道員司，退入哈爾濱。此時滿洲三將軍，都接到開戰的命令，官軍和義合團聯合爲一，各處焚教堂，拆鐵路，殺教民，禍亂一發不可收拾。

俄政府聞警以後，便大舉出兵，集中東省鐵路兩端。七月中旬東海濱省俄軍，進攻北滿一代；大連旅順俄軍，進攻南滿一帶；以鐵嶺爲南北軍事行動的分線。北路的俄國軍隊，分爲四路進攻。第一路爲西方支隊，由滿洲里沿呼倫貝爾，進攻齊齊哈爾。第二路中央支隊，由海蘭泡渡黑龍江攻愛琿，經墨爾根而至齊齊哈爾。第三路東北支隊，沿松花江進攻哈爾濱。第四路東南支隊，自海參崴攻琿春，進攻寧古塔。七月十五日俄軍進攻璦琿，二十三日璦琿失陷，三十日依蘭琿春失陷，八月廿九日寧古塔失陷，三十日齊齊哈爾失陷。九月廿一日吉林省城失陷，廿八日遼陽失陷，十月一日俄軍進入瀋陽，南北兩路俄軍會合，東三省遂完全為俄軍佔領。

在俄軍進攻璦琿時，迫令我江東六十四屯商民六千餘人，拋棄財產，同時渡黑龍江，稍加抗拒的便遭殺戮。我國商民迫不得已，全體啓行，及抵江邊，竟無渡船，俄騎兵持槍在後威嚇，我六千餘男女老幼同胞在脅迫之下，號泣震天，同投黑龍江溺死，這眞是人世間最慘痛的悲劇。凡俄軍所至燒殺虜掠，慘無人道。此後，日俄戰爭時，我東北人民都協助日軍，原因卽在於此。

二、逼簽條約及楊儒拒絕簽字

俄國軍隊佔領東北後，想得到一個法律的根據，尋獲已經逃匿的盛京將軍增祺，在旅順開會，於一九〇〇年十一月十一日簽訂奉天交地暫行條約九款如次：

（一）由增祺將軍保衞地方，助造鐵路。
（二）保路俄兵之房屈糧食，由中國供備
（三）遣散華兵，交出軍火。
（四）拆除全省砲臺火藥局。
（五）地方安靜後再交還牛莊等處。

（六）地方由中國自備巡捕彈壓。
（七）俄國派軍駐盛京，預聞要公。
（八）遇事如華捕力尚不足，由俄派兵相助。
（九）各款以俄文爲準。

條約簽訂以後，北京方面還不知道，及至消息傳出以後，中外爲之驚詫。清廷於十一月將增祺免職，另派清銳署盛京將軍。此時俄國想和清廷訂立正式條約，清廷乃任駐俄公使楊儒爲代表。在俄京商談東三省事宜。楊儒奉命以後，即和俄國政府進行交涉。談判中心問題，是在廢棄增祺暫約問題。結果俄國答應予以廢棄，但同時於一九〇一年二月十七日另提出草約十二款，其內容之狠毒，較之增祺暫約更甚，約稿如下：

（一）俄主願表友好，不念滿州開衅之事，允將滿州全行交還中國，吏治一切照舊。
（二）東省鐵道合同第六條，准該公司設兵保路，現因地方未靖，該兵不敷，須留兵一股，至地方平靖，及中國將本條約末四條辦到之日爲止。
（三）如遇急變，留駐之兵，全力助中國彈壓。
（四）此次與俄攻擊，華兵尤甚，中國允於路工未竣及開行以前，不設軍隊；他日設兵，與俄商訂數目，軍火禁入滿洲。
（五）中國爲保安地方計，凡將軍大員辦事不合邦交，經俄聲訴，即予革職，滿州內地可設馬步巡捕，與俄商定數目，軍械除砲，供差不用他國人。

（六）照中國前允成例，中國北境水陸師，不用他國人訓練。

（七）爲保安地方計，租地約第五款隙地，由地方官就近另立專章，並將專條第四款金州自治之權廢除。

（八）連界各處，如滿蒙及新疆之塔爾巴哈臺，伊犂，喀什噶爾，葉爾羌，和闐于闐，等處，礦產及其他項利益，非俄允許，不得讓與他國或他國人；非俄允許，不得自行修路；除牛莊外，不准將地租與他國人。

（九）此次俄兵費，各國賠款，均應清還，俄名下數目期限抵押，與各國會同辦理。

（十）被毀鐵路及公司員工被刼產業，又延誤路工貼補，均由中國與公司商賠。

（十一）上項款，可與公司商定，將全數分爲若干，以他項利益作抵，該利益可酌改舊合同，或另讓利益。

（十二）照中國前允成議，自幹路或支路向京造一路，直達長城，照現行章程辦理。

右述草約，係由俄方秘密向楊儒提出，楊儒因爲俄國的壓迫簽約，電李鴻章請轉奏請旨。李鴻章將此項草約提示各國公使，各國公使均大爲震駭，向中國提出警告，勿簽訂此規和約。德、奧、意三國認爲：『北京和議未定以前，中國不可將國家重要財源，先與一國作抵。』美國的警告，大致與德、奧相同。日、英、則更進一步說：「中國若批准該約，是自開瓜分之端。」日本爲阻止此規條約之訂立，分向奕劻李鴻章等陳說利害，決不可允許俄國佔據東三省，釀成瓜分中國之危局。國內疆吏張之洞劉坤一等都紛紛反對，請清廷拒簽此項條約。俄國政府此時態度強硬，經楊儒再三交涉，僅允許將原約第八條刪去，並迫令中國政府於四月一日以前簽字。李鴻章於俄國允刪第八條後，主張簽字，清廷軍機處三月廿一日致楊儒電說：「如俄能展限，如天之福；若竟不允，能再商改，不使各國藉口。倘二者均不能行，惟有請全權定計，朝廷實不能遙斷也。』

三月二十二日奕劻鴻章給楊儒電說：『內意已鬆，當立斷，勢處萬難，不能不允，一面即酌量畫押，勿誤。』但楊儒以未得清廷切實電旨，在微德等脅迫哄騙之下，仍拒絕簽字。

楊儒在大臣授意之下，仍能義正詞嚴，反駁微德之哄騙，嚴正拒絕簽字，實屬難能可貴。清廷在各國警告，疆吏力爭之下，電令楊儒拒簽俄約，原文如下：

「俄約關係重大，疊經諭令奕劻李鴻章楊儒，熟權利害輕重，妥籌辦理，迄未據切實復奏。昨據各督撫及各駐使，紛紛電奏，旨以堅持不畫押，爲害較輕。……朝廷細思，不畫押，僅只激怒於俄，畫則羣起效尤分據，其禍尤速。……着楊儒婉告俄外部，中國爲各國所迫情形，非展限改妥，無碍公約，不敢遽行畫押，請格外見諒。欽此。」

拒簽俄約之後，清廷以爲必激怒於俄國，但俄國的威脅，只是施之於清廷，並沒有勇氣觸犯衆怒，有進一步的行動。四月六日俄政府發表宣言，聲述自庚子事變，俄國對中國之種種好意，以及各國之種種爲難，言下對各國深致不滿。最後聲明條約暫作罷論，交還東三省之事，俟中國有強固政府再提。

第二節　東三省撤兵交涉

一、李鴻章在交涉時逝世

俄國因各國之反對，和清廷拒簽密約，聲明條約暫作罷論；但俄國對於滿洲的侵略，絕不是甘願放手。一九〇一年九月，北京和議成立以後，慈禧宣佈暫不回京的上諭，俄國便以北京主權尙未確定爲藉口，申明繼續佔領滿洲。八月初旬俄國公使和李鴻章協商東三省撤兵事宜，協商條約的內容大要如次：

（一）俄國將牛莊與山海關間鐵道，交還中國，但中國不得將該鐵道之保護權委與他國人。

（二）俄國以本年內撤退盛京省之兵。

（三）俄國以兩年內漸次撤退吉林黑龍江省之兵。

（四）滿洲軍隊，用俄國將校訓練。

又關於牛莊鐵道交還的條件如次：

（一）牛莊鐵道交還中國後，自後該鐵道不得受他國干涉。

（二）日英二國之軍隊，不得由此鐵道運輸。

（三）將來中國若築此鐵道之支線，須先得俄國之同意。

（四）該鐵道不得渡遼河與阻害俄國商業上之利益。

（五）俄國對該鐵道所費一切費用，由中國支償。

上項條約內容，比之俄國向楊儒提出的草約，不能說不是俄國的讓步；但清廷還是拒絕批准，嚴令李鴻章廢約。此時李鴻章已七十八歲，因北京和議，身當難局，勞心過度，肝疾加重；鴻章知道滿洲事件，不允許俄國幾分要求，是決不會撤兵；欲想簽訂此約，又接到廢約的諭旨。鴻章焦慮無計，病勢轉危，於十一月七日逝世。

二、中國堅持俄國撤兵

李鴻章死後，俄約的交涉改由奕劻王文韶擔任，十二月初又恢復談判。此時，張之洞劉坤一主張按照英日政府勸告，如條約稍有妨礙主權，就不可簽字；國內輿論也堅持同樣主張，認爲俄約應與辛丑條約一例看待，辛丑和約中既無不交還中國土地的規定，又無要索鐵路礦產權利的條款，如果俄國仍舊堅持要求，中國不要與俄國交涉，應等待各國交還天津，及北京山海關間鐵路後，再會同各國詰責俄國撤兵。

十二月初，俄使與奕劻開始繼續談判，是時清帝已還北京，國內秩序漸定，輿論一致反俄，俄使爲適應這一新形勢，將條約內容重加刪改，撤兵的新條件內容如次：

（一）東三省交還中國。

（二）中國政府按照一八九六年東省鐵路合同，充分保護鐵道及俄國僑民。

（三）如不再發生亂事，及各國無阻礙的行動，俄國決照下列時期撤兵：一九〇一年撤奉天南部至遼河爲止，一九〇二年撤完奉天全省，一九〇三年再撤退吉林及黑龍江之兵。

（四）東三省華軍兵額及駐防地點，必須與俄國軍事長官商定，不得自由增減；爲維持地方秩序之需要，中國得設步騎警，但不准用砲。

（五）關外鐵路（營口新民廳山海關間）俄國交還後，中國不得用他國軍隊保護此鐵路，及延長此路或變更終點。

奕劻與俄使繼續交涉，至一九〇二年一月下旬，商定結果如次：

（一）撤兵期限三年改爲兩年。

（二）東三省中國軍隊兵額及所用軍械，中國可自由決定。

（三）中國人民可以經營工商業，以開發東三省，如需要財政上之援助，則華俄銀行有優先權，如該銀行不願投資時，各國人民可投資。

這時奕劻認爲做到如此地步，已竭盡個人能力，主張立卽簽字。但劉坤一張之洞仍以爲有碍主權，此約萬不可許，主張用拖延政策，聯英日美以制俄，清廷遂沒有命奕劻簽字。

三、英日同盟後，俄國對中國讓步

在中國與俄國交涉時間，各國屢次催促俄國撤兵，俄國始終遷延不應。各國中最關心的是英日兩國；日本不願中俄訂立滿洲密約，妨碍日本的發展；英國對於俄國在遠東發展，有碍英國遠東的權益。前次英德協約的成立，卽在制止俄國侵佔滿洲；後來德國聲明英德協約與滿洲無關。英國爲抵制俄國，不能不求一同盟國，事實上的趨勢當然以日本爲適宜。一九〇二年一月三十日英日結締同盟條約，要點如次：

（一）英日承認中韓兩國的獨立，若因他國之侵略行爲，侵犯英日兩國利益時，英日爲擁護該項利益起見，各得執行必要之手段。

（二）兩締盟國，若一方因防護利益，與乙國交戰之時，他一方之締盟國，須守嚴正之中立，並努力防止第三國加入乙國，與同盟國交戰。

（三）上記戰鬪中，若他之一國或數國，加入敵國，與同盟國交戰之時，他一方之締盟國，卽當出兵援助，協同戰鬪，議和亦與該同盟國合意爲之。

（四）兩締盟國無論何方，若不經他一方協議，不得與他國締結防害上述利益之別約。

（五）英國或日本，若認上述利益迫於危殆之時，兩國政府互相竭全力通告，不得隔閡。

（六）本協約自調印之日起，五年間有效力。

英日同盟條約發表後，各國多表歡迎，俄國以英日同盟係以俄國敵對，對於永久佔領滿洲的慾望，使不敢再固執。俄國爲虛張聲勢對抗英日起見，將俄法同盟擴張於遠東方面，使俄法同盟與英日協約針鋒相對。

俄國在這樣國際形勢之下，對中國不能不表示讓步。一九〇二年三月二十六日俄使與奕劻王文韶締結交收東三省條約，內容如次：

（一）俄國允交還東三省，仍歸中國版圖，由中國官治理。

（二）俄分三期撤兵，由簽字畫押後，限六個月撤退盛京省西南俄軍，並將各鐵路交還中國。再六個月，撤退盛京省其餘各地及吉林省內俄軍，再六個月撤退黑龍江省內俄軍。

（三）俄兵未退之際，中國兵隊之數目及駐紮處所，中國承認與俄軍官商定之必須兵數外，不另添軍隊。在俄軍撤退後，中國在東三省所駐兵數，應添應減，隨時知照俄國。

（四）俄國允許將山海關營口新民廳各鐵路，交還中國，但該鐵路須由中國自行保護，勿庸他國保護修養，並不准他國佔據俄國退出各地段。

（五）此後在東三省南段續修鐵路或修支路，應彼此商辦。

（六）俄國交還山海關，營口，新民廳各鐵路，所有重修及養路各費，由中國另行賠償。

（七）兩國從前訂約，未經此約更改之款，應仍舊執行。

交收東三省條約簽訂以後，俄國又發表了一個附帶宣言，叙述自庚子事變以來，其行動之合理，中國及列強如不有意加以防碍，俄國必遵約撤兵。這個宣言，是預伏不肯撤兵的藉口，種下了日俄戰爭的原因。

第三節　日俄戰爭

一、東三省俄軍違約不撤

按照交收東三省條約規定，一九〇二年十月二日是俄軍第一期撤退期限，清廷派增祺接收奉天省南段及營口，又派袁世凱接收山海關至營口新民廳鐵道，屆期俄軍如約撤退。同時英國也交還京津至山海關鐵道，由清廷派北方鐵路督辦大臣胡燏芬接管。但一九〇三年四月二日，爲俄國在滿洲第二期撤退期限，俄國不但不撤兵，並由俄使向中國外務部提出要求七款：

（一）中國不得將東三省之地，讓與他國或租貸與他國。

（二）自營口至北京電線，中國宜許俄國別架一線。

（三）無論欲辦何事，不得聘用他國人。

（四）營口海關稅，宜歸華俄道勝銀行收儲，稅務司必用俄人，並以稅關辦理檢疫事務。

（五）除營口外，不得闢爲通商口岸。

（六）蒙古行政悉當仍舊。

（七）北京事以前，俄國所得利益，不得另有變更。

俄使係向中國秘密提出，消息傳出後，各國大爲不滿。美國首先向俄抗議，以其有違門戶開放主義，英日兩國也同時抗議。當時俄國表面否認此項要求，暗中則脅迫中國承認，美美日各國同時向中國警告，美國更勸中國開牛莊，奉天，大東溝，爲商埠。此時清廷以有英美日外援，拒絕了俄國的要求。俄使看見大勢不對，將要求撤回，並贊同美國增開三商埠的提議。

一九〇三年八月俄國武力侵略派得勢，俄皇宣佈成立遠東大總督府，照高加索大總督之法制辦理，所有遠東各省之鄰國外交事務，皆由大總督主持，太平洋艦隊及所轄境內之軍隊，皆聽命於大總督。俄皇此種措施，將我東三省看成殖民地高加索，其用武力侵佔東三省的野心，已暴露無遺。各國對俄皇此舉都大爲震驚，認爲是向日本宣戰的表示。

東三省俄軍不但違約沒有撤兵，且繼續增援佔領要地，瀋陽也重爲俄軍佔領。此時，清廷始終以門戶開放政策，拒絕俄人的無理要求。十月二日俄國宣佈停止對華談判，另用外交方法與日本交涉，以維持俄國在滿洲的勢力。

二、日俄談判失敗後宣戰

一九〇三年八月十二日駐俄日使栗野向俄外相提出談判大綱六條，內容要點如次：

（一）互相尊重中韓兩國之獨立及領土完整，並保持各國在該二國商工業之機會均等。

（二）俄國承認日本在韓國有優越利益，日本承認俄國於滿洲鐵路有特殊利益。

（三）將來韓境鐵道延至滿洲南部與中東鐵路及營楡鐵路相接，俄國不得阻撓。

（四）爲鎭定叛亂起見，日本可派兵至韓國，俄國可派兵至滿洲，然必萬不得已時，始可派兵；至所派軍隊，無論在何處，不可過於實際所需用之數，事後卽當撤回。

（五）凡助韓國改良政體，及軍務必要之擧動，盡屬日本之專權，俄國宜予承認。

英日同盟後，日本在外交軍事上均有英國幫助，日本對於俄國在滿洲行動，遂取干涉態度。日本國內輿論均主張對俄一戰，日本政府已有不惜與俄一戰的決心和準備。日本所提談判大綱，是要俄人退出朝鮮，並撤退東三省俄軍，僅承認俄人對滿洲鐵路有特殊利益。俄外相接獲日本此項大綱後，顯無談判誠意，回答說，關於遠東之事，須徵求遠東大總督之同意，並要求移至東京談判。十月三日駐日俄使羅貞將俄國對案國對案八條，提交日外相小村。其內容如下：

（一）互相尊重韓國之獨立及領土完整。

（二）俄國承認日本在韓國之優越利益，如日本不違背第一條，而輔助韓國改良其民政，則俄國承認此爲日本之權利。

（三）俄國不阻礙日本在韓國之工商業，在不違反第一條規定之限度下，不反對日本保護其商工業之措置。

（四）於知照俄國之後，以與第三條同一之目的，派遣軍隊至朝鮮，俄國承認此爲日本之權利；但軍隊人數不可超過實用必需之數，事畢卽陸續撤回。

（五）日俄兩國互約，不得在韓國領土之某部，作軍略目的之使用，並不得設兵備於韓國海岸，致防碍朝鮮海峽之航行自由。

（六）韓國領土在北緯三十九度以北之部分，視爲中立地帶，兩締約國之軍隊，均不得前往。

（七）日本承認滿州及其沿海一帶，均在日本利益範圍之外。

（八）本約定後，凡日俄兩國前訂關於韓國之條約，一律作廢。

俄國的對案，是不准日本過問滿洲，而且僅承認日本在韓國有限度的利益，和日本的希望大相衝突。小村接得俄國對案後，於十月三十日以十一條修正案交與羅眞，措詞較和緩，但仍包括中國在內，要互相尊重中韓兩國之獨立及領土完整，原則仍與談判大綱六條相同。日方的修正案提出後，俄國又多方延宕，經日本一再催促，十二月十一日由羅眞以六條修正案交與小村，內容還是將滿洲除外，不許日本過問，僅承認日本在韓國之權利。雙方對於滿洲問題各不讓步。經往返磋商，始終沒有結果。

一九〇四年二月五日日本政府電令駐俄日使栗野，對俄政府致送最後通牒，並斷絕外交關係。二月六日栗野送最後通牒，日本海軍同日卽開始行動。七日捕獲俄羅斯號於仁川，八日襲擊俄國艦隊於旅順，十日日皇下詔對俄宣戰，同日俄國對日宣戰。

第四節　日俄戰爭時中國態度

一、清廷宣告局外中立

二月十日俄日正式宣戰後，十二日清廷正式宣告局外中立。當日俄談判消息緊張，清廷得駐日公使楊樞的報告後，就積極籌劃應付。直隸總督袁世凱主張局外中立，因爲中國如果『附俄，則日海軍擾我東南。附日，則俄陸軍擾我西北，不但中國立危，且恐牽動全球，日俄果決裂，我當守局外。』一九〇四年一月九日，日本外相小村向我楊樞公使表示，俄萬一決裂，深願中國中立，以免他國藉口，橫生枝節。清廷在不能參加任何一方作戰的情況下，在日俄宣戰後，只得宣告局外中立，並由外務部發出通電說：

「日俄失和，業經欽奉諭旨，按照局外中立之例辦理。本部已照會各國公使，聲明東三省係中國疆土，盛京興京，爲陵寢宮殿所在，責成該將軍等敬謹守護。該三省城地衙署，兩國均不得損傷，原有之中國兵隊，彼此各不相犯。遼河以西俄已退兵之地，由北洋大臣派兵駐紮。各省及沿邊內外蒙古，均按照局外立例辦理，兩國兵隊，勿稍侵越。倘闖入界內，中國自當攔阻，不得視爲失和。惟滿洲地方，尙有外國駐紮兵隊未經退出之地面，中國力有未逮，恐難實行局外中立之例。東三省疆土權利，兩國勿論勝負，仍歸中國自主，兩國均不得佔據。」

中國對日俄戰爭雖守中立，但戰場却在中國領土之內。當時除吉黑兩省全爲俄人佔據外，奉天的大半，亦在俄軍掌握之中，這些地方卽爲日俄兩國事實上爭戰的區域。中國在此矛盾局面之下，只好由「奉天交涉局」議定一「兩國戰地及中立地條章」。劃定日俄兩國在奉天境內的戰地，並照會日俄兩國。

二月十五日，日政府復牒清廷，表示必與俄國同一尊敬中國之中立，並强調說：日與俄以干戈相見，乃爲保守日本應有的權勢及利益而起，本無侵略宗旨，日本政府於戰事結局，毫無佔領大清國土地之意。俄國的態度則始終蠻橫，復牒表示，滿洲地方不在局外之例，遼西亦係滿洲境，難認局外；至東省疆土不得佔據一節，目下不能談論，應俟事後承前議續商。

日本態度合理，俄國態度强横，已引起我國人民對俄的反感。俄遠東大總督的態度，更屬咄咄逼人。二月十七日俄遠東大總督阿萊克塞夫以照會致盛京將軍增祺說：「所有各處鐵路關係重大，保護之任，貴國責無旁貸，設有損壞，以致轉運不通，有誤軍事，不但所損鐵路工程之費，須貴國賠償，即因此而失誤事，以致損失各件，亦應由貴國擔承。」俄軍又於鐵路沿線張貼布告：責成沿路居民保護鐵路，如有違犯，初犯罰款，續犯即將二十五華里內各村屯燒殺無遺。清廷外務部據報後，電令胡惟德公使，向俄外部提出嚴重抗議說：『鐵路兩旁華兵早已退紮，俄兵節節屯守，是護路之責，俄自任之。俄兵不能自行保護，鄉民何能爲力，倘遇匪徒拆毁，有意遷怒良民，遽行殘暴，爲天下萬國公理所無即稍具人心之盜賊亦不忍出此，務請嚴飭官兵不得妄爲。』但俄軍始終沒有收斂這種暴行。一九〇五年五月二日增祺將日俄軍隊紀律情形，密報清廷說：

「據東北兩路府縣禀報：日軍所至處，頗能約束其衆，市面不擾，主客相安。惟俄人以敗潰之餘，不免恣意横行；又有通事及所招匪隊，相助爲非，焚掠淫兇，不堪言狀。刻就已報各屬計之，東路以業經戰過之通化爲最甚，北路以正在接戰之海龍，西豐，西安，爲最甚，戰過之地，惟在撫綏。正在之地，亟資挽救，請外務部切商俄使轉令嚴禁。」

日俄開戰後，日軍以「祈戰死」之姿態，誓死作戰。陸軍在一九〇四年四月末底定北韓，渡鴨綠江，九月四日攻下俄軍要塞遼陽，一九〇五年三月十日攻陷瀋陽，俄軍敗退。海軍開戰時即圍攻旅順，至一九〇五年一月二日攻陷旅順，俄軍投降。五月二十七日俄軍波羅的海艦隊在對馬海峽全軍覆沒。六月二日美國老羅斯福總統（Theodore Roosevelt）出面調停，是時俄海陸軍均戰敗，日軍也無力再戰，遂接受美國的調停，議和地點在美國的樸資茅斯（Portsmouth）。

二、朝野的意見

甲午戰後，中國朝野仇日親俄，但自拳亂以後，中國朝野仇俄親日的空氣，日漸增加，日俄戰爭中，俄國軍隊的表現又如此惡劣，更增加國人親日仇俄的心理。

一、變法自强的呼聲。日俄戰爭爆發，中國決定保持中立，但兵少力弱，中立徒有其名，所以有人主張變法自强，開戰前雲貴總督丁振鐸巡撫林紹年上奏說：「俄日相持，瞬卽開戰，中國勢處兩難，無論俄勝，中國固將不堪，卽日勝中國亦必被侵削。且俄日卽和，而東三省不得主權，亦從此無以立國。……為今之計，惟有急宣上諭，誓改前非，飭外部王大臣偏告各國，以中國自今以後，一切卽盡行改革，期於符合各國最善之政策而後已。』一九〇四年三月二十二日駐外公使孫寶琦胡惟德等聯合電奏說：『東方戰爭關係中國安危，西人注目，此乃歐亞爭雄，黃白種强弱關鍵，我非惟歐洲異種之可憂，卽亞洲同種亦未可恃。……亟宜乘此俄日用兵，各國待時之際，一面恪守局外，一面痛自更新。若復因循，恐異日雖欲自强，勢已不及。』

二、預籌和議以保主權。一九〇四年春季，有人主張預籌和議，以保我中立主權。二月二十九日左副都御史張仁黼上奏，以日俄相爭，『小勝小負，猶可無虞，若勝負大分，則皆不利於我。』他反對倚賴他國，主張首倡和議，發端從速，以盡邦交之道；卽使倡而不應，議而不成，將來亦可免兩國之責難。』三月五日待講學士楊捷三奏稱：『反覆籌思，戰在日俄，而害在中國，無已，其速倡和議乎！』因此主張邀請英美各國，爲日俄講和。

三、電請清廷對俄宣戰。一九〇三年四月，俄人向我提出七項要求時，我國留日學生紛紛討論對策，由鈕永建發起組織拒俄義勇隊，經議決改名爲學生軍，以拒俄爲目的，代表國民公憤，擔荷主戰義務。日俄戰爭將爆發時，日、美、澳、各地美僑，紛電清廷對俄宣戰，僑民願助軍費。同時國內各地輿論，都表同情於日本，都痛恨俄國。

四、張之洞的意見。日俄和會即將舉行時，清廷外務部於一九〇五年七月六日照會日俄兩國，聲明中國立場說：『倘有牽涉中國事件，凡此次未經與中國商定者，一概不能承認。』清廷除照會日俄外，又分別電詢內外官吏意見。當時湖廣總督張之洞居元老重臣的首席，他的意見很可代表當時的輿論，七月廿日張電奏說：

「各報言外務部照會日俄謂：關涉中國之事，若中國不與聞者，中國將來斷不承認。聞日本復文不肯許可。要之此照會乃應有之義，自不可少。無論彼此與否，將來可執此照會爲爭論之根據，然只此已足，強聒無益；惟有俟其與俄定議後，我方能與之開議。大抵抱定日本宣布許可我之完全主權爲定盤針。以東三省鐵路中國亦須酌分權利爲實際，以俄人震驚陵寢荼毒人民，與日本近年情形爲比較，以結近援禦遠患爲歸宿。……總之，此次日本若不於東三省佔最優權利，慨然送還中國，斷無此事。然所得過奢，則既食前言，又招歐忌，彼亦不爲。日本爲中國，正所以自爲。然欲強日本，則不能不存中國。俄專欲愚中國吞中國，純乎損我利益。日本既擅北海之權，則不惟阻俄人之橫行，並可抑膠澳之恣肆。故無論如何定議，日本在東方得何權利，皆勝於俄人遠甚。日俄待中國之情勢孰暴孰和？兩國之強弱於中國孰利孰害？互較自明，權衡既審，因應自易。」

張之洞在甲午戰爭後，主張聯俄制日，在日俄戰爭後變成仇俄親日，這實是客觀情勢的反映。張氏『無論如何定議，日本在東方得何權利，皆勝於俄人遠甚。』的主張，已經形成當時的輿論，所以樸資茅斯日俄處分我國東三省的條款，清廷雖是提出抗議；但不久卽與日本簽訂中日滿洲協約，承認日本獲得的權利，這是所謂「兩害相權取其輕」。

第五節　樸資茅斯條約和中日滿洲協約

一、樸資茅斯條約

日俄兩國接受美國的調停以後，日本派小村壽太郎爲全權代表，俄國派微德爲全權代表，赴美開始和議。此時日本因爲戰爭獲得勝利，以戰勝者的態度對待俄國，要求賠償軍費，割讓土地。但是俄國並不以戰敗者自居，微德宣言：『俄國所失者，皆羈縻之地，無與安危，日本要求，若與俄國國威有損，俄國決不承認。』

八月十日第一次和議開始時，日方提出十二條件，要求俄國賠款，讓與庫頁島及附屬諸島，俄國拋棄在滿洲利益，僅保留滿洲橫貫鐵路的商工業利益。第二次次會議時，俄國提出對案十二條，不允許割地賠款，俄皇親作敕語：『不割寸土，不賠一盧布。』日本此時無力再戰，表示讓步。一九〇五年九月五日簽訂日俄和約於樸資茅斯，計正約十五條，附約二條，重要內容如次：

（一）俄國政府承認日本在韓國政治軍事經濟上均有卓絕的利益。

（二）除遼東半島租借權所及之地域不計外，所有在滿洲日俄兩軍隊全數撤退，交還中國接收。撤兵期間，不得逾十八個月之限。

（三）俄國政府以中國政府之允許，將旅順口大連灣之一切權利，轉移與日本政府。

（四）俄國政府允將長春至旅順口之鐵路及一切支路，以及附屬之一切權利財產，以中國政府允許者，均移讓於日本政府。

（五）俄國允將庫頁島南部及其附近一切島嶼，永遠讓與日本。

（六）俄國政府允准日本國臣民至日本海，鄂霍次克海，伯令海之俄國所屬沿岸一帶，有經營漁業之權。

（七）兩國可留置守備兵，保護滿洲各自之鐵道路線，至守備兵人數，每一基羅米突不過十五人之數。

二、中日滿洲協約

日俄兩國樸資茅斯條約訂立以後，日俄戰爭正式宣告結束。日本以日俄條約中對於中國關係的事情，企圖從速協定，乃派小村爲全權代表赴北京協商。一九〇五年十二月十日中國全權大臣奕劻、瞿鴻基、袁世凱與小村訂立中日滿洲協約正約三款，附約十二條，承認日本在樸資茅斯和約中所獲的權利。重要內容如次：

（一）中國政府將俄國按照日俄和約第五條及第六條允讓日本國之一切，槪行允諾（第五條係讓與旅順大連，第六條係讓與長春至旅順之鐵路）。

（二）中國政府應允，俟日俄兩國軍隊撤退後，從速將下開各地方，中國自行開埠通商：奉天省內之鳳凰城，瀋陽新民屯，鐵嶺，通江子，法庫門；吉林省之長春，吉林，哈爾濱，寧古塔，琿春，三姓；黑龍江省內之齊齊哈爾，海拉爾，瑷琿，滿洲里。

（三）俄國允將護路兵撤退時，日本國政府允即一律照辦。

（四）日本政府在滿洲地方佔領或佔用之中國公私產業，在撤兵時，悉還中國官民接受。

（五）中國政府允將由安東至奉天省城所築造之行軍鐵路，仍由日本國政府接續經營，改為轉運各國工商貨物。自此路改良竣工之日起，以十五年為限，屆期估價售與中國。

（六）在安東、奉天省域、營口，中國允劃定日本租界。

（七）中國政府允許設一中日木植公司，在鴨綠江右岸地方，採伐木植。

（八）滿韓交界陸路通商，彼此應按照相待最優國之例辦理。

本章參考書

一、何漢文：中俄外交史第七章
二、吳相湘：俄帝侵略中國第八章
三、黃大受：中國近代史下冊第十七章

四、中外條約彙編：中日條約、中俄條約中有關各條約

五、H.F. MacNair: modern chinese History 第十三章六十二、六十四節

第十一章　民國成立前的外交形勢

第一節　各國政治經濟的侵略

甲午中日戰爭後，中國弱點完全暴露，各帝國主義者對中國有瓜分的趨勢。一八九八年三月六日德國强租膠州灣，三月廿七日俄國强租旅順大連，四月十日法國强租廣州灣，六月九日英國强租九龍，七月一日英國又强租威海衞。各帝國主義者除强租中國港口外，且在中國境內劃分勢力範圍；一八九七年三月十五日法國獲得中國之承認，海南島不得割讓他人，一八九八年四月十日又獲得中國承認，安南鄰近之省份不得割讓他人。一八九八年二月十一日英國獲得中國之承認，揚子江流域不得割讓他人。一八九八年四月廿四日日本獲得中國政府之承認，福建不得割讓他人。

除政治侵略外，各帝國主義者復以鐵路政策侵入中國。一八九六年九月八日俄國根據中俄密約，西北利亞鐵路可以經過東三省北部，直達海參威，一八九八年三月廿七日俄國復獲得自哈爾賓修造鐵路直達遼東半島之權利。一八九五年六月法國獲得中國政府之允許，可以將安南鐵路式長至中國境內；一八九八年四月十日復獲得建造自安南邊境至雲南府鐵路之權利。一八九八年三月六日德國獲得在山東省建造鐵路之權利，自膠州經濰縣至濟南，及自膠州經沂州萊蕪至濟南。一八九七年二月四日英國獲得使緬甸鐵路與雲南鐵路銜接之權利。

甲午戰敗後，清廷頗注意路政，欲修造蘆漢鐵路（自蘆溝橋至漢口）而苦於無資，英、美、比三國競爭借款給中國。鐵路督辦盛宣懷於一八九七年五月廿七日與比利時立約，借款修路，約中並規定自保定漢口之鐵道建築費，由華俄道勝銀行先行支付。一八九八年山西省復向華俄道勝銀行借款六百八十萬兩，修造正太鐵路（自河北正定至山西太原），並規定『如期內不能還淸，則銀行有代管該鐵路之權』。正太鐵路係俄國投資，蘆漢鐵路也係俄國投資，這是在中俄密約締結以後，中國正信賴俄國之時，俄國順利的獲得上述兩路的建築權。

俄國此時與英國在遠東競爭極烈，俄國既獲得上述路權，英國於一八九八年十月十日由滙豐銀行借與中國二百三十萬磅，爲修造自山海關至新民屯與牛莊之鐵道；及償付津榆、津蘆各路舊借洋款之用。一八九九年五月八日英國取得津浦鐵路南段建築之權利，一九〇二年英國取得滬寧鐵路建築之權利，一九〇七年三月七日英國取得廣九鐵路建築之權利。英國緬甸鐵路可以延長至揚子江流域，英人並可在山西，河南，浙江，直隸，有採礦之權利。

在英俄兩國在中國奪取路權之時，美，法，德三國亦紛向中國獲取路權。美國由合興公司(The American China Development Company)借款中國，修造粤漢鐵路，並規定是項權利不得轉讓與他國國民。法國獲得中國承認，有修築龍州至南寧，龍州至百色二路之權利，一八九九年法國復獲得建造南寧至北海鐵路之權利；德國獲得修造津浦鐵路北段之權利。

一八九九年九月六日美國國務卿海約翰提出的門戶開放政策，就是在各帝國主義者在中國奪取政治經濟利益時提出，維持中國的領土完整，以緩和帝國主義者的衝突。

第二節　美國維持門戶開放政策

一、八國聯軍時美國支持東南自保計劃

美國於一九〇〇年三月二十日發表門戶開放政策後未及三月，我國發生義和團排外事件。一九〇〇年夏，美國和英俄法日的軍隊，已聯合從大沽口向北京進攻。美國深恐列強乘機瓜分中國，在一九〇〇年七月三日訓令美國駐各國使節，向英，法，德，俄，奧，意，葡，比等有關國家，提出備忘錄說：

「當此中國事變危急之時，決定美國對於現在情況之態度，誠為適當之事。……吾人認為北京已陷於無政府狀態，權力與責任實已委諸各省地方官員之手。只要此等省地方官員未公然與暴動者同謀，且用其權力以保護外人之生命財產，吾人卽認彼等為中國人民之代表，應與彼等維持和平與友誼關係。總統之目的與以往毫無二致。第一、與各國協調行動，與北京開始聯絡，拯救美國官員教師及其他在危險中之美國人。第二、儘可能的保護中國各地之美國生命財產。第三、保護美國的合法利益。第四、防止此種混亂狀態蔓延於他省，及此種災害之復發。最後之結果如何，固難預料，但美國政府之政策，為渴望一種解決，能使中國永遠安寧與和平，保字中國領土與行政的完整，擁護一切以條約和國際法所保證之友好國家的權利，

且保持中國一切地方，樹立均等公正的通商原則。」

這一照會，較一八九九年的宣告，更顯明表示出美國的對華政策，和門戶開放政策內所包含的原則，除了重申「保存中國領土和行政的完整」外，並將過去只適用於租借地和勢力範圍內的門戶開放原則，擴充到「中國一切地方」。美國這種主張，和張之洞劉坤一等的自保東南大局，是有極大影響的。劉張等的主張，由駐美公使伍廷芳照會美國政府；美國政府同意，授權美國上海總領事，和兩江總督協議維持和平及保護美僑事項，使東南自保計劃，得以順利完成。

美國七月三日對各國所發的照會，是美國門戶開放宣言進一步的表示。當聯軍統帥瓦德西提議進兵保定，美國即表示異議，認爲對中國其他部分將發生不良影響。所以在聯軍佔領北京後，美國即擬退兵，在一九〇〇年十月廿六日，美軍留在北京的軍隊，已減至一千四百人。美國政府並電德國政府說：『敝國不欲本國軍隊永駐中國，從事戎行，亦不能與貴國軍助戰，以聽瓦德西德帥之指揮』。可見美國是決心維持門戶開放政策的。

庚子條約締結以後，俄國強佔東三省，並逼中國訂立密約，以奪取東三省和蒙古新疆等地的政治經濟特權。一九〇二年二月一日，美國國務卿致送備忘錄與中俄兩國，反對俄國侵略，並將備忘錄分致英、法、德、日、意、奧、西、荷、比等九國。備忘錄說：

「凡中國對採掘礦山，建設鐵路，以及其他開發東三省之獨佔權與特權，讓與任何團體或公司之協定，合衆國政府勢必密切注意。……中國此種讓與，定能引起其他國家，要求同時獨佔利益於中國其他部份。因此，各國在中國商業航海與貿易絕對平等待遇政策，完全崩潰，殆爲不可免之結果。……以此之故，美國政府竭誠希望，……請中俄兩國政府熱誠考慮……採取足以解除美國正當自然懸念之措施也。」

這一次美國所提門戶開放政策，是將過去的關稅，航海，鐵路運費等商業事件，擴展到礦山鐵路等工業性的事件，可以說是，門戶開放政策在性質上的擴展。

二、日俄戰爭後收買南滿鐵路計劃的失敗

美國提倡門戶開放政策，當時支持最力的，除英國外，就是日本。俄國則表面承認，實際對中國進行侵略。一九〇四年日俄戰爭發生，美國努力支持日本，希望能以日本的力量擊敗俄國，使門戶開放政策能在東三省建立。所以當日俄戰爭時，日本的公債，美國大量吸收，鐵路大王哈利曼（E.H. Harriman）購買尤多，在經濟上支持日本。

一九〇五年初，日俄戰事方殷，突然發生法國想乘機要求中國領土的謠言。德皇威廉向美國羅斯福總統建議，應由遠東利益有關的列強，聯合保證以阻止這項運動。美國國務卿海約翰遂向英，法，德，意，奧，葡，比等國發出照會說：

「吾等得悉某強國發生下列的疑念，即在將來日俄和議時，有中立國將要求取得中國領土。總統不願有這疑念，並相信這種非固有利益的要求，足以妨碍或遷延遠東問題之解決。……美國很滿意各國熱烈歡迎美國所努力的工作，即鞏固及永久維持中國完整，和東方門戶開放的廣大政策。必須如此，列強方可享受商業上機會和發展的平等。美國既有如此的想法，當然沒有要求權利，和在中國有所統治的企圖。美國保有中國太平洋沿岸商業的重要部份，且在西太平洋的領土，有似中國的門戶。為了免除對於本國政策的懷

疑，所以公開美國的目的如上。」

這個照會的意思，是重申美國的門戶開放政策，唯有保持中國的領土完整，才是各國商業機會均等的好辦法。各國對美國的復照，都有滿意的答復。在一九〇五年九月日俄和約第三條中，俄國也聲明，俄國在東三省沒有領土利益，和優越或獨佔的權利，門戶開放的主張，已滲入日俄和約之內。

日本在一八九九年，是熱忱贊成門戶開放政策的，日俄戰爭時，更得美國經濟上的支持，日俄和議且得美國羅斯福總統的斡旋。一九〇五年八月美國鐵路大王哈利曼被邀赴日，哈利曼擬收買日本即將到手的南滿鐵路，和俄國手中的中東鐵路。哈利曼與日本財政界元老井上馨接洽，井上馨極爲贊成；首相桂太郎及伊藤博文，山縣有朋等也不反對。哈利曼與日本政府於十月十二日，訂立一個合同草約，約文中規定組織一銀行團，收買日本政府所獲得的南滿鐵路及其附屬物。哈利曼於訂約當日回美；但三天後，往美國簽訂日俄和約的小村回國，日本即通知哈利曼，草約尙有商議之餘地；事實上否認了草約，哈利曼計劃完全失敗。

三、東三省鐵路中立計劃的擱淺

一九〇九年十一月六日美國國務卿諾克斯（P. C. Knox）提出由國際經營東三省各鐵路，使之中立化的計劃。

哈利曼被日本愚弄後，仍熱心投資東三省。一九〇八年十一月，哈氏得到俄國有出賣中東鐵路的意思，擬進行收買，並向日本洽商收買南滿路。一九〇九年一月日本拒絕哈氏建議，哈氏希望俄國出賣鐵路外，並計劃和中國政府交涉，由美國原任瀋陽總領事司戴德（Willord Straight）為代表，並聯合英國共同進行。是時中國東北形勢，已變為俄日妥協共同侵略之局，清廷為抵抗俄日的侵略，有藉重外人力量抵制日俄的企圖。八月十九日清廷曾密諭東三省督撫說：『東省介居兩强，勢成逼處……莫如廣闢商埠，俾外人麕集，隱杜壟斷之謀，厚集洋債，俾外款內輸，陰作牽制之計。即着該督等隱杜斟酌事理……事理。』所以九月廿九日司戴德到瀋陽後，督撫錫良、程德全等立即接洽，籌商立即籌修錦瑷鐵路（錦州至瑷琿）。十月一日即簽訂錦瑷鐵路合同。錦瑷鐵路合同計九款，主要內容如下：

(一)借款年息五厘，以該路作保，分兩次借入。

(二)建築材料，儘中國物品價值與他國價值相同者採用。

(三)築路總工程司，須得中國所派總管鐵路公司大員同意，始可聘用。

(四)在借款未還清以前，由鐵路公司經理期間，應得利益，除還本息及開銷外，如有餘利，應提十分之一作為獎金。

(五)鐵路公司由中美英三國人員組成，中國人應佔多數，由中國政府派大員一人，總管公司事務。

(六)此草合同應奏明請旨，如未奉批准，即行作廢，如有指駁，應另行籌商。

錫良、程德全迅速簽訂此項草合同，因已得清廷上諭，並可造成事實，使日俄不能反對。查合同內容對中國尚屬無害，且主動之權，仍操之在我。但錫良等上奏後，外務部度支部郵傳部竟表示反對，在日俄未提抗議前，即將原立合同作廢。

諾克斯提出東三省鐵路中立計劃，係根據門戶開放政策，他先通知英國，又分別通知中國和俄法德日各國，他通知英國的節略說：

「英美兩國合作投資錦璦鐵路之合同，業已簽訂批准，合衆國政府準備與英國政府合作，在外交上協助此項事業。……合衆國政府最後擬使其他有關係之列强，參加此項事業，惟須得中國政府的同意，並協助在華商業機會均等，及維持領土完整之原則。然在實際進行之先，合衆國政府特請英國政府對以下兩種計劃加以考慮。第一、保持中國在東三省所享有之行政主權不受紛擾，及實際運用門戶開放機會均等政策，以增進各該省發展之最有效方法，當將東三省各鐵路置於一經濟科學及公正管理之下，由關係列强共同承購股票，以中國爲地主。此項借款，當定一合理時限，乃足以招徠銀行家及投資家之條件。當借款期間，關係各國得參加鐵路之管理，僱員購料之利益，亦各國共享。此項計劃之實行，自然須東三省現存各鐵路之享有者及讓與者之中國日本及俄國合作，英美兩國因錦璦鐵路合同之關係，亦應參加。……第二、如此項建議不能完全實行，另一計劃可望得類似之結果，即由英美兩國對錦璦鐵路之處置，作外交的互助，請關係列强友誼的完成東三省之商業中立化，共同參加錦璦鐵路，及將來商業發展所需要之附屬鐵路之投資與建築。同時借款中國，使其將現存各鐵路贖回，施行此種中立制度。合衆國政府希望以上兩種建議所包含之原則，可獲得英國政府之嘉納。此外，此類計劃之結果，將免除銀行家無統制的與中國政府直接交涉之紛擾，並將在中國創造一種共同之鞏固利益，如中國政府所急需之財政及幣制改革借款問題，亦將易於合作籌劃也。」

諾克斯計劃提出後，各國反應如次：

（一）中國表示贊同。外務部接到照會後，即答覆一節略，表示「貴國持論公允與本部宗旨大致相符，深望貴國與有關各國政府，互相贊助，俾中國將日俄兩國在東三省承造之各路購回，所有中國行政權不致有所關礙，並以副利益均霑之意。」

（二）英國婉拒鐵路中立計劃。是時英日同盟，英國態度袒護日本，建議日本加入修築錦瑷鐵路。英外相照復美國說：「英國政府在保持門戶開放和機會均等的範圍內，完全贊成貴政府提議中第一項所述的原則。……惟本政府以爲，在湖廣鐵路借款交涉完成以前，承認中國鐵路之其他國際借款問題，似不必急於考慮……應將第一計劃展期考慮，較爲賢明。至於另一建議……英美兩國政府應聯合勸告中國，允許有密切關係之日本，加入錦瑷鐵路。』

（三）俄國拒絕鐵路中立計劃。俄國併吞東三省之計劃，因日俄戰爭失敗挫折，但對於東三省北部仍視爲其勢力範圍，對美國鐵路中立化計劃，率直拒絕。一九一〇年一月廿一日俄外交部答覆美國大使節略說：「美國政府熱誠希望俄國在東三省協助門戶開放機會均等政策，及保障中國政府之主權，帝國政府深感滿意。雖然，現實並無威脅此項主權或門戶開放政策之事。因此，帝國政府不能發現任何理由，對東三省現狀有實行美國政府提議之必要。……對於東三省鐵路如實行美國政府所建議之國際管理，將嚴重妨害俄國公私兩方之利益，因帝國政府有重大投資也。因此，對於此種建議不能接受。』

（四）日本拒絕鐵路中立計劃。日本拒絕的態度，較俄國比較委婉。日本外相小村照會美國駐日大使說：「此建議與樸資茅斯條約之條文相背，該條約乃爲東三省建立一永久秩序者，帝國政府深信嚴格遵守其條款，乃世界和平及東三省進步之最高保障。……此種特制殊度，在中國其他部份所未實行者，而欲適用於東三省之現狀，帝國主義不能認爲必要或有益。』

（五）德國表示同意。德國是時對英國的衝突，已趨明顯，爲聯絡美國友誼，自不願反對美國的主張。且德國在東三省並無旣得權益，同意此項主張，可使德商在東三省有自由競爭的機會。所以德國照復美國大使，表示同意。

（六）法國追隨英俄。法國在歐州以德爲仇，極力聯絡英俄兩國，英俄均表示拒絕，法國自不能表示同意。所以法國政府復美國大使的照會說：『對東三省鐵路中立計劃，非日俄兩國贊成後，法國不能加入；關於錦璦鐵路的投資，但要看最有關係的日俄兩國，能否接受爲準。』

東三省鐵路中立計劃，遭受日俄兩國的反對，英法兩國之掣肘，雖有中國德國同意，亦無法進行。美國的鐵路中立化計劃和錦璦鐵路計劃，因此遂被擱置。

四、抗議苛待華工的排美運動

據中國外交年鑑記載：十九世紀末葉，美國修建橫貫大陸鐵路，西部鐵路多由華工修築，華工忍苦耐勞，頗受歡迎。二十世紀之初，美人以華人爲賤價勞工，沒法排斥，明訂禁止華工苛例。東南各省爲抗議美國虐待華工，提倡抵制美貨。一九〇五年初，美國華僑馮夏威回國後，因限於苛例，美國領事館不發給回美護照。馮夏威不得已自殺於上海美領事館前，以示抗議。馮夏威自殺後，東南各省反美益烈，群起排斥美貨，要求取消美國粤漢鐵路的建築權。一九〇五年八月，在華盛頓取消合興公司修築粤漢鐵路之合同，正式簽押。美國表示讓步，並改善華僑出入境之限制。中國排美運動，始漸平息。美國退還庚子賠款，與中國排美有相當關係。

五、退還庚子賠款

庚子賠款四億五千萬兩，美國得百分之七點三，約合美金二千四百萬元。據專家估計，美國實際上的損失，至多不過一千一百萬元，美國政府爲增加中美間感情，決定退回一部庚子賠款。一九〇七年總統羅斯福向國會提出計劃，一九〇八年五月國會通過，並決定此款要用在教育方面。經通過後，美國將賠款所餘的數目，計美金一七八〇萬五二六八元和利息四厘，歸還中國。一九〇九年七月，外務部與學部會奏設立留美學務處，會同考選第一批學生遣送美國留學。一九一〇年七月招考第二批學生，錄取七十人，同時考取初級生七十人，入正式成立之淸華學校肄業。淸華學校原爲留美預備學校，附屬於留美學務處。此後中國政府可以每年派遣學生到美國求學，即以此款做基金。

第三節　日俄的妥協和密約

一、第一次日俄密約

日俄戰後，日本想乘機爲東亞的盟主，一九〇五年八月成立第二次英日同盟，一九〇七年先後訂立日法協約、日美協約、日俄協約。因俄法有協約關係，英國爲對抗新興的德國，於英日第二次同盟後，即進行英俄諒解工作，恢復歐洲的均勢。日俄兩國在英法關係影響之下，並認爲妥協分贓較侵略鬪爭有利，於是有一九〇七年七月三十日第一次日俄協約成立。

第一次日俄協約僅有兩條，第一條規定締約之一方保全他一方之領土，並互相尊重日俄間締結各特殊條約。第二條承認中國之獨立與保全其領土，及列强對中國工商機機會均等主義。日俄第一次協約之簽定，係公開的，表示日俄兩國由衝突而妥協。除上述協約外，日俄更訂第一次日俄密約四款，彼此劃定在中國的侵略範圍，原文如下：

大俄羅斯皇帝陛下與大日本皇帝陛下爲免除將來兩國對滿洲朝鮮諸問題之誤會起見，協定條款如下：

第一條　爲謀滿洲之政府經濟活動及利益上之自然趨勢，且欲免除將來因競爭而引起之複雜情形起見，日本擔任不在本約界限以北，爲日本或日本人民或他國人民之利益，覓取任何鐵路或電信之讓與權；並不直接或間接阻撓俄國政府在此區域內尋求讓與權之任何行動。在俄國方面，爲同一和平慾望所激發，擔任不在上述界線以南，爲俄國或俄國人民或他國人民之利益，覓取任何鐵路或電信之讓與權；並不直接或間接阻撓日本政府在此區域內尋求讓與權之任何行動。……………

第二條　俄國承認日本與朝鮮間依現行條約協定爲基礎之共同政治關係，此種條約及協定之抄本，已由日本國政府致送俄國政府，擔任不加干涉且不阻撓此種關係之繼續發展。在日本方面，擔任給與俄國政府、領事、人民、商務、工業及航業，在朝鮮享有最惠國之一切權利，至最後條約締結時爲止。

第三條　日本帝國政府承認俄國在外蒙古之特殊利益，擔任禁制可以妨害此種利益之任何干涉。

第四條　兩締約國對本約嚴守秘密。

此外另有一附款規定南北滿之界線，附款如次：本約第一條所述北滿與南滿之界限，議定如下：從俄韓邊界西北端起畫一直線至琿春，從琿春畫一直線到畢爾勝湖（即鏡波湖）之極北端，再由此畫一直線至秀水甸子，由此沿松花江至嫩江口止，再沿嫩江上溯至嫩江與洮兒河交流之點，再由此點起沿洮兒河至此河橫過東經一百二十二度止。

這個密約的要點，第一是日俄兩國在樸資茅斯條約以後，對於侵略範圍的重新劃分；第二是日本承認俄國在外蒙古的特殊權利，交換俄國承認日本的併吞朝鮮。

二、第二次日俄密約

一九〇九年十一月美國提出東三省鐵道中立的提議，想使東三省事實上成爲中立地帶。這個提議，因爲日俄兩國的拒絕；和英法兩國遷就俄日兩國的意見，美國的提議便失敗了。美國不但提議失敗，反促成日俄近一步接近的機會，於一九一〇年六月二十一日訂立第二次日俄協約，同時更簽訂第二次日俄密約。

第二次日俄協約如下：

日本帝國政府及俄羅斯帝國政府，茲爲眞實維持一九〇七年七月三十日之協約所定之主義，且爲擴張該約之效力，以確保遠東和平起見，特協定左列各條：

一、兩締約國爲保護交通便利商業起見，相互協力改善滿洲之鐵道，及整理該鐵道之聯絡，決不爲妨害此一目的之一切競爭事務。

二、兩締約國尊重現時日俄二國所締結之條約，又日俄與中國締結之一切條約，及其他協定所發生之滿洲現狀。……

三、如有侵害上述現況性質之事件發生時，兩締約國爲協商維持現況，認爲有必要之措置時，應隨時互相商議之。

上述協定締結後，日俄卽通告英法德各國，並於七月十一日正式發表，表示日俄要維持東三省現狀，維護既得的權益，不容他國力量的侵入，不啻對美國下了一個警告。

日俄兩國除上述公開協定外，同時簽訂第二次日俄密約六條，原文如次：

俄羅斯第國政府及日本帝國政府，茲爲鞏固及增進一九〇七年七月三十日所簽條約之性質，同意締結下列之條款。

第一條　俄國與日本承認一九〇七年密約附屬條款所劃定兩國在滿洲特殊利益範圍之分界線爲疆界。

第二條　兩締約國擔任相互注意其在上述範圍之特殊利益。因此彼此承認各自範圍內之權利，必要時採取保護此種利益之措置。

第三條　兩締約國各自擔任，不以任何方法阻礙他締約國在範圍內鞏固及發展特殊利益。

第四條　兩締約國各自擔任，禁止在其他締約國滿洲特殊利益範圍內之一切政治活動。更經諒解，俄國不在日本範圍內，及日本不在俄國範圍內，覓取足以損害彼此特殊利益之任何特惠及讓與權。俄日兩國政府尊重本日所訂公開條約第二條所述，根據條約及其他協定所獲得各自範圍內之一切權利

第五條　爲保證互相約定之工作，兩締約國對於一切與彼此滿洲特殊利益範圍有共同關係之事，應隨時和衷誠意商議之。特殊利益如感受威脅時，兩締約國同意採取防範此種利益之辦法。

第六條　兩締約國對本約嚴守秘密。

日俄第二次秘密協定的性質，略似攻守同盟；東三省若果有第三國介入時，日俄的攻守同盟，便很容易形成，藉以鞏固兩國在東三省的特殊地位。第二次日俄密約於一九一〇年七月四日簽訂，日本便於同年八月二十二日合併韓國，俄國便開始策動外蒙古之獨立，日俄對中國的侵略，更日甚一日。

三、中國政府的態度

日俄第二次協定公布後，中國外務部於七月二十七日照會日俄兩使及各國駐京公使，聲明按照日俄樸資茅斯條約及中日北京條約，維持中國主權及機會均等主義；這便是中國政府所持的態度。茲錄當時外務部致出使各國大臣電文如次：

「前准日俄兩使面交協約，本部現於本日照會該兩使，略言：此協約日俄既相約重視中日，中俄，日俄各約，則於一千九百零五年日俄合約所承認中國在東三省主權，顧全列强機會均等，並贊同中國設法振興東三省工商實業各節，及光緒三十一年中日議訂東三省條約，開放東三省主義，均相符合，且更確定。中國政府自應按照日俄和約之宗旨，實行中日條約之主義。凡關於中國主權內之行動，各國之機會均等，及開展東三省之工商實業等事，益當切實維持，期於大局均有裨益等語。除通知各使並通電外，希告外部。外務部十五日。」

中國當時所知的，是公開發表的日俄協約，對於密約自無從知悉。實際上門戶開放機會均等的主張，已不能實行於東三省；東三省已爲日俄劃定範圍，分別獨佔。從此，中國的外患，即爲日俄兩國。在形勢上可爲中國之友的，僅有美國，至英法德等國已居於次要地位。

第四節　英法德三國的態度

一、英國的態度

英國是打破中國閉關主義的第一個國家，從鴉片戰爭到英法聯軍之役，英國是居於主要的地位。在中日甲午戰爭前，一八七四年訂立中英烟台條約，一八八六年訂立中英緬甸條約，英國對中國的侵略，還是居於領導地位。但在甲午中日戰爭後，日本崛起於東方，俄國以中俄密約關係，取得東三省的特殊地位，美國亦開始注意遠東問題，英國對中國之交涉，已不能居於領導的地位。

英國是時領土遍於全球，對中國商業的利益，重於土地的侵佔。英國是時利於中國的門戶開放機會均等，不利於中國的瓜分割讓。門戶開放政策，實由於英人的倡導，但由美國出面提出，可知美國在遠東的地位，已不在英國之下。

俄國於庚子以後，强佔東三省，咄咄逼人，有危害英國遠東利益的趨勢，英國爲制止俄國的發展，不能不在遠東尋覓助手，最合於英國之用的，莫如日本，於是在一九〇二年一月三十日締結英日同盟條約。

英日同盟條約的精神，雖以保持中韓兩國獨立爲名，其實係防止中韓兩國之利益爲俄國所獨佔。一九〇四年日俄戰爭，英人的助日，實爲日本勝利的主因。俄人戰敗，英國在遠東的利益已不虞俄人的侵佔，但是時德國崛起，有與英人爭雄的趨勢，英國爲利用日本防衛印度，一九〇五年續訂英日同盟條約，以五年爲期；一九〇七年又與俄國締結英俄協約。英國在日俄戰後，既聯日，又聯俄，美國提出東三省鐵路中立計劃，因日俄之拒絕，英國自無法贊同。英國在遠東形勢，在保持既得權利，已由進取趨於保守。一九一〇年英日續訂第三次同盟，以十年爲期，英國欲利用日本維持遠東現狀。但日本在第一次世界大戰期間，侵略野心顯露，有獲覇亞東的企圖，英國認爲英日同盟已失存在價值。日本仍想續盟一九二〇年遣皇太子訪問英國，以示友好，但英國僅允延長一年。華盛頓會議時英日同盟正式取消，代之以有名無實的英美日法四國協約。

二、法國的態度

從鴉片戰爭到英法聯軍之役，法國在中國的侵略，僅次於英國。一八七〇年普法戰爭，法國大敗，俾士麥恐法國對德國報復，慫恿法國向外發展，使法國與第三者發生衝突。一八八四年中法之戰，法國果與中國衝突，結果中國雖然失敗，法國也沒有得光榮的勝利。一八九〇年俾士麥被迫去職，德皇威廉第二即位，改變俾士麥的外交政策。一八九二年法國與俄國締結同盟，突破在歐洲孤立的狀態；法國政府爲聯絡俄國計，鼓勵銀行家對俄投資，使俄國能修建橫越西北利亞鐵路。一八九五年中日馬關條約，割讓遼東半島，法國在俄國主動之下，與德俄兩國干涉日本退還遼東半島。俄國在一八九六年借給中國的一萬萬兩白銀，係向法國所轉借。從此法國在遠東之政策，遂追隨俄國之後。

一九〇四年法國又與英國簽訂友好協約，法國承認英國取得埃及的統制權，英國也承認法國在摩絡哥的特殊權利。法國聯俄聯美，目的在對付德國，法國的遠東政策，在二十世紀之後，遂居於被動地位。

一九〇二年英日同盟，俄國認為係與俄為敵，為對抗英日計，遂將俄法同盟關係，擴張至遠東方面。一九〇二年三月十二日俄法向各國發表下述之聲明。

「俄法兩國政府，以保持遠東現狀及全局之和平為目的，對於一千九百二年一月三十日之日英協約，確信其以保全中韓兩國領土，及商業上兩國門戶開放為基礎，與俄法兩國從來主張之諸原則，不相違異，表示十分滿足。俄法兩國政府尊重前記之諸原則，為兩國在遠東特別利益之保障。若因第三國侵略行動，或中國所生騷擾，致中國之保全與其發展，不能鞏固，因之兩締盟國特別利益受侵犯時，兩國政府得採取防禦之手段。」

上述聲明，係俄國對抗英日，虛張聲勢的手段，法國之出於被動，極為明顯。日俄戰爭發生，英國對日本幫助甚大，而法國對俄國幫助甚小，可作明證。

一九〇七年日俄由衝突而妥協，訂立日俄第一次密約。當美國提出東三省鐵路中立計劃時，法國表示非日俄兩國贊同後，法國不能加入，可見法國的遷就俄國，是時法國最注意的是歐洲的均勢，和法國的安全，為買好俄國計，在遠東方面，當然不能主持正義。

三、德國的態度

德國在遠東實施積極政策，是在十九世紀末葉。一八九七年十二月山東鉅野地方，有暴徒殺死德國傳教士二人，德國遂藉口派遣艦隊，闖入膠州灣。一八九八年三月壓迫中國簽訂了膠澳租借條約。但德國在中國之經營，已落英法日俄之後，又因法俄同盟、英日同盟、英俄協約之關係，英法日俄在一九〇七年以後，已形成聯合陣線。德國考慮遠東客觀環境，僅有美國可資聯絡。在美國提出東三省鐵路中立計劃時，德國遂表示贊同。

一九〇九年十二月八日美國駐德代辦向德國首相荷爾威格（B.Hollwerg）致送東三省鐵路中立化節略，德首相卽向威廉第二，提出完全贊同的主張，他上奏說：

「從政策論點出發，我們甚望俄國能在遠東方面，日益穩據，以與日本多生衝突機會。惟就東三省方面近來情形觀之，並不如此；日俄之間對於東三省問題，彼此能妥協一致。……東三省問題恰恰給與日俄兩國彼此接近之機會，或者竟由此結成一種普通同盟。假若兩國對東三省問題，只與衰弱的中國發生交涉，則日俄兩國結局同盟之事，極屬可能。假如日俄兩國察覺美國，尤其是英國，對於日俄在東三省企圖，意欲竭力反抗，則日俄兩國希望彼此合作之熱情，勢將大爲冷淡。美國條陳對於此點，實曾加以注意。因之，專就此項理由而論，該項條陳，已值得表示同情。

若由商業故策出發，則美國此項條陳，我們更應十分歡迎。蓋中國統治主權及領土完整，如能保持不變，所有全國皆爲我國商業開放，則實於德國在華商業，最爲有益；關於此點，我們實與美國相同。美國與我們一樣，對於取得中國土地，以及瓜分中國成爲勢力範圍之舉，皆非所願。反之，其他列強，尤其是日本俄國以及英國，其目的却與德美不同。因此之故，我們對於中國問題，似以結納美國爲重要盟友爲妥。……」

至於美國之意，以爲俄日兩國對於此種條陳，當可欣然贊同云云，似乎太爲樂觀。日本方面對此，一定不甚歡迎；卽在俄國方面，亦未必恰合口味。但此種情形，我們實可不必加以重視，蓋日本盟邦俄國好友之英國，並未因此障礙，拒絕美國條陳故也。倘對英國此種行動加以考察，則我們關於美國條陳之一切疑慮，尚未完全掃去者，均可置之不顧。……倘若我們對美國條陳加以拒絕，則將使我們與美國之良好邦交，陷於危險，並促美國往親英國方面。至於我們接受美國條陳，亦不至顯然與俄為難，蓋此舉並非由我們發起，只是臨時贊成美國一種偶然提議而已。而且此提議，因與中國門戶開放原則相合，此項原則，俄國至少在理論方面，亦會主張者也。………」

威廉第二對於此項奏章，完全贊同，德國遂表示贊同美國所提東三省鐵路中立計劃。但此時（一九〇九）英法日俄之團結，實由英國主動，以對付德國為目的，德國此項主張，並未發生作用。此後歐洲列強在歐洲之衝突，日趨緊張，一九一四年七月廿八日歐戰爆發，德國在遠東之勢力遂全被排除。

本章參考書

一、張忠紱著：中華民國外交史（一）第一章。
二、黃大受編：中國近代史下冊第十九章。
三、何漢文著：中俄外交史第六章
四、劉黃彥著：中國外交史第十四章
五、Norton: China and the Power (1927) 第二章第三章
六、Clyde: United States Policy toward China (1940) 第三十五章
七、H. B. Morse: The International Relation of Chinese Empire 第三券十五章三十節（本節敍述排美運動）

八、H.F. MacNair: China's New Nationalism and Other Essays 第十七章、第十八章（十七章述美國外交政策，十八章述退還庚款經過。）

下卷　中國現代外交史

第一章　中華民國誕生初期的外交

第一節　革命政府的外交態度

一、中山先生的外交態度

辛亥革命，光復武昌，中山先生適在美國科羅拉多州（Colorado）的丹華城（Denver）。十月十二日晨自報紙中得知同志起義消息，中山先生知道當時外交的重要，遂繞道歐洲，與英法各國接洽。中山先生在自傳上說：『時予本可由太平洋潛回，則二十餘日可到上海，親與革命之戰，以快生平，乃以此時吾當盡力於革命事業者，不在疆場之上，而在樽俎之間，所得效力爲更大也。故決意先從外交方面致力，俟此問題解決而後回國』。

中山先生以革命事業之外交關鍵在於英國，乃首途赴英，向英政府要求三事：（1）止絕清廷一切借款，（2）制止日本援助清廷，（3）取消各處英屬之放逐令，以便取道回國。三事皆得英國政府允許，中山先生乃取道法國東歸。過巴黎時，復獲得法國朝野之同情。先生自傳說：

「按當時各國情形，美國政府對於中國則取門戶開放，機會均等，領土保全，而對於革命則尙無成見，而美國輿論則大表同情於我。法國則政府民間之對於革命皆有好意。英國則民間多表同情，而政府之對中國政策，唯日本之馬首是瞻。德俄兩國當時之趨勢，則多傾向於清政府，而吾黨之與彼政府民間皆向少交際，故其政策無法轉移。惟日本則與中國最密切，而其民間志士不獨表同情於我，且尙有捨身出力以助革命者，唯其政府之方針實不可測。按之往事，彼曾一次逐余出境，一次拒我之登陸，則其對於中國之革命事業可知。但以庚子條約之後，彼一國不能在中國單獨行動。要而言之，列強之與中國最有關係者有六焉，美法二國則當表同情革命者也；德俄兩國，則當反對革命者也；日本則民間表同情，而其政府反對者也；英國則民間同情，而其政府未定者也。是故吾之外交關鍵，可以舉足輕重，爲我成敗存亡所係者，厥爲英國。倘英國右我，則日本不能爲患矣。…………到英國時，由美人同志咸馬里代約四國銀行團主任會談，磋商停止清廷借款之事。先清廷與四國銀行團結約，訂有川漢鐵路借款一萬萬元，又幣制借款一萬萬元，此兩宗借款，一則已發行債票，收款存備待付者，一則已簽約而未發行債票者。予之意則欲銀行團於已備之款停止交付，於未備之款停止發行債票。乃銀行主幹答以對於中國借款之進止，悉由外務大臣主持，此事本主幹當惟外務大臣之命是聽，不能自由作主也云云。予於是乃委託維加炮廠總理爲予代表，往與外務大臣磋商，向英政府要求三事，一止絕清廷一切借款，二制止日本援助清廷，三取消各處英屬政府放逐令，以便予取道回國。三事皆得英政府允許，予乃再與銀行團主幹商革命政府借款之事。該主幹曰：我政府既允君之請而停止吾人借款清廷，則此後款銀行團借與中國，只有與新政府交涉耳。然必君回中國成立正式政府之後，乃能開議也。本團今擬派某行長與君同行歸國，如正式政府成立，就近與之磋商可也。時以予在英國個人能盡之義務已盡於此矣，乃取道法國而東歸。過巴黎會往見其朝野之士，皆極表同情於我，而尤以現任首相格利門梳（Clemenceau）爲最懇摯。」

二、鄂省軍政府外交的態度

庚子之役以後，我國已淪爲次殖民地，革命乃非常事件，倘外交事件，偶一不愼，易引起列強之干涉。一九〇五年同盟會成立後，革命風潮一日千里，外國政府對於中國革命黨多刮目相看。武昌起義前，兩湖已入恐慌時期，總督瑞澂曾與德國領事有約，請彼調兵船入武漢，倘有革命黨起事，則開炮轟擊。及武昌首義，瑞澂立逃漢口，請德領事如約以兵艦炮擊我軍。德領事因限於辛丑和約，一國不便自由行動，乃開領事團會議。各國領事對於此事，多無成見，惟法國領事羅氏乃中山先生舊交，深悉革命內容，於會議席上，力言革命黨之目的在改良政治，決非無意識之暴擧，不能以義和團一例看待，而加干涉。時駐漢口領袖領事爲俄國領事，因法俄協約關係，對法領事主張不便反對；復經鄂省軍政府外交代表胡瑛之疏通，決定與法領事取一致態度。俄法兩國領事力主不加干涉，領事團乃決定態度，拒絕德領事干涉之議，而宣告中立。

武昌起義次日，清吏夏口道亦曾請求外國兵艦巡行武漢江面，禁止革命軍渡江攻擊漢口，各國領事對此亦拒不接受，僅集中力量，保護租界。各領事接得武昌軍政府八月二十二日之正式照會後，領事團以正式照會答復武昌軍政府，聲明『嚴守中立，並照租界規則，不准携帶軍械之武裝人，在租界內發現，及在租界內儲匿各式軍械及炸藥等事。』漢口領事團首開嚴守中立之例，於是各地領事團相率效尤，各地外人干涉之危機，因革命軍外交處置適當，而告消除。

辛亥年八月十九日（即十月十日）武昌首義，二十日光復漢陽，廿一日克復漢口，廿二日鄂省軍政府以正式公文照會各國領事說：

中華民國軍政府鄂省都督照會事：我軍政府……建立民國，同時對於各友邦益敦睦誼，以期維持世界之和平，增進人類之幸福。所有民國軍政府對外之行動，特先知照，免滋誤會。

一、所有清國前此與各國締結之條約，皆繼續有效。

一、賠償外債照舊擔任，仍由各省按期如數攤還。

一、居留軍政府佔領地域內之各國人民財產，均一律保護。

一、所有各國之既得權利，亦一體保護。

一、清政府與各國所立之條約，所許之權利，所借之國債，其事件成立於此次照會後者，軍政府概不承認。

一、各國如有接濟清政府以妨害軍政府者，概以敵人視之。

一、各國如有接濟清政府以可爲戰事用之物品者，搜獲一概沒收。

以上七條特行通告各友邦，俾知師以義動，並無絲毫排外性質參雜其間也。相應照會貴領事，轉呈貴國政府查照。

武昌首義後，各省相繼光復，各地民軍於起事之初，與鄂省軍政府大略相同，宣布承認外人既得權利，負責保護外人生命財產；故起義後，未發生與外人衝突事件，各地領事團亦宣告採起中立態度。

三、民國政府的外交態度

中華民國元年一月一日，孫中山先生在南京就任中華民國臨時大總統，一月三日向參議會提出國務員名單，以王寵惠為外交總長。一月五日正式對外宣言，表明民國政府的外交態度。宣言原文節錄如次：

溯自滿洲入主，據無上之權威，施非理之抑勒，裁制民權，抗違公意，我中華民國之知識上，道德上，生計上種種之進步，坐是遲遲不前。識者謂非實行革命，不足以盪滌舊汚，振作新機。今幸義旗軒舉，大局垂定，吾中華全體，用敢以推倒滿清專制政府，建設共和民國，布告於我諸友邦。……當滿清未竊神器之先，諸夏文明之邦，實許世界各國以交通往來，及宣布敎旨之自由，馬閣著述，大秦景敎碑之記載，斑斑可考也。有明失政，滿夷入主，本其狹溢之心胸，自私之僻見，設為種種政令，固閉自封，不令中土文明，與世界各邦相接洽，遂使神明之裔，日趨塞野。……歷年種種之撓敗，不足激其羞恥之心，坐令吾國吾民遭世界之輕視。…………吾人今欲湔除上述種種之罪惡，俾吾中華民國得與世界各邦，敦平等之睦誼，故不惜捐棄生命，以與其惡政府戰，而別建一良好者以代之。猶恐世界各邦或昧吾民睦鄰之眞旨，故將下列各條，披瀝陳於各友邦之前，我各友邦尙垂鑒之。

（一）凡革命以前所有滿政府與各國締結之條約，民國均認為有效，至於條約期滿而止，其締結於革命起事以後者則否。

（二）革命之前，滿政府所借之外債，及所承認之賠款，民國亦承認償還之責，不變更其條件。其在革命軍興以後者則否。其前經訂借事後過付者亦否認。

（三）凡革命以前滿政府所讓與各國國家，或各國個人種種之權利，民國政府亦照舊尊重之。其在革命軍興以後者則否。

（四）凡各國之人民生命財產，在共和政府法權所及之域內，民國當一律尊重而保護之。

（五）吾人當竭盡心力，定爲一定不易之宗旨，期建吾中國於堅定永久基礎之上，務求適合於國力之發展。

（六）吾人必求所以增長國民之程度，保持其秩序，當立法之際，一以國民多數幸福爲準。

（七）凡滿人安居樂業於國民法權之內者，民國當一視同仁，予以保護。

（八）吾人當更張法律，改訂民法商法及採礦規則，改良財政，解除工商各業種種之限制，並許國人以信教之自由。……………

觀革命政府對外宣言，態度嚴正，措詞得體。前文說明革命之理由，所列八條，第一承認滿政府過去締結之條約，所借之外債，所承認之賠款，及所讓與之權利；因此時各國利害一致，若否認清政府之一切對外義務，將使各國協助清政府，將益增革命外交之糾紛。第二在革命軍興後，清政府對外一切行動，革命政府決不承認，凍結了滿清政府的活動；滿清政府不能不退位，此爲一重要的原因。第三在（五）（六）（七）（八）條表明革命政府的根本主張，以一新世界的耳目。

革命政府對外宣言發表後，南方議和代表伍廷芳亦致電駐北京天津外國公使領事，請求嚴守中立，並聲明民軍所至，必極力保護外人。因革命政府外交之措施適宜，各國能取中立態度，對於清廷拒絕借款，承認民軍爲交戰團體。

第二節　巴西、美國首先承認民國政府

武昌起義後，因革命政府外交處理的適宜，各國表面上均採取中立態度，不干涉中國之內政。當各省相繼宣佈獨立之時，各國雖不肯承認民軍政府，但爲保衞各國的利益，仍就地與民軍領袖交涉。民國元年二月十二日清帝遜位詔頒布後，中國雖有南北兩政府對峙，在法律上則無一政府曾經外人承認。四月一日孫大總統解職，將大總統印信交還參議院。在孫總統未解職前，二月十三日提出辭職於參議院，並薦袁世凱自代。二月十五日參議院選袁世凱繼任臨時大總統，三月十日袁氏正式在北京就職。四月五日參議院議決臨時政府遷往北京。各國雖未承認我政府，各國駐使仍與北京政府交涉，而各國政府亦均承認北京政府駐外之代表。此種情形繼續至民國二年各國政府正式承認中華民國政府爲止。

在各國未正式承認我國期間，雖能採取一致行動，不干涉我國內政，但英俄日三國，均有其一已之私慾，欲借承認問題，達到其企圖的交換條件。英國之目的，在維持門戶開放政策，但欲乘機侵入西藏，欲向中國取得在西藏之特權，以爲承認的交換條件。俄國此時之目的，在鞏固俄國在中國之地位，並擴展其在外蒙之利益。日本此時則野心勃勃，不僅欲擴展其在東三省南部及內蒙之利益，且想乘機侵略中國內地。至美法德三國，只在保衞其本國在中國之利益，其中以美國的態度最爲公正。美國的目的，在維持中國

之領土完整與門戶開放，防止他國乘機漁利；故美國之政策，一方在聯合各國採取一致行動，一方在設法安定中國的紛亂。

革命政府成立後，外長王寵惠曾函電美國政府請求承認，美國政府未置答。民國元年二月廿九日（一九一二年）美國上下兩院通過一決議案，慶賀中國共和政府的成立；但美國政府對於承認問題，尚無表示。五月六日美國政府電詢駐華美使對於承認新政府之意見；美使復電，主張迅速承認中國政府，以安定中國內政，列強若能同時承認尤佳。七月二十日美政府電詢英、法、德、日、俄、意、奧等國政府，是否願即承認民國政府，並謂美國民意均主張立即承認中國新政府，美政府不便久違民意。但各國之復電，竟不贊成立即承認，俄國主張須俟中國政府正式成立，對外人在華之條約權利給予正式保障後，始能承認；日本以立即承認爲不智，而且有害；其他各國則均認爲時機未至。美政府見各國均表示異議，乃決定俟中國臨時政府終止，中國憲法頒佈後，再予承認，以維持列強合作的原則。

民國二年（一九一三）三月四日美國新總統威爾遜就職，駐華美使館於三月十八日致電美國政府，主張迅速承認北京政府，以免他國藉承認問題，向中國作非分之要求。四月二日美政府通知各國，美國已決定立即承認中華民國政府，邀請各國合作。四月六日並向美國駐北京使館發出訓令，俟中國國會正式召集，國會組織完備之時，立即以美國總統致中華民國總統之國書送達，正式承認中華民國政府。中國國會於民國二年四月八日正式在北京開幕，中國參議院衆議院先後組織完成，五月二日美國駐華代表正式送達美總統致中華民國總統之國書，正式承認中華民國政府。

美國正式承認中華民國前，巴西於四月八日首先承認，五月二日美國、墨西哥承認，五月四日古巴承認，五月五日祕魯承認。十月十日袁世凱正式就任總統後，奧大利，葡萄牙，荷蘭於當日承認；西班牙、德意志、意大利、法蘭西、瑞典、丹麥、比利時於次日承認；瑞士、挪威亦隨之承認。惟俄英日三國，則藉承認民國問題，向袁世凱政府提出交換條件，俄國要求外蒙自治，英國要求西藏自治，日本要求滿蒙五鐵路之建築權。

第三節　中俄外蒙之交涉

一九〇五年日俄戰爭後，日俄由衝突而妥協，兩次簽訂密約，劃分在東三省的勢力範圍，並由日本承認俄國在外蒙的特殊利益，交換俄國承認日韓的合併。從此，俄國對外蒙的侵略日益加遽。

一、俄人慫恿外蒙獨立

俄人最初侵略蒙古的方法，除以通商等直接方法外，更利用與蒙古人同信仰的布里雅特人，潛令出入外蒙，引誘勾結，唆使蒙人叛華親俄。同時對於庫倫活佛哲布宗丹巴，常遣使往還，贈送珍貴物品，以結其心。因此活佛漸有叛清親俄之趨勢。此時清政府非但不知注意，反派遣昏庸的三多爲庫倫辦事大臣，舉辦新政，遭受蒙人之不滿。辛亥革命發生，俄人遂乘機煽動，慫恿活佛獨立，另建蒙古國，由活佛爲君主。哲布尊丹巴在俄人指使之下，限令三多於三日內，帶同文武官員暨馬步兵隊等從速出境。是時俄蒙軍隊均已佈置就緒，約共五千餘人（內俄軍一千餘名），駐庫倫中國軍隊只一百三十人，無對敵之可能，三多乃決定撤退。由俄軍押送三多出境，前往恰克圖，取道西北利亞鐵路回京。三多被逐出境後，外蒙乃於一九一一年十一月宣布獨立，哲布尊丹巴於同年十二月二十八日在庫倫即位，組織政府，稱大蒙古國，年號「共戴」。俄政府致送槍多枝，以示慶賀。俄蒙雙方議定，「庫倫政府」得雇用俄籍軍官四十五人教練蒙兵，軍械彈約亦應購自俄國。外蒙復以金礦爲抵押，向俄政府借款二百萬盧布。

自南京臨時政府成立後，臨時總統中山先生即宣稱：「蒙民爲中華民國五大民族之一」，並於二月二十八日佈告國民消融意見，蠲除畛域說：『今中華民國已完全統一矣……合漢滿蒙回藏爲一家，相與和衷共濟……而今而後，務當消融意見，蠲除畛域，以營私爲無利，以公意爲當謀，增祖國之榮光，造全民之幸福。』革命政府對外蒙之獨立，視與各省之獨立相同，不視其脫離中華民國。臨時政府北遷，袁世凱亦屢電哲布尊丹巴，勸其取消獨立。但因俄人作梗，未能成功。

二、日俄第三次密約

辛亥革命發生時，日本有直接操縱干涉之意，但因英國之阻止，及各國共同行動之約束，不能自由行動。日本知道要想在中國施展侵略陰謀，非與他國獲得諒解，聯合行動不可，遂派前任駐俄大使本野一郎赴俄，與俄國政府交換意見。俄國爲實現侵略蒙古之行動，與日本有同樣的需要，遂於民國元年（一九一二年）七月八日在聖比德堡簽訂第三次日俄密約三條，劃分兩國在內蒙古的勢力範圍。密約全文如下：

爲確定並完全一九○七年七月三十日及一九一○年七月四日之兩次密約，並防止關於滿洲特殊利益之可能的誤解起見，俄日兩國政府決定展長一九○七年七月三十日密約之分界線，並劃定內蒙古之特殊利益範圍，茲協定下列條款；

第一條　從訛兒河與東經一百二十二度相交之點起，界限應沿 Oulovnl Chourh 及 Maushal 河，至 Moshisha 與 Haldaitai 河之分水界，從此沿黑龍江與內蒙古之邊界，直至內外蒙古之邊疆。

第二條　內蒙古分爲兩部：分爲經度一百一十六度二十七分以東之部及以西之部。俄羅斯帝國政府擔任承認及尊重日本在上述經度以東內蒙古之特殊利益，日本帝國政府擔任同樣義務，尊重在上述經度以西之俄國利益。

第三條　兩締約國對本約均須嚴守秘密。

日俄簽訂第三次密約，以侵略內蒙古爲目的，使中國政府窮於應付，則俄國之侵略外蒙，自更易着手。俄國外交大臣門查諾夫於簽訂日俄第三次密約後，又訪問英國，使英俄間對於西藏蒙古的侵略，相互間有一種諒解，作承認民國政府的交換條件。

三、俄國與外蒙簽訂俄蒙協約、通商章程、開礦合同

俄政府對於外交佈置就緒，遂壓迫「庫倫政府」，簽訂種種條約，以攫取外蒙之富源，並限制中國勢力伸入外蒙。民國元年十月俄政府派遣郭素維慈至庫倫，簽訂俄蒙協約，通商章程及開礦合同，各約內容簡述如次：

（甲）俄蒙協約。民國元年十一月三日簽訂，共四條，茲錄前三條原文如次：

（一）俄國政府扶助蒙古保守現已成立之自立秩序，及蒙古編練國民軍；不准中國軍隊入蒙境，及以華人移殖蒙地之權利。

（二）蒙古元首及蒙古政府，准俄國屬下之人及俄國商務，照舊在蒙古領土內享用此約專條所有各特殊權利，其他外國自不能在蒙古得享權利，加多於俄國人在彼得享之權利。

（三）如蒙古政府以為須與中國或別外國立約時，無論如何，其所訂之新約，不經俄國政府允許，不能違背或變更協約及專條內所列條件。

（乙）俄蒙通商章程（即俄蒙商務專條）。與俄蒙協約同日簽訂，共十七條，要點如次：

（一）俄人得在蒙古境內各地，自由居住移動，並經理商務工業以及其他事項。

（二）俄人在蒙境，享有領事裁判權。

（三）俄商免納出入口稅，並自由貿易，無論何項稅課捐，概免交納。

（四）俄國銀行有權在蒙古開設分行。

（五）俄人有權在蒙古境內租賃或購買地段，建造商務製作局廠，或修築房屋舖戶貨棧，並租用閒地，開墾耕種。

（六）俄國認為有必要設領事之地，有派領事駐紮該地之權。

（七）凡有俄國領事之處，及有關俄國商務之地，均可設立貿易圈，以便俄人營業居住，專歸領事管轄，如無領事之地，歸各商務公司之領袖管轄。

（八）俄國在蒙古境內，有權自行設立郵局。

（九）俄人得在蒙境建築橋樑渡口，且准其向經過橋樑渡口之人，索取費用。
（十）俄國沿界居民得在蒙境割草漁獵。
（丙）俄蒙開礦合同。一九一二年十二月簽訂。內容要點如下：
（一）蒙古政府根據俄蒙協約，對於境內之礦產，允許俄人自由開採。
（二）礦務公司設在三音諾顏部，其分公司不限定地點。
（三）公司資本由俄國官商籌集，但蒙古人亦得加入五分之二。
（四）他國人不得加入資本。
（五）俄國人由礦務公司之介紹，自蒙古政府請求採礦證時，已得證書後，無論何時，不失其效力。

俄國的外交策略，常是「捨名取實」，他慫慂外蒙獨立，在俄蒙協約中，僅說：「扶助蒙古保守現已成立之自立秩序」，而不明言外蒙獨立。不准中國軍隊入蒙境，不准華人移殖蒙古，就是排斥中國在外蒙之勢力。俄人明知中國不能承認外蒙獨立，故留下中國承認外蒙自治的地步。從俄蒙通商章程看，俄人可在蒙古境內自由居住移動，且享有領事裁判權；俄人在學經商，可以不繳納出入口稅，並取得若干特權。從俄蒙開礦合同看，俄人可自由開採礦產；取得採礦證時，無論何時，不失其效力。俄人在外蒙僅享權利，不盡任何義務，簡直以外蒙爲任意剝削的殖民地。

四、我國政府的抗議和交涉

俄蒙協約於民國元年十一月三日簽訂，我政府已知消息，於該項協約簽字前一日向駐北京俄使提出抗議，並電駐俄公使劉鏡人向俄政府正式聲明外蒙爲中國領土，不能與他國訂立條約，無論俄蒙間成立何種協定，中國政府概不承認。俄蒙協約簽定後，十一月三十日，北京俄使向我提出要求事項：(1)俄蒙協約有效，(2)蒙古行政改革借款由俄國供給，(3)俄人在蒙古行動自由，(4)俄蒙間建築鐵路，中國不得干涉。俄使要求被我政府嚴詞拒絕。此後外交總長陸徵祥與俄使迭次協商，歷時半載，會議三十餘次，至民國二年五月二十日，雙方始議定條文六款，原文節錄如下：

中俄兩國爲免除蒙古現在所能發生之誤會起見，協定條款如下：

一、俄國承認蒙古爲中國領土完全之一部分。……

二、中國擔任不更動外蒙古歷來所有之地方自治制度，……許其有組織軍備及警察之權，並許其有拒絕非蒙古籍人在其境內移民之權。

三、俄國一方面擔任，除領署衞隊外，不派兵至外蒙古，並擔任不將外蒙古之土地舉辦殖民，又除條約所許之領事外，不在彼設置他項官員代表俄國。

四、中國願用和平方法，施用主權於外蒙古。……

五、中國政府因重視俄國的調處，故允在外蒙地方將下開之商務利益，給予俄民。（依照一九一二年十一月三日俄蒙兩方簽訂之通商章程）。

六、以後俄國如與外蒙古官吏協定關於該處制度之國際條件，必須經中俄兩國直接商議，並經中國政府之許可，方得有效。

上述六條，在名義上外蒙爲中國領土，在實質上完全承認俄人既得之權利，事實上外蒙等於俄國的附庸。在中國政府提請國會討論時，衆議院於七月八日可決，參議院於七月十一日否決。

五、袁世凱政府承認俄國的要求

在參議院否決中俄協定六條時，袁氏已決心消除國民黨勢力，惟是時尚未當選總統，尚欲利用國會。民國二年十月六日袁氏當選總統，十一月四日即取消國民黨籍國會議員，事實上等於解散國會（因國會已不足法定人數），國會不能行使職權後，袁氏對外對內均可爲所欲爲。

孫寶琦繼任外長後，與俄人繼續交涉，議定聲明文件五款，附件四款，此項條款係袁氏批准，其所以改用聲明文件，係爲避免國會之批准。十一月五日孫氏與俄使會同簽押，六日互換，聲明條款如次：

一、俄國承認中國在外蒙之宗主權。

二、中國承認外蒙古之自治權。

三、中國承認外蒙古人自行辦理內政，並整理本境一切工商事宜之專權。中國允許不干涉以上各節，是以不將軍隊派駐外蒙古，及安置文武官員，且不辦殖民之擧；惟中國可任命大員，偕同應用屬員暨護衞隊駐紮庫倫。此外，中國政府亦可酌派專員，保護中國人民利益。…………

四、中國承認俄國調處，按照以上各款大綱，以及一九一二年十月廿一日（此係俄曆，即西曆一九一二年十一月三日）俄蒙商務專條，明定中國與外蒙古之關係。

五、凡屬於俄國及中國在外蒙古之利益，暨各該處因現勢發生之各問題，均應另行商訂。

聲明另件四款如次：

一、俄國承認外蒙古土地爲中國領土之一部分。
二、凡關於外蒙古政治土地交涉事宜，中國政府允與俄國協商，外蒙古亦得參與其事。
三、正文第五款所載隨後商訂事宜，當由三方面酌定地點，派委代表接洽。
四、外蒙古自治區域，應以前清駐紮庫倫辦事大臣，烏里雅蘇台將軍，及科布多參贊大臣所管轄之境爲限。惟現在因無蒙古詳細地圖，而各該處行政區域，又未劃清界限，是以確定外蒙古疆域，及科布多阿爾泰劃界之處，應照聲明文件所載第五款日後商定。

觀上述聲明五款，另件四款，我國喪失權利，較參議院否決的協定條款六條，大體相同，另款第四條更使俄人有侵佔我國領土的機會。袁世凱政府爲交換俄國的承認，竟承認俄蒙造成的既成事實，使俄人在外蒙享受特權。

六、中俄蒙協約

根據中俄聲明文件第五款，及另件第三款，凡關於俄國及中國在外蒙古之利益，暨各該處因現勢發生之問題，均應由中俄蒙三方面酌定地點，派委代表接洽。因此，民國三年元月二十七日袁世凱派畢桂芳陳籙，爲會商外蒙事件全權專使，照會俄政府，請依約派使會議。俄政府遲至八月十三日始照復中國，允於九月八日中俄蒙三方在恰克圖會議。自民國三年九月八日開議，至民國四年六月七日止，正式開會四十八次，會晤談判亦不下四十次，始獲協議。中俄蒙協定共二十二條，於民國四年六月七日訂立，重要內容如次：

一、外蒙古承認民國二年十一月五日中俄聲明文件及中俄聲明另件。（第一條）
二、外蒙古承認中國宗主權，中國俄國承認外蒙古自治，爲中國領土一部份。（第二條）
三、自治外蒙無權與各外國訂立政治與土地關係之國際條約。凡關於外蒙古政治及土地問題，中國政府擔任按照民國二年十一月五日中俄聲明另件第二條辦理。（第三條）
四、庫倫活佛受中國大總統冊封，外蒙古公事文件上，用民國年歷，並得兼用蒙古干支紀年。（第四條）
五、中國承認外蒙自治官府有辦理一切內政，並與各外國訂立關於自治外蒙工商事宜國際條約及協約之專權。（第五條）
六、中國駐庫倫大員其衞隊不得超過二百名，其他各地之佐理人員，每處衞隊不得過五十名。俄國駐庫倫領事衞隊不得過一百五十名，其他各地領事，其衞隊每處不得過五十名。（第七條第八條）
七、民國二年十一月五日中俄聲明文件，及一九一二年十月二十一日俄蒙商務專條均應繼續有效。（第十一條）

中俄蒙協約中國所爭得的，除衞隊比俄國多五十名外，其餘爲冊封尊號，改用民國年曆等虛儀。俄國所得的，則是俄蒙商務專條的實惠，蒙古形式上所得的是自治，實際上已接受俄國的支配。

第四節　中英西藏之交涉

一、英國以西藏自治爲承認民國政府的條件

中山先生於返國前訪問英國，於英國對華外交態度有相當的影響。辛亥革命後，日本擬對華干涉，其所以不能見諸事實，一面由於美國主張各國一致嚴守中立，不干涉中國之內政；一面則由於英國表同情於革命軍，對華政策能與美國合作。因爲英日是時爲同盟國，英國的態度能影響日本，使日本不能不嚴守中立，與各國採取一致行動。

英國政府在中國革命時期，在大體上確係嚴守中立，不干涉中國內政，但英政府對於西藏則仍有侵略的企圖。民國元年八月十七日駐華英使照會北京政府，謂英國只承認中國在西藏之宗主權，不承認中國在西藏之主權，若中國不承認英國對於西藏之要求，則英政府不能承認中國新政府。英國想以西藏問題，作承認中國新政府的條件。

二、一九〇四年的「英藏條約」

一八五八年英政府已自東印度公司手中，接收了印度的統治權，一八七七年英國正式倂呑印度。英政府以西藏鄰近印度，且爲印度至中國通商之要道，英人遂有覬覦西藏之野心。一八七四年中英烟臺條約附約，已允許英國派員由北京啟程，經甘肅青海或四川以入西藏，由西藏赴印度探訪路程，並發護照及知會沿途各級官吏保護。一九〇三年英印政府派榮赫鵬（Youn Husband）率兵三千人入藏，迫藏人與議條款。一九〇四年春榮赫鵬進兵西藏內地，連敗藏軍，八月侵入拉薩城，屠殺藏人一千五百餘人，達賴喇嘛出

亡青海。一九〇四年九月七日迫藏人訂「英藏條約」十款，其重要條款如左：

一、西藏應允遵照中英所立之約而行，亦允認該約第一款所定哲孟雄與西藏之邊界。（第一款）

二、西藏允於江孜噶大克及亞東，即行開作通商之埠。將來如商務興旺，並允斟酌另設通商之埠。（第二款）

三、西藏允諾除將來立定稅則內之稅課外，無論何項征收，概不得抽取。（第四款）

四、西藏允兌給英國政府英金五十萬磅合盧比銀七百五十萬元，作爲賠款，每年兌銀十萬盧比，限於七十五年內繳清。（第六款）

五、西藏允將所有自印度邊界至江孜拉薩之砲臺山塞等，一律削平，並將所有滯礙通道之武備，全行撤去。（第八款）

六、西藏允諾以下五端，非英國政府先行照允，不得舉辦：（一）西藏土地，無論何外國皆不准有讓賣，租典，或別樣出脫情事。（二）西藏一切事宜，無論何外國皆不准干涉。（三）無論何外國皆不許派員或派代理人入藏境。（四）無論何項鐵路，電線，礦產，或別項利權，均不許各外國，或隸各外國籍之人民享受。若允此項利權，則應將相抵之利權或相同之利益，一律給與英國政府享受。（五）西藏各進款或貨物或金銀，錢幣等類，皆不許給與各外國，或隸籍各外國之人民抵押撥兌。（第九款）

三、一九〇六年的中英藏印條約

「英藏條約」成立，英人在西藏享有各種特殊權益，滿清政府屢向英人交涉，至一九〇六年始訂立中英新訂藏印條約六款，要點如左：

一、中國承認一九〇四年九月七日之英藏條約。

二、英國允不佔併藏境，及不干涉西藏一切政治，中國亦應允不准他外國干涉藏境及其一切內政。

三、在江孜，噶大克，及亞東等處，英國得設電線通報印度。

一九〇八年中英兩國根據中英所訂藏印條約第一款，及一九〇四年英藏條約第三款，訂立中英修訂藏印通商章程。中國根據英藏條約第七款規定，要求英軍撤退，英軍始自西藏春丕撤退。達賴喇嘛於一九〇九年返歸拉薩。

四、中國政府對西藏的處置

自中英簽訂藏印條約後，中國駐藏大臣聯豫，請求政府早日派兵入藏。達賴返拉薩後，受英人煽動，不惟不聽命政府，反企圖獨立，與藏人勾結，侵擾川邊，中國政府乃決定用兵西藏。宣統元年（一九〇九）六月川滇邊務大臣趙爾豐派知府鍾穎率兵入藏，連敗藏軍。宣統二年正月進入拉薩，達賴出奔印度。清廷遂降旨歷數達賴罪過，革去其名號，並責令趙爾豐、聯豫等會籌防務，安輯軍民，西藏秩序始漸恢復。

武昌起義後，駐藏清軍先後譁變，藏民乘機叛亂，清軍被驅逐離藏。英人乃自印度送達賴回藏，宣告獨立。同時藏軍又侵擾川邊區域。民國政府於元年四月二十一日發表聲明，宣稱西藏為中華民國領土，並任命四川都督尹昌衡為征藏總司令，率領川滇軍，進剿藏番。同年七月川滇軍隊連敗藏番於川邊，藏番潰退西藏。英國見我軍勝利，恐我軍大舉入藏，遂由駐北京英使送致照會於我外部，阻止我軍入藏。

五、英人以承認問題為要挾

民國元年八月十七日英使送致節略於我外部，以一九〇六年中英藏印條約為藉口，要求五款如左：

一、中國不得干涉西藏內政。

二、中國官吏不得在西藏行使行政權，中國不得視西藏與內地各省相同。

三、中國軍隊不得無限制留駐藏境。

四、中英兩國應訂立協定，規定上述各節，然後英國始能承認中國政府。

五、中藏間經由印度之交通，應暫時視為斷絕。

英國政府旋復宣言，若中國不與英國政府商洽，則英國不能承認中華民國政府，且將與西藏直接訂約。此時民國政府尚未為各國承認，蒙古問題尚未解決，對西藏問題不能不採取和平辦法。九月中旬令征藏軍停止前進。遲至十二月二十三日始正式答復英使八月十七日節略，首謂中國政府實無意改西藏為行省；次謂中國有權出兵西藏，但無意以無限制之兵力留駐西藏；中國政府認為前清與英國所訂關於西藏之條約已甚詳盡，無另訂新約之必要。

中國不願與英國另訂新約，中英二國關於西藏之交涉無法進行。英人遂暗中贊助西藏之獨立運動。達賴在英人支持之下，於民國二年一月十一日派代表至蒙古，與庫倫政府訂約，蒙古西藏相互承認獨立，此後互相援助，以抵抗一切自內自外之危險。

在蒙藏勾結時，四川都督尹昌衡已宣佈建立西康行省，並於民國二年春對藏用兵。中國總統袁世凱亦派遣專使與達賴代表商洽和議條件，與中藏劃界問題。五月英人重申前請，建議與中國另定關於西藏之新約，中國政府從英人之請，決定中英藏三方之會議，於民國二年十月十三日在印度之森蒙拉（Simla）舉行。

六、森蒙拉會議後中英交涉擱置

我國出席代表為西藏宣撫使陳貽範，英國出席代表為麥克瑪霍（MacMahon），西藏代表為倫辛夏託拉（Long Chen Shatra）。開會時由西藏代表提出英人代擬之要求自主案六款，中國代表一一加以駁斥，並提出中國主張之條款。英代表則作調停態度，會議商討四月，至民國三年二月十七日，由英代表提出解決糾紛草案十一條，大意如左：

一、西藏分外藏內藏兩區，內藏包括巴塘裏塘，打箭爐等地。內藏由中國管轄，外藏須准予自治。

二、英國承認中國在西藏之宗主權，中國承認外西藏之自治權。中國政府承認不改西藏為行省，英國承認不併據西藏或西藏任何部分。

三、中國政府除承認英國對於西藏因地理位置之故，對於西藏有特別關係外，中國於外西藏不派軍隊，不駐文武官員，並不辦殖民事宜。

四、中國得派簡任大員隨帶護衛，駐於拉薩，但無論因何事故，不得逾三百人，英國承認駐藏英國商務局之衞隊，不逾中國簡任大員衞隊人數百分之七十五。

中國代表對於內外藏劃界問題，爭持甚烈。民國三年四月二十七日英代表正式通知中國代表，謂中國代表不於本日畫行約稿，則英國將與西藏單獨訂約，不再與中國磋商。中國代表陳貽範不得已，是日會同英藏兩方代表在約稿界圖畫行，但聲明畫行與簽約不同，簽約尚須候中國政府之訓示。陳貽範同日電告北京政府，北京政府以此約損失過鉅，四月廿七日致電陳氏，聲明畫行之約稿不能束縛中國。五月一日照會駐北京英使，聲明該約規定之境界，中國不能承認，其餘大致尚可同意。同時中國政府復令中國駐英公使向英政府聲明，否認該約。中國政府否認該約，英藏兩方代表於七月二日在森蒙拉舉行末次會議，將該約正式簽押，並加入保障英藏雙方利益之規定。此後雖仍有交涉，但無結果，中英關於西藏交涉，遂行擱置。

英國對西藏的手段，與俄國對外蒙的手段相同。中國是時對外蒙不能以武力解決，對西藏則武力尚可達到。民國元年中國準備以武力解決時，英國竟虛聲恫嚇，以不承認民國爲要挾。此後西藏邊境劃界問題成爲懸案，我國能將內藏部分與四川西部劃爲西康省，係因中國實力已可統治內藏。

第五節　日本的野心和築路的交涉

一、日本擬造成中國的混亂

中國革命醞釀期中，日本政府曾援助革命黨，但日本非有愛於中國之革命黨，或願助中國建立共和政體，不過欲利用中國的混亂局面，以便從中取利。武昌光復，全國響應，中國革命運動舉國一致，爲日本政府始料所不及。日本政府以爲清廷必將請求日本援助，削平內亂，倘各國均願日本出兵，日本可立即照辦。但清廷的崩潰，已屬必然，各國不肯贊助日本行動，美國更反對日本單獨行動；各國都主張嚴守中立，日本不能單獨行動。

日本政府此時仍欲造成中國之混亂，一面應革命軍之請，派遣顧問至漢口，助理外交及起草憲法，另一面令駐中國日本公使警告袁世凱，日本決不承認中國改建共和政體。同時復對中國南北政府進行借款交涉，售賣軍火，並於暗中幫助滿清王公反對袁世凱。在中國南北和議期中，日本復分遣代表，一方面與清廷交涉，請以東三省爲日本助清室之酬勞；一方與革命軍領袖交涉，助中國在南部建立一共和國，而以之置於日本保護之下。革命軍領袖對日本之提議，嚴予拒絕，日本與清廷之交涉，亦因英國之干涉，致歸擱淺。日本助長中國混亂之陰謀，終不能售，不能不退守中立政策。

二、日本擬乘機獲取特殊權利

日本對華干涉政策既歸失敗，擬乘機獲取南滿東蒙的特殊權利，遂欲藉承認問題以作交換條件。民國元年二月二十三日日本政府照會各國政府，建議各國對承認中國共和政府問題，應採取一致行動。且應要求中國新政府對外人在華權益，無論有無條約根據，均應給予保障，以爲各國承認新政府的交換條件。英俄法德四國於接到日本照會後，均表同意。美國亦表同意，但附帶聲明：『以此種行動不致對於承認中國新政府，引起不必需之延緩爲限』。日本對承認問題提出的原則，是各國對華採取一致行動，各國對中國新政府的承認，因此遲延。民國元年七月，日本與俄國簽訂第三次密約，將內蒙古劃爲東蒙西蒙兩部，日本承認西蒙爲俄國勢力範圍，而由俄國承認東蒙爲日本勢力範圍。日本從此決心侵入東蒙，與俄國合作，共同壓迫中國。民國二年五月二日美國政府突破日本勒索的行動，首先承認中國新政府。日本復向英法德俄各國建議，與日本採取一致行動；非至中國內部確已安定，中國政府確實保障外人在華權益後，勿承認中國政府。

三、日本獲得滿蒙五鐵路建築權

民國二年五月國會成立後，國民黨在國會佔優勢。袁世凱決排除國民黨勢力，深恐日本援助國民黨及阻撓各國之承認；九月派孫寶琦李盛鐸赴日，從事疏通。日本見袁氏有意敷衍，乃藉此機會提出由日本建築滿蒙五路案，以相要索。袁氏爲鞏固其一已之地位，竟允諾日本要求。民國二年十月五日駐華日本公使山座圓次郎與中國外部秘密換文，名之曰：「鐵路借款修築預約辦法大綱」，原文如左：

一、中華民國政府承諾借用日本國資本家之款，敷設下列各鐵路：甲、由四平街起經鄭家屯至洮南府之線。乙、由開原起至海龍城之線。丙、由長春之吉長鐵路車站起貫越南滿鐵路至洮南府之線。以上各鐵路與南滿鐵路之京奉鐵路聯絡，其辦法另定之。

二、前開借款辦法細目，須以浦信鐵路借款合同本爲標準，本大綱議定後，中國政府從速與日本資本家協定之。

三、中國政府將來若敷設洮南府城至承德府城間，及由海龍府至吉林省城間之兩鐵路時，如須借用外國資本，儘先向日本資本家商議。

日本要求此五條鐵路築路權的目的，在鞏固其南滿東蒙之特權。四平街至洮南，長春至洮南，洮南至承德的三條鐵路築成，可使日本勢力深入東蒙，開海鐵路與吉海鐵路築成，可以阻止中國在南滿鐵路以西敷設鐵道。至五路所經之地，即日本勢力所達之地；日本經營南滿東蒙之政策，自可獲得進一步之發展。

第六節　帝國主義者扶植袁世凱

一、袁世凱與五國銀行團大借款

袁世凱在民國二年時地位能夠鞏固，係因能借獲五國銀行團的二千五百萬英磅大借款。英法俄日德諸國能放心借款與袁世凱，係袁世凱已與帝國主義者勾結，不惜以中國之權利，交換其一已之地位。當南北和議清廷退位之時，列強認袁世凱爲中國唯一強有力之人物，多願贊助袁世凱。及清廷遜位之詔既下（一九一二年二月十二日），北京外務部照會各國駐華使臣並通知各國政府，各國政府及使臣均應允與北京政府發生事實上之關係。

民國二年國會選舉時，北京政府財政困難，全靠舉借外債度日。若二千五百萬磅大借款不成功，袁世凱即欲剷除南方革命黨之勢力，也係有心無力。但五國銀行團經中山先生之忠告，國會之反對，仍不顧一切借款給袁世凱，這確是帝國主義者扶植袁世凱之鐵證。

陳英士致黃克強書曾說：

「無何，刺宋之案，由於袁趙之蔑視國法，遲遲未結。五國借款，又不經國會承認，違法成立。斯時反對之聲，舉國若狂。……中山先生……主張辦法，一方面速興問罪之師，一方面表示全國人民不承認借款之公意於五國財團。五國財團經中山先生之忠告，已允於二星期內停止付款矣。……夫中山先生此次主張政見，皆為破壞借款推翻袁氏計也。乃遷延時日，逡巡不進，坐誤時機，卒鮮成效，公理見屈於武力，勝算卒敗於金錢，信用不孚於外人，國法不加於袁氏。袁氏乃借欺人之語，舉二千五百萬磅之外債，不用之為善後政費，而用之為購軍械，充兵餉，買議員，賞奸細，以蹂躪南方，屠戮民黨，攫取總統之資矣！設當時能信中山先生之言，即時獨立，勝負之數，尚未可知也。蓋其時聯軍十萬，擁地數省，李純未至江西，芝貴不聞南下，率我銳師，鼓其朝氣，以之聲討國賊，爭衡天下無難矣。惜乎粵湘諸省，不獨立於借款成立之初。柏李諸公，不發難於都督取消之際。逮借款成立，外人助袁，都督變更，北兵四佈，始起而討之，蓋亦晚矣。」

讀英士先生此信，可知二千五百萬借款之成立，實關係中國革命勢力之消長，與中華民族前途之榮枯。

二、五國銀行團的來源和借款的經過

一、四國銀行團。在中國革命之前，滿清政府曾於一九一一年四月十五日與英美德法四國銀行團簽訂幣制借款合同，借款額為一千萬金磅。此借款雖已簽訂，但因中國革命之後，迄未發行債票。十一月十七日駐北京美使電告美國國務卿，謂四國銀行團駐北京代表均願借款袁世凱，作日常費用，以便維持北方秩序。美國國務卿電復，此種借款應遵守中立原則，不能以之作爲內政之費用。十二月初旬，英法政府已決定，四國銀行團可以少數之款借給袁世凱，作普通行政費用。駐北京美使亦認爲有借款給袁世凱之必要，並以列強合作借款給袁世凱，可對中國南方領袖之氣焰予以打擊，不致要求過奢，致中國南北兩方和議不能成立。在袁世凱與各國商議借款之時，革命政府反對在南北和議未成之先，各國借款與北京政府，借款遂未獲結果。

南北和議成立，英法德美四國銀行團始獲四國政府之贊助，同意借款與中國統一臨時政府，自是以後，北京政府乃進行與四國銀行團交涉借款，一方磋商大借款之條件，一方商請先行墊款若干，以應急需。

二、四國銀行團擴大爲六國銀行團。四國銀行團與中國進行大借款交涉之時，四國政府均願日俄兩國參加，以免相互間之衝突。民國元年三月十一日正式邀請日俄二國參加，日俄二國政府均應允參加，並指定代表銀行，與四國銀行磋商合作對華借款問題。北京日俄二國公使自五月六日後，開始參加四國北京駐使會議，協商對華借款問題。日俄二國主張日俄兩國財團應有自由選擇對外放款之代表機關，不必定由六國銀行團經辦；日本更主張大借款之款額，不得用於東三省及蒙古境內；六國銀行團之借款，應限於中國之中央政府及地方政府。日俄主張與英美德法衝突，六國銀行團不得不暫告停頓。六月，日俄二國已與四國成立諒解，六國銀行代表於六月十八日簽訂合作契約，六國銀行團至是正式成立。

依據六國銀行團在巴黎決議，六國銀行團可先墊借中國政府銀八千零六十萬兩。但中國須遵守下列之條件：（1）指定墊款之用途。（2）擔保之稅收應由海關或類似機關管理之。（3）借款之用途應由六國銀行團監視。（4）墊款應認爲大借款中之一部，六國銀行團對於大借款有優先應募權。（5）明定大借款之一般原則，其原則在大體上應如上述。（6）在大借款未發行以前，中國政府不得向他處商借外債。（7）上述一切，應爲必需，中國政府且應承認六國銀行團爲中國政府之財政代理人。六國銀行團於議決後，六月廿四日以監視並管理中國借款用途之計劃，通告中國財政總長，並謂中國鹽稅亦應由外人管理。中國財長於接到銀行團通告後，表示拒絕。中國人民得悉借款條件後，反對甚力，中國與銀行團之交涉，遂陷於停頓。

六國銀行團知道中國政府財政困難，爲抵制計，乃停止墊借，並阻止其他公司對中國政府之借款。十一月十一日中國政府因無法向他處借款，致書於六國銀行團，表示願與六國銀行團交涉借款，不與其他財團進行交涉，於是六國銀行團恢復交涉。民國二年二月，借款合同大致議定，借款總數爲二千五百萬磅。

在六國借款合同將簽訂之時，俄法兩國以雇用洋員問題，爭執不下，有害中國行政之獨立；干涉中國之財政，形勢顯然。因各國不准中國另行借款，而借款時又對中國條件甚苛，美國政府表示反對，遂宣告退出六國銀行團。

三、五國銀行團與大借款。美國宣告退出，五國銀行團表示相當讓步，催促中國政府速簽定善後借款合同。是時袁世凱與國民黨已發生衝突，甚願大借款早日成立，以便其剷除異己的工作。四月二十六日袁世凱政府遂與五國銀行團簽訂二千五百萬磅之大借款，是爲一九一三年中國政府善後借款合同。同日雙方復簽定善後借款墊款合同，由銀行團立即墊付二百萬金磅，以應中國政府急需。於是袁世凱在此大借款支持之下，毀法亂紀，無所不爲。

此項借款，中國實收百分之八十四，所付週年利息，照票面本金之數，以百分之五計數。擔保品係中國之鹽稅，中國政府在財政部下，成立鹽務署，鹽務署內設立稽核總所，又在各產鹽地方設立稽核分所；總所及分所均設洋員協同負責，借款期限定爲四十七年。

此項大借款由袁世凱獨斷獨行，並未經國會通過。張繼以參議院議長資格通電反對。各省因宋案憤激，加以此事，輿論譁然。衆議院選出湯化龍爲議長，袁氏以大借款案咨請衆議院備案，衆議院以二百十九人對一百五十三人之比否決，而湯化龍受袁氏利用，故意擱置此否決之案，不咨政府。議員鄒魯等質問彈劾亦無效。鄒魯著的中國國民黨史略說：

「宋案發生後，袁世凱見人心憤激，多同情本黨，故圖謀抑制本黨更急。爲着收買議員和佈置軍事，於四月廿六日私派財政總長周學熙和五國銀行團秘密簽訂二千五百萬磅大借款的合同。此事既未經前參議院通過，國會業經開會，又不交國會議決。本黨議員鄒魯等以袁氏違法借款，提出彈劾。袁氏不顧，即用此款收買梁啓超湯化龍等合組進步黨，同時更收買本黨議員另立他黨，以拆散本黨力量。……五國銀行團大借款正在國會爭得熱烈的時候，忽然又發見袁氏另一違法行爲。原來在大借款簽訂前十幾天，即四月十日，袁氏已暗中先和奧國斯哥打軍器公司，簽定了一筆三百二十萬磅的借款，這筆借款事前全不讓國會知道。消息洩露後，經議員們再三質問，始承認實有其事。這一來，不但本黨議員羣起反對，甚至向來擁護袁氏的議員們，也無法爲之辯護，……於是有四彈劾案在衆議院一讀會一致通過交付審查，而袁氏悍然不顧，專橫更甚。」

本章參考書

一、孫中山著：1孫文學說第六章第八章　2中國之革命
二、革命文獻第一輯：中華民國開國時期史料
三、鄒魯著：中國國民黨史略第四章
四、張忠紱編著：中華民國外交史第一章第二章
五、李守孔編著：中國最近四十年史第三章
六、李劍農編著：中國近百年政治史第十章
七、何漢文編著：中俄外交史第八章一二節
八、張其昀著：中華民國史綱（一）第六章第七章
九、傅啓學著：六十年來之外蒙古第二章第三章

第二章　山東問題與二十一條的交涉

第一節　日本侵佔膠濟鐵路和青島

一、歐戰爆發的遠東形勢

民國三年（一九一四）六月廿八日奧國太子斐廸南於出巡期間，被塞爾維亞的南斯拉夫人刺殺。七月二十三日奧國以最後通牒致塞爾維亞，七月廿八日奧國正式向塞爾維亞宣戰。俄國於奧國宣戰時，警告奧國不可動武，同時並命令軍隊實行動員。德國爲聲援奧國，要求俄國停止動員；當俄國拒絕的時候，德國於八月一日向俄國宣戰，八月三日向法國宣戰。八月四日英國向德國宣戰，第一次世界大戰遂從此爆發。

歐戰發生，歐洲列强忙於戰爭，無暇顧及遠東，遠東方面是時可以發言者，僅有美國與日本。美國雖主張門戶開放政策，但不願以實力保證政策的實行；日本遂乘此機會，積極對中國侵略。日本以英日同盟關係，於八月三日四日曾兩次向英國表示，日本願助英國，若英國加入作戰，希望英國要求日本參加；英國此時無意將戰爭擴大至遠東，對日本之請求，婉詞謝絕。但日本已決計乘機漁利，不肯因英國不正式邀請加入戰團，而嚴守中立。於是一方調動海陸兩軍，作戰爭的準備；一方藉口英日同盟，於八月十五日對德國提出最後通牒，要求德國立卽撤退在遠東海上之一切德國軍艦，並將全部膠州灣租借地，無條件交付日本，以便將來交還中國，並限於八月廿三日午前答覆。

中國於歐戰發生後，八月六日宣告中立。中國政府恐各國侵犯中國的中立，六日請求美國政府要求參戰各國，不在中國之領土領海及租借地作戰，同日並請求日本政府與美國合作，保障中國的中立。美國此時嚴守中立，不願捲入戰爭旋渦，對中國請求不能援助；復稱願與各國合作，設法使中國各地租界維持中立。日本此時野心正熾，不僅不允諾中國之請求，反命其駐中國代理公使小幡詰責我國政府，不應先向美國作此請求。

日本致德國最後通牒之日，以對德通牒副本面交中國駐日大使陸宗輿，並稱『日本並無佔領土地野心，中國旣守中立，自無參戰之理。若中國發生內亂不能平定時，日本與英國爲保持東亞和平，亦願相助平亂，但並無從中圖利之意，深望中國政府信賴不疑。』德國接獲日本通牒後，知道德日戰爭無法避免，在遠東又無實力抵抗日本，遂由德國北京使館參贊於八月十九日向中國外交部接洽，願將膠州直接歸還中國。但英日兩國對此均表反對，警告中國政府勿接受德國使館的建議。袁世凱政府此時深畏日本，不敢接受德國交還膠州，乃暗中向美國使館表示，希望美國出面與英德兩國交涉，由德國將膠州交與美國，再由美國轉交中國。此種想法，欲使美國出面以抵制日本，美國在避免戰爭之決策下，自不能接納。

袁世凱政府不敢接受德國之交還膠州，又不能得美國之從旁援助，只有聽任日本的支配。日本此時認爲尙須敷衍的只有美國，於對德提出最後通牒時，向美國政府表示日本對德行動，完全在盡對英國同盟之義務，日本決無意侵略中國領土，或在中國有任何自私之企圖。英政府於八月十一日前，亦曾獲日本承認，日本雖對德宣戰，但日本必將尊重中國之中立與領土完整。八月十八日英日兩國政府正式向美國政府聲明：英日兩政府認為兩國有採取行動之必要，以保衞英日同盟條約的遠東利益，但兩國均注意該約中所規定的中國之獨立與領土完整。日本的如此行動，純為敷衍美國。八月二十三日正午，日本對德通牒之期限已滿，德國置不答覆，日本遂於是日對德宣戰。

二、日本侵犯我國的中立

日本對德宣戰之後，駐華日使卽向中國政府提出，請將山東省境黃河以南劃為中立外區域，以便日本行軍，並要求我國撤退膠濟沿路及濰縣一帶的駐軍。北京政府此時不敢開罪日本，乃與日本磋商縮小中立以外之區域；並應允：若日本軍隊開出上述區域以外，卽行退出，中國亦不必令其解除武裝；至將來日兵運輸等等，苟與中立有辯護餘地，自當假以便利。中日雙方商定中立外的區域（卽戰區），係在龍口、萊州及接連膠州灣各地方，日本已同意濰縣不在戰區以內。

中國政府畫出中立外區域，給日本以攻擊膠𣲙灣後方的便利，已係遷就日本。當時協助日本攻擊之英國部隊，確守戰時國際法規，由膠州之嶗山灣上陸。日軍則出動大軍二萬餘人，在龍口登陸後，對戰區各縣人民大肆騷擾。九月二十六日日本軍隊四百餘人竟開至濰縣，佔據車站，擅捕鐵路員工及德僑，這是蔑視中國中立，侵佔中國領土。日本之野心在强佔膠濟鐵路，日軍仍繼續西進，十月三日强迫中國軍隊退出鐵路附近地方，十月五日佔據青州車站，六日進佔濟南車站。日軍在未攻佔青島以前，竟先佔領戰區外的中國領土。中國政府於日軍佔領濰縣至佔領濟南車站的十日間，曾三次向駐北京日使抗議。日使於十月八日答復，仍謂日本佔據膠濟鐵路，係日本軍事預定計劃，並未侵犯中國之中立。

日本强佔膠濟鐵路，路員漸易爲日人，並佔據鐵路附近之礦產，其在山東的舉措，儼然以戰勝國自居；甚至在平度地方張貼布告，對中國人宣示斬律五條，並要求我國撤退保護膠濟鐵路之巡警。十一月七日英日聯軍攻陷青島；青島既被攻下，日軍在山東境內之對德戰爭已告結束。民國四年（一九一五年）一月七日中國政府正式照會英日兩國公使，聲明取消一九一四年九月三日宣布的特別中立區域。但日使日置益於八日照復我外部，謂中國取消特別中立區域，不予承認。然日本的野心還不止此，一月十八日竟向袁世凱政府提出二十一條的要求。

第二節　二十一條的交涉

一、日本提出的二十一條原文

中華民國成立時，日本卽欲乘機發展在華的利益，因對國際上有所顧忌，不敢斷然橫行。歐戰既起，國際形勢有利於日本，日本遂對華採取急進政策。日本出兵山東時一切措施的野蠻，卽在激起華人的反抗，以便藉詞進兵。日本攻佔青島，强佔膠濟鐵路後，卽決定對華高壓政策。一九一五年一月十八日晚上使日置益向袁世凱面遞二十一條要求，並要求嚴守秘密。日使所提之二十一條要求原文如次：

第一號

日本國政府及中國政府互願維持東亞全局之和平，並期將兩國友好善鄰之關係益加鞏固，玆議定條款如左：

第一款　中國政府允諾：日後日本政府擬向德國政府協定之所有德國關於山東省，依據條約或其他關係，對中國政府享有一切權利利益讓與等項處分，概行承認。

第二款　中國政府允諾，凡山東省內並其沿海一帶土地及各島嶼，無論何項名目，概不讓與或租與他國。

第三款　中國政府允諾，日本國建造由煙台或龍口接連膠濟路線之鐵路。

第四款　中國政府允諾，爲外國人居住貿易起見，從速自開山東省內各主要城市作爲商埠，其應開地方，另行商定。

第二號

日本國政府及中國政府因中國向認日本國在南滿洲及東部內蒙古享有優越地位，玆議定條款如左：

第一款　兩締約國互相約定，將旅順大連租借期限並南滿洲及安奉兩鐵路期限，均展至九十九年爲期。

第二款　日本國臣民在南滿洲及東部內蒙古，爲蓋造商工業應用之房廠，或爲耕作，可得其須要土地之租借權或所有權。

第三款　日本國臣民得在南滿洲及東部內蒙古任便居住往來，並經營商工業等各項生意。

第四款　中國政府允將南滿洲及東部內蒙古各礦開採權，許與日本國臣民，至於擬開各礦，另行商定。

第五款　中國政府應允於左列各項，先經日本國同意，而後辦理：一、在南滿洲及東部內蒙古允准他國人建造鐵路，或爲建造鐵路向他國借用款項之時。二、將南滿洲及東部內蒙古各項稅課作抵，向他國借款之時。

第六款　中國政府允諾，如中國政府在南滿洲及東部內蒙古聘用政治、財政、軍事各顧問教習，必先向日本國政府商議。

第七款　中國政府允將吉長鐵路管理事宜委任日本國政府，其年限自本約畫押之日起，以九十九年爲期。

第三號

日本國政府及中國政府顧於日本國資本家與漢冶萍公司現有密切關係，且願增進兩國共通利益，茲議定條款如左：

第一款　兩締約國互相約定，俟將來相當機會，將漢冶萍公司作爲兩國合辦事業；並允，如未經本國政府之同意，所有屬於該公司一切權利及產業，中國政府不得自行處分，亦不得使該公司任意處分。

第二款　中國政府允准，所有屬於漢冶萍公司各礦之附近礦山，如未經該公司同意，一概不准該公司以外之人開採；並允：此外凡欲措辦無論直接間接對該公司恐有影響之舉，必須先經公司同意。

第四號

日本國政府及中國政府爲切實保全中國領土之目的，茲訂立專條如左：

中國政府允准，所有中國沿岸港灣島嶼概不讓與或租與他國。

第五號

（一）在中國中央政府須聘用有力之日本人，充爲政治、財政、軍事等各顧問。

（二）所有在中國內地所設日本病院寺院、學校等，概允其土地所有權。

（三）向來日中兩國屢起警察案件，致釀成轇轕之事不少；因此須將必要地方之警察，作為日中合辦，在此等地方之警察官署，須聘用多數日本人，以資改劃改良中國警察機關。

（四）由日本採辦一定數量之軍械（譬如在中國政府所需軍械之半數以上），或在中國設立合辦之軍械廠，聘用日本技師，並採買日本材料。

（五）允將接連武昌與九江南昌路線之鐵路，及南昌杭州，南昌潮州各路線鐵路之建造權，許與日本國。

（六）在福建省內籌辦鐵路礦山，及整頓海口（船廠在內），如需外國資本之時，先向日本國協議。

（七）允認日本國人在中國有布教之權。

二、中國人民熱烈反對後日本的修正條文

日本提出二十一條要求時，威嚇袁世凱嚴守秘密，並聲言中國民黨與日本政府外之日人關係甚深，若不允日本之要求，則日本不能阻止中國民黨擾亂中國。但此項消息被外國記者探悉發表後，舉國輿論鼎沸，人民奔走呼號。此時革命黨人深知中國處境之危險，恐怕袁政府受內外夾攻的困難，不能專心禦侮，一部份革命領袖如黃興等，都通電宣言停止革命運動，主張一致對外。十九省將軍都通電反對，副總統黎元洪、陸軍總長段祺瑞，亦據理力爭，中國留日學生紛紛罷課歸國，以示對日絕交。袁政府在全國民意督促下，不敢答應日本全部要求。二月二日中日開第一次會議，中國代表出席者為外長陸徵祥外次曹汝霖，日本代表出席者為日使日置益參贊小幡等。在會議中，中國已允諾日本第一號第二號的要求；但日本仍堅持

原案，經商討四月，開會二十餘次，四月廿六日日本提出修正案，謂係最後之讓步。要求中國承認。原文計二十四款，關於第一號、第二號、第三號、第四號十四條，仍照原案要求，僅文字略有修正，關於第五號，日本撤回一、二、三、四、七各條要求，五、六兩條仍然堅持，但改爲三項換文，茲將日本提出之三項換文，照錄於次：

（換文一）對於由武昌聯絡九江南昌路線之鐵路，又南昌至杭州及南昌至潮州之各鐵路之借款權，如經明悉他外國並無異議，應將此權許與日本國。

（換文二）對於由武昌聯絡九江南昌之鐵路，又南昌至杭州南昌至潮州各鐵路之借款權，由日本國與向有關係此項借款權之他外國直接商妥以前，中國政府應允將此權不許與任何外國。

（換文三）中國政府允諾，凡在福建沿岸地方，無論何國，概不允建設造船廠軍用儲煤所、海軍根據地，又不准其他一切軍務上設施；並允諾：中國政府不以外資自行建設或施設上開各事。

中國政府於接獲日方四月廿六日修正提案後，於五月一日提出我方最後之對案，內容如下：（一）對第一號四款全部承認；但在第一款下，另加一段：『日本政府聲明，中國政府承認前項利益時，日本應將膠澳交還中國；並承認日後日德兩政府上項協商之時，中國政府有權加入會議。』又另增加一款，原文如下：此次日本用兵膠澳所生各項損失之賠償，日本政府概允擔任。膠澳內之關稅、電報、郵政等各事，在膠澳交還中國以前，應暫照向來辦法辦理。其因用兵添設之軍用鐵路電線等，即行撤廢。膠澳以外留餘日本軍隊，先行撤回；膠澳交還中國時，所有租界內留兵一律撤回。」（二）對第二號十二款全部承認，但對第二款將原文『可得租賃或購買其須用地畝』一句，改爲『可向業主商租須用之地畝』。對第三款第二項將原文『應服從由日本國領事官承認之警察法令及課稅』一句，改爲『應服從中國違警律及違警章程，完納一切賦稅，與中國人一律。」又將原文『關於土地之日本人與中國人民事訴訟，按照中國法律及地方習慣，由兩國派員共同審判。』一句，改爲『日本人與日本人之訴訟，及日本人與中國人之訴訟，關於土地或租契之爭執，均歸中國官審判，日本領事官亦得派員旁聽』。（三）對第三號完全承認。（四）對第四號完全承認。（五）對第五號承認中國不在福建省沿岸地方，允外國建造船廠、軍用蓄煤所、海軍根據地、及其他一切軍務上設施。

中日兩方提出的最後方案，已相差不遠。中國已承認日本繼承德國在山東省的權利；延長旅順大連南滿鐵路安奉鐵路的租期爲九十九年；並承認日本在南滿東蒙的特殊權益；承認漢冶萍公司不歸爲國有，又不充公，又不准借用日本國以外之外國資本；承認中國沿岸港灣及島嶼，概不讓與或租與他國；同時並承認日本在福建的特權。這與日本的要求，確已相差不遠；但狂妄的日本當局，還不滿足，於五月七日下午三時向中國提出最後通牒。

三、日本提出最後通牒袁政府屈服

民國四年五月七日下午三時，日本向中國提出最後通牒，限於五月九日下午六時以前答復，原文節錄於次：

今回帝國政府與中國政府開始交涉之故，一則欲謀因日德戰爭所發生時局之善後辦法，一則欲解決有害中日兩國親善原因之各種問題，冀鞏固中日兩國友好關係之基礎，以確保東亞永遠之和平起見，於本年一月向中國政府交出提案，開誠布公，與中國政府會議，至於今日，實有二十五回之多。其間帝國政府始終以妥協之精神，解說日本提案之要旨；即中國政府之主張，亦不論鉅細，傾聽無遺。其欲力圖解決此提案於圓滿和平之間，自信實無餘蘊。…………此次中國政府之答覆，於全體爲空漠無意義。…………帝國政府因鑒於中國政府如此之態度，雖深惜已再無繼續協商之餘地，然終眷眷於維持遠東和平之帝國，務冀圓滿了結此交涉，以避時局之糾紛。於無可忍之中，更酌量鄰邦政府之情意，將帝國政府前次提出之修正案中之第五號各項，除關於福建省互換公文一事，業經兩國政府代表協定外，其他五項，可承認與此交涉脫離，日後另行協商。因此，中國政府應諒帝國政府之誼，將其他各項，即第一號第二號第三號第四號之各項，及第五號關於福建省公文互換之件，照四月廿六日提出之修正案所記載者，不加以何等之更改，速行應諾。帝國政府茲再重行勸告，對於此勸告，期望中國政府 至五月九日午後六時爲止，爲滿足之答覆；如到期不受到滿足之答覆，則帝國政府將執認爲必要之手段，合併聲明。」

同時日使又面交解釋日本要求之覺書七條。觀日本的最後通牒，理不直，氣不壯，外交手段業已取得之果實，竟提出此種狂妄之最後通牒，激怒了中國全體人民，造成中國人悲憤之「五九國恥」。這可證明當時日本當局之過份妄行，愚蠢無識。

中國政府於收到日本最後通牒後，即於次日開緊急會議，由袁世凱主席，會議結果，以『我國國力未充，目前尚難以兵戎相見』，決定忍辱承認，於九日答覆日本最後通牒。原文如次：

本月七日下午三點鐘中國政府准日本公使面遞日本政府通牒一件附交解釋七條，該通牒末稱，期望中國政府至五月九日午後六時爲滿足之答覆，如到期不收到滿足之答覆，則日本政府將執認爲必要之手段，合併聲明等語。中國政府爲維持東亞和平起見，對於日本政府四月廿六日提出之修正案，除第五號中五項容日後協商外，其第一號第二號第三號第四號之各項，及第五號中關於福建問題以公文互換之件，照四月廿六日提出之修正案所記載者，並照日本最後通牒附加七件之解釋，即行應諾，以冀中日所有懸案，就此解決，俾兩國親善，益加鞏固。即請日本公使定期惠臨外交部，修正文字，從速簽字爲荷！」

袁政府接受日本的最後通牒，乃於五月十三日以大總統命令聲明：『嗣後中國所有沿海港灣口岸島嶼，無論何國，概不允租借或讓與』，以履行日本第四號之要求。五月廿五日中日兩國代表在北京訂定下列兩項條約：一、中日間關於山東省之條約四條。二、中日間關於南滿洲及東部內蒙古之條約九條，又換文十三件：關於山東省之換文二件，關於南滿洲及東部內蒙古之換文八件，關於漢冶萍之換文一件，關於福建問題之換文一件，關於交還膠澳之換文一件。條約與換文內容，完全照日本政府四月二十六日修正案中所列之第一號第三號第三號各項要求，及第五號中關於福建之要求。（註一）

第三節　廿一條的前因後果

一、日本與袁世凱的默契

李劍農中國近百年政治史說：「三年七八月之交，歐戰爆發後，西方各列强，不暇東顧，日本成了東方獨霸的虎狼國，把山東的膠濟一帶佔領了。到四年一月十八日，便提出有名的二十一條要求。此時革命黨人，莫不看到中國所處地位的危險。恐怕袁政府受內外夾攻的困難，不能專心禦侮，因是都通電宣言停止革命活動，主張一致對外。不料袁家的人物，反以此爲帝制運動的好時機，日本提出二十一條時，却是袁公子宴客張羅帝制時。他們以爲西方列強，既無暇干涉中國事情，獨有日本一國，與以少許的權利作交換品，便可了事。據游晦原的中國再造史說：「袁氏曾欲以承認二十一條爲日本贊助中國帝制之條件，特外交秘密，不易證明耳。作者曾記日本某報載日前首相大隈重信之談話；大旨謂：日本爲君主國體，中國若行帝制，則與日本爲同一之國體，日本當然贊助。且袁世凱事實上已總攬中國之統治權，改爲帝制尤與事實相合云云。此報一時未能檢出，但記其大意如此。大隈氏此種談話，實所以誘袁入彀者，性質上絕無國際上之責任。袁氏以爲大隈氏既有贊助帝制之表示，大事無不可成功之理。』此所謂白晝攫金於市，只看見金看不見市上的人。至五月九日承認日本的要求後，一般國人認爲奇恥大辱，而袁家的臣僕，反頌揚『元首外交成功』。袁家的報紙，反發布『雙方交讓，東亞幸福』的傳單；袁家的封疆大吏，反祝電紛馳，並且請求舉行提燈行列的。原來日本提出最後通牒時，所列要求條件，共爲五項：前四項是必須承認的，第五項是故示嚴重，留作讓步餘地的。袁氏承認日本要求時，對於第五項未與承認，日本亦未再加強迫。袁氏人物，便以爲是日本讓步了，故頌揚元首外交成功。他們爲什麼這般無恥，就是因爲候補皇帝的聲威，在中日交涉的當中，未免毀損了一點，想借『外交成功』四字，修補裝飾一下。」（註二）

袁世凱在民國二年能打擊國民黨的勢力，全靠五國銀行團的大借款，而日本的贊助，實是借款成功的主力。日本不願中國的強盛，而利於中國之混亂。所以扶植反動的袁世凱，以便利日本的侵略。日本爲順利完成其計劃，誘惑袁氏，勢所必然。李執中著的日本外交說：『大隈政府乃更進一步，令駐華日使日置益於一九一五年一月十八日，破國際慣例，逕謁大總統袁世凱，斥退侍者，密談約一小時，旋提出該國政府之二十一條要求。』（註三）張忠紱著的中華民國外交史說：『一九一五年正月十八日晚，日使………入覲，向袁氏面遞二十一條要求，並聲言中國民黨與日本政府外之日人關係甚深，中國政府若不允日本之要求，則日本不能阻止中國民黨擾亂中國；並以危詞恫嚇袁氏，囑對此要求嚴守秘密。袁氏接得要求後，態度極為鎮靜，僅告以此種要求，須經中國外部考慮後，始能作答。』（註四）「斥退侍者密談一小時」，「袁氏接得要求後，態度極為鎮靜」，其中必有一番秘密談判。袁氏奸雄，日本既以援助民黨相恫嚇，袁氏自樂於接受日人的條件，以交換承認帝制之允諾。游悔原氏的敘述，實與事實相近。觀袁氏接受最後通牒後，在全國義憤填膺之時，反積極籌備帝制，可作此事之一證。

日本大隈政府於一九一四年十二月三日，即將二十一條正文寄交駐北京公使日置益，同時外相加藤對日置益公使有下列之電訓：『茲因處理日德戰後之一切事宜，並鞏固帝國之地位，維持東亞和平，帝國政府決計陳說中國政府，規勸其按照提議中所定之前四號方針，與帝國訂立條約及合同。…………夫鞏固帝國在東亞之地位，以維繫在東亞之利益，使中國政府務須依據上述提議行事，乃帝國政府所信至為必要者，是以必竭力圖之。宜用種種方法，以期達到目的。………至第五號中提出者，雖為帝國政府一種願望，亦望勉力進行，而以終能見諸實行為遂其任務；蓋此第五號提議，非僅所謂願望，實亦係條件也。』（註五）日使要用種種方法，以達到目的，誘惑袁世凱當然是方法之一。日本原意只望達到前四號之目的，第五號是留着讓步餘地的，而袁家的臣僕，反以此頌揚「元首外交成功」。日本最後通牒，對第五號之其他五項，可承認與此交涉脫離，日後另行協商。中國在復照中本可不必提及，而因日置益的臨時要求，袁世凱竟在復照中加入「第五號中五項容日後協商」的字句。這眞是使大隈加藤喜出望外。

孫中山先生爲袁世凱承認日本二十一條覆北京學生書說：

得覽手書，知君等於勤學之際，愛國不忘，至足感佩。關於此事，各方面來書頗多，而君等言之，尤爲婉摯。雖然，惜君等未嘗知交涉之內容也；知之則必不如來函所云云，而憤慨之情，將無異於弟。蓋弟平日愛國家愛和平之志，自信不居人後，常不惜有重大之犧牲。故弟一次革命解職，推袁以免流血之禍。張（振武）方（維）之難，身自入都而爲之解，宣言十年不預政治，俾國人專心信託之。即東遊一月，不啻爲袁氏游說也。迨宋案發生，弟始翻然悟彼奸人，非恒情所測，確有破壞共和之心，故一念主張討賊，以愛國之故，不能復愛和平也。彼戰勝而驕，益無忌憚，二年以來，莫非倒行逆施，國人憔悴於虐政之下，至不可言狀。歐洲戰爭，不遑東顧，乃乘間僭帝而求助於日本，此次交涉，實由彼請之。日人提出條件，彼知相當之報酬爲不可却，則思全以秘密從事。迨外報發表，輿論沸騰，所親如段（祺瑞）馮（國璋），亦出反對，乃不得不遷延作態，俟日人增加强硬之態度，然後承認，示人以國力無可如何。由日本要求條件觀之，如山東、如滿洲、如東蒙、如福建、如漢冶萍煤鐵，皆爲利權之重大者，而袁於未得最後通牒以前，固已無甚齬齟，至第五項則我國實爲第二高麗，城下之盟，局外亦訝其非者；因日本審國民都無戰意，而國際上宜取圓滑之手段，故假爲讓步，謂俟他日協商。何期袁氏囘答文中，乃有下之一節：

『第五號五項（即顧問、軍器、學校、病院、宗教五問題）承認日本政府之提案，惟民國政府希望中日兩國永遠和平，願將此等懸案速爲解決』（見萬朝報十二日報）

是山東、滿蒙、福建等項條件，日人所急欲得者，固承認不遑，即其爲暫時之讓步者，亦惟恐其不速攫取以去，是眞別有肺腸者矣。……就以上觀之，則袁氏以其僭帝位之故，甘心賣國而不辭，禍首罪魁，豈異人任。傳曰：國必自滅，而後人滅之。故有國者，恒自愛其國，侵略兼併，祇視能力所能爲；而大盜在室，乃如取如攜，禍本不淸，遑言扞外？彼方以是爲將莫予毒，而乃望以一致爲國，相去萬里，何止逕庭？果然滬上消息傳來，則北京商會以勸進之言，電求滬商會同意，新室王莽與拿破崙第三故事，不久將復現。嗚呼！區區民國之名義，吾國民以無量數之犧牲搏得之者，亦歸於澌滅，尙何言哉！尙何言哉…………（註六）」

中山先生是時已洞悉袁氏的野心，而國人尙在夢中。此函革命文獻未列月日，大致係在五月下旬。五六月間，袁家的走狗已躍躍欲發。八月上旬，袁氏顧問古德諾在亞細亞日報上發表一篇「共和與君主」論文，說中國不適宜於共和。不到一星期，揚度等所謂六君子便據此項論文，發起籌安會公開鼓吹帝制。在五九國恥之後，全國人民痛哭憤恨，慷慨奮發，袁氏如確係被逼承認，應如何痛自悔禍，以求全國之團結。然籌備帝制即緊接五九國恥之後，袁世凱與日本如無默契，其誰信之？

二、日本二十一條侵略的影響

（甲）中國仇日觀念的再起。在甲午戰爭以前，中國輕視日本。甲午戰爭後，因日本對中國刻苛，對列强可讓步，對中國決不讓步的態度，全國一致仇日。因仇日之故，遂轉而聯俄抗日，致有李鴻章簽訂的中俄密約。但在一八九八年俄國强佔旅順大連，强奪南滿鐵路建築權以後，始知俄人之不可信賴，聯俄空氣漸淡，仇日空氣亦因之冲淡。一九〇〇年庚子之役以後，中國一般觀念，已轉變仇日而親日。日俄戰爭時，中國人心都希望日本的勝利。但日本當局淺薄無識，日俄戰爭後，竟與俄國妥協，對中國横施壓迫，是時一般人民尚不知日本的野心。民國三年日本藉對德宣戰問題，侵佔中國領土，民國四年的二十一條與最後通牒，使中國人憤怒情緒，達於頂點，留日學生紛紛輟學歸國，全國學生遊行示威，奔走呼號，抵制日貨運動大起，商人亦同情學生之行動。作者是時小學尚未畢業，遊行示威，沿街演講，抵制日貨，無不參加。當時對日作戰的歌曲，普遍流行，歌詞中開首說：『學友們，大家起來，一個八個拚。』試看中國仇日的情緒，已到如何程度！而日人尚不知覺悟，對中國仍繼續不斷的壓迫。民國二十六年抗戰軍興，全國人民一致奮起，無絲毫反對的空氣，這是二十一條壓迫的果實，而日人竟自食其惡果。

（乙）袁世凱的崩潰。一個政府當局地位的鞏固，純在國人之擁護，絕不在外人之支持。袁世凱民國二年打擊國民黨，一方面得五國銀行團大借款的支持，一方面還得進步黨及一般無識人民的擁護。民國二年底袁氏事實上解散了國會，民國三年另頒新約法，實行獨裁，進步黨人已心懷不滿。民國四年五月九日接受日本最後通牒，繼之以籌備帝制。在八月籌安會成立期間，進步黨人已知袁氏帝制自爲，奮起與國民黨合作，共同推翻袁氏的帝制。袁氏認爲心腹的馮國璋等，也暗中參加倒袁運動。袁氏登位的期限，因雲南起義，已不能不展延。日本以承認帝制誘惑袁氏，是「種種手段之一」，爲榨取權利的一種手段，決非有所愛於袁氏。日本見反帝制勢力蔓延日廣，爲博取反袁派的好感，以待事機的進展，遂於十二月十五日向袁氏提出警告。日本向提氏提出警告後，英法意俄各國隨聲附和，於是袁氏『決心向日本送禮，派周自齊赴日本補賀日皇加冕之議，雖在五年一月初旬才公表，但雙方的接洽定議，實在四年十二月。不料個中秘密臨時敗露，惹起英俄等國的嫉妒，英俄等才放棄暗中助袁的行動。日本因秘密漏洩，恐增長中國國民的反感，而帝制成功的希望很少，又日益明白，於是幾決計倒袁，對於已經答應接待的送禮特使周自齊，於臨行時宣告擋駕。袁氏賣國外交，於是完全失敗，帝制的成功遂以無望。』（註七）袁氏的失敗，由於衆叛親離，日本不敢明目張膽的扶助袁氏，是見於中國反日空氣的濃厚，和革命勢力的高漲。所以袁氏承認日本最後通牒，交換日本承認帝制之時，即決定其崩潰的命運。

（丙）美國表示不承認。民國四年二月二日中國外交總長陸徵祥與日置益公使，開始關於二十一條件之交涉，已惹起中外之注意。二月二十七日北京外國報紙揭載：『日本對華要求，示諸歐美各國政府，爲四項目十四條；然向中國政府要求，則爲五項目二十一條。何故第五號之七條項，對於與國如此秘密？』由此項消息傳佈，國際輿論對日本之背信行爲，盛行抨擊，尤以美國爲最。五月十一日美國政府向中日兩國發出下列宣言：『此次中日兩國磋商條件，早已開始，迄今尙未解決。磋商所至，必有議決之件；以事甚秘密，美國不得而知。然有不得不向中日兩國政府宣言者，即中日兩國政府，無論有何同意或企圖。如有妨害美國國家及人民在中國條約上之利益，或損害中國政治上領土上之完整，或損害關於門戶開放機會均等之國際政策者，美國政府一律不能承認。』（註八）袁世凱此時已承認日本最後通牒，美國此項宣言，自不能使局面有所變更。但在華盛頓會議時美國能主持正義，即因美國從未承認日本强迫中國簽訂的二十一條件。

（丁）英日同盟的終結。在日本橫行期間，英國因英日同盟關係，英政府不便有所表示，然日本通知英國的，是四號十四條，而對中國提出的是五號二十一條，日本已有欺騙盟國的事實。在第五號中，日本更侵入英人所謂勢力範圍的長江流域，想取得武昌至南昌，南昌至杭州，和南昌至潮州三條鐵路的建築權，這是不能使英國人同意的。日本所表現的行爲，不僅不能保全英人的利益，且危害及英人的利益，所以在歐戰結束後，英日同盟已不能繼續。英國政論家肯納第（A. L. Kennedy）關於此事，曾發表意見如次：『一九一五年五月，日本向中國提出二十一條要求，若已强使承認，是中國顯成爲日本的附屬國。日本此種行動，不依據據同盟條約第五條，充分無隔閡的與英國協議，顯然是對盟約的背叛行爲。……原來英日同盟的發生，是對付俄國的侵略，保障中國的安全。現在日本已代俄國而成爲在中國的危險物，英國關於條約適用的範圍，不能不採取有效果的政策』（註九）英日同盟終結後，日本外交陷於孤立。日本二十一條的荒謬提出，眞是損人而不利己。

（戊）日人事後的檢討。日本於日俄戰爭後，不與中國合作，而對中國壓迫；甚至在第一次歐戰發生，向中國壓迫承認二十一條。對中國固然不利，但日本並無所得。日本所得的，是中國人民的仇恨，和日本信譽的一落千丈。重光葵在所著「日本之動亂」說：

「中國政府接到這個要求後，不但將它秘密的提示給英美駐華代表，同時也洩露給外國記者們，因之煽動了對日本二十一條要求的世界輿論。中國的排日風潮，更加激烈起來。…………日本政府方面，雖然發出什麼最後通牒，施行長期高壓手段，結果並無所得。日本只取得在東北方面極不完全的利益，及若干有關山東問題的權益之外，其他的一般要求，不能不由日本方面撤消了。日本經此次交涉，信譽一落千丈。素以審愼聞名之英國外相格雷，亦向日本駐英大使加藤勸告，不應過份妄行。日本此次交涉之所得，除在東北及山東若干權益外，是國際對日本的不信任——暴露了日本對華的野心。中國人民的排日運動勢如急潮。現在，中國問題不再是中日之間的問題，已演變到世界的問題了。

美國方面，根據門戶開放政策，以保全中國領土及經濟上之機會平等，爲其政策之主幹。所以對中國

民眾的民主主義熱望，表示全幅的同情，對於其他任何國家之對華積極政策，不管其理由何在，均站在反對的立場。」（註十）

（註一）一二兩節資料考下列各書：

一、關於條約、換文、照會、等見中外條約彙編：中日條約附錄

二、張忠紱著：中華民國外交史第三章

三、張博文編中日外交史第三章

四、劉彥著：中國外交史第十七章第十八章

（註二）李劍農著：中國近百年政治史第十一章四一九頁

（註三）李執中著：日本外交第八章一七一頁

（註四）張忠紱前書第三章一三六頁

（註五）李執中前書第八章一七五頁

（註六）革命文獻第六輯五〇至五二頁

（註七）李劍農前書四四〇頁

（註八）李執中全書一七七頁

（註九）A. L. Kennedy: Old Deplomacy and New, (London, 1921) pp. 106-7

（註十）重光葵著，徐義宗邵友保合譯：日本之動亂第一章一五頁

第三章　對德宣戰問題

第一節　對德絕交宣戰的經過

一、日本逼簽廿一條後的外交活動

一九一五年十一月英俄法三國向中國政府提議，請中國參加對德戰爭。日本此時以中國參戰於日本不利，堅決反對，中國政府不敢開罪日本，英俄等國在大戰期中亦不敢開罪日本，强邀中國參戰，此議不久卽被撤銷。日本反對中國參戰，但日本知道對中國逼簽廿一條，已引起美英兩國的反感，美國已正式宣佈卽不承認，英國雖不發表意見，已感覺英日同盟失其價值。日本在此期間，遂展開外交活動，使各國在戰後承認其既得的權利。

（一）日俄遠東協定。日俄已由衝突而妥協，曾締結三次密約。爲補救英日關係的疏遠，和對抗美國的干涉，日本外交當局遂進行聯俄，一九一六年七月三日日本與俄國締結遠東政治協定與密約，要旨如次：

一、日本國不加入對抗俄國之任何協定或政治聯合，俄國不加入對抗日本之任何協定或政治聯合（協定第一條)。

二、締約國之一方在遠東之領土權利或特殊利益，爲另一締約國所承認者；若發生危害時，俄日兩國協商辦法，相互協助或合作，以保衛彼此之權利與利益(協定第二條)

三、兩締約國承認，爲維護雙方重要利益，須要中國不落在第三國之政治勢力之下：此第三國或將敵視俄國或日本，將來遇有需要時，須開誠交換意見，並協定辦法，以阻止此種情勢之發生(密約第一條)。

四、若上條所舉之協定辦法，締約國之一，須與上條所指之第三國宣戰時，則另一締約國，一經請求，即須援助，且兩締約國在未得彼此同意之先，不得單獨媾和(密約第二條)。

日本爲與俄國締此協定，曾付相當代價。據日本締約當事人石井解釋說：『我與國中有單獨講和之虞者，殆爲俄國。預防之策，惟有供給俄國以兵器，給予回復戰況之機會，打消其講和之念頭。曾盡我能力供給步槍七十萬枝，此外被服刀劍者，總計對俄國貸與約三萬萬元，與之成立防止與他國締結不利於日本條約之協商。』(註一)

(二)日英、日法、日意密約。一九一七年三月一日，日本與英國訂立密約，英國承認戰後允許日本收領赤道以北德國所有各島嶼，及承受德國在山東之權利。同日又與法意兩國訂立類似之密約，作爲允許中國對德參戰的條件。

(三)日美藍辛石井協定(Lansing-Ishii Agreement)。日本與俄英法意四國均訂立密約，鞏固其在中國山東侵佔的利益，因鑒於日美國交之惡劣，遂仿英法前列，派石井子爵爲訪美大使，表示致謝美國之參戰（一九一七年四月六日美國對德宣戰）；但其主要任務，欲遊說美國承認日本在華之特殊利益。石井的措詞，頗爲巧妙，美國國務卿藍辛竟墮其術中。石井說：『日本對中國之政策，旣非侵略，又非壟斷，不過以地理上之連接，生出特殊關係，較他國有優越利益，猶之美國於西半球墨西哥及中美洲之有其優越利益相同。』又說：『日本從前照此主義進行，屢遭美國人民之誤解，蓋全出於德國政府造謠離間之陰謀。關於此等疑惑，須由兩國共同宣言，以爲根本疏導，免再中敵人離間之計。』石井巧妙之詞，全在以地理上之連接，生出特殊關係數語。藍辛氏不察，於一九一七年十一月七日，美日發表共同宣言，即所謂藍辛石井協定，內容大要如次：

美國政府及日本政府承認於領土相接壤之國家，生特殊之關係，因之美國政府承認日本在中國接壤地方，有特殊之利益。中國之領土主權，完全存在，美國政府信賴日本國屢次之保障。日本雖以地理位置關係，有上述之特殊利益，然對於他國通商，不至予以不利之差等待遇，亦不漠視中國在條約上許與他國商業上之權利。美國與日本政府聲明毫無侵害中國獨立，與其領土完整之意圖。對於在中國之門戶開放與機會均等主義，兩國聲明擁護。將來凡以特殊權利侵害中國之獨立與領土完整，或防礙各國人民享有工商業上均等之機會者，兩國政府相互聲明，不問何國政府獲得者，皆反對之。

此項宣言，內容仍說門戶開放機會均等，但已承認日本接壤地方，有特殊之利益，不僅違反美國過去不承認之政策，且有害於中美之感情。此項協定發表後，美國中國輿論均激烈反對，而日本輿論狂喜，認爲日本外交之大成功。此項協定，直至華盛頓會議開會以後，才因美國之提議，申明取消。（註二）

日本與俄英法意四國訂有密約，在外交上布置完畢後，因英國堅約中國參戰，對於中國參戰問題，始不再反對，且爲控制中國計，鼓勵中國政府參加。

二、中國對德絕交的經過

一九一七年一月三十一日德國政府因戰略之關係，正式通知各中立國政府，德國將於英倫三島、法蘭西、意大利、及地中海東部附近指定區域內，自二月一日起，施行無限制的襲擊政策。美國因於二月三日對德絕交，二月四日照會我國政府及中立各國政府，聲述美國政府的立場，並請各中立國政府與美國採取一致行動。中國政府此時不能不考慮對德問題，但又怕日本的反對，於二月七日電令駐日公使章宗祥密探日本的意旨；日本是時已不再反對，希望中國與協約國採取一致行動。中國既得美國的贊助，又不遭日本的反對，遂於二月九日向駐北京德使提出嚴重抗議。

北京政府於二月九日對德提出抗議，在事前五小時知照日本之府之時，日本外相本野卽對中國駐日公使表示：『謹提抗議，於中國地位似非得計，不如卽行宣布斷絕國交，並不必俟抗議回答。』本野並謂：『此次抗議深惜事前未與接洽，現兩國力謀袪除隔閡，深冀中國政府熟考。』自此以後，北京政府遇有主張，多先密商日本；日本亦表示願以好意相助，並表示日本決不乘中國參戰之機會，干涉中國之軍事組織，惟力促中國早日對德宣戰。

三月初間法國郵船 Atlas 號爲德國潛艇擊沉，其中乘客有中國勞工五百餘人，北京政府內閣乃於三月三日開會，決定對德絕交，並決議立卽以此決議案，並中國希望之具體條件，秘密通知日本政府。中國希望辦到之具體條件如次：（一）庚子賠款德奧方面，永遠撤銷；協約國方面賠款，緩還十年。（二）現行進口稅，實抽百分之五，改正貨價後，實抽七分五；裁厘後抽十二分五。（三）解除辛丑條約中國於天津周圍二十里內不得駐兵之規定；並解除各國駐兵使館及京津鐵路之約束。

北京政府除通知日本外，並通知各協約國駐京公使；協約各國對中國之請求，原則上一致贊成，但須俟中國與德奧斷絕邦交後，方可決定。日本外相本野認爲，中國應先對德絕交，表示眞意，然後再商條件。

關於中國對德宣戰問題，國內主張不一致。由抗議到絕交期間，反對加入協約國的，在野名流有孫中山、唐紹儀諸人，在朝者如黎元洪、馮國璋等皆反對加入協約國。贊成加入的是段祺瑞梁啓超。在國會方面，因梁啓超贊成加入，舊進步黨人士皆贊同梁氏的主張；國民黨人士主張則不一致，除丙辰俱樂部人士（中華革命黨分子組織）極端反對外，益友社（張繼爲中堅）及政學會人士，則皆贊成參加。此時贊成反對兩方面，都是在國家的利害上打算，並非拘於平時的黨見。所以三月十日國務員全體出席兩院，報告外交方針，衆議院卽日投票表決，以三三二票對八一票通過對德絕交案。次日參議院開會投票表決，以一五八票對七二票通過對德絕交案。兩院都通過對德絕交，三月十四日北京政府遂正式宣布對德絕交。（註三）

三、中國對德宣戰的波折

中國雖已對德絕交，但國內人士對於參戰意見尚未一致。主張參戰之理由有四：（1）協約及參戰各國主張保衛弱小國家之權利，並主張民族自決，有利於中國。（2）戰後和會必將討論有關中國之問題，中國要在和會中有發言權，必須參戰。（3）中美國交素稱親睦，應與美國採取同一行動。（4）參戰可增加中國當局之威望與權力。此時主張參戰最力者，在朝爲國務總理段祺瑞，在野爲研究系之首領梁啓超。梁氏主張參戰之目的，在效法薩地利亞（Sardinia）政治家加富爾（Gavour）參加克里米戰爭(Climian War)的故智，藉此以增高中國的國際地位。段氏主張參戰之目的，雖亦在改善中國在國際間之地位，但段氏此時希望與日本合作，欲藉參戰之機會，自協約各國獲得財政的援助，以鞏固北洋派在國內的勢力。

反對參戰之理由如次：（1）協約及參戰各國之主張，對於中國未必含有誠意，以過去日本對中國的侵略行爲而論，卽可證明。（2）中國對德宣戰，倘德國作戰勝利，戰後必對中國施行報復。（3）德國於戰前數年對中國行爲友善，協約各國在華反有種種不法行爲，中國縱助協約國作戰，將來在和會中亦未必得良好結果。（4）因參戰而增加威望與權力，或將爲當局利用，以壓抑反對黨人，摧殘民主精神。（5）中國無作戰能力，參戰後，中國商務將受影響，且中國平素愛好和平，自開闢以後，向未參加他國之紛爭。此時反對參戰者，除在朝之黎元洪、馮國璋，在野之孫中山、唐紹儀外，各省督軍之大部，國務員之一部。商民團體及在野名流康有爲等，亦均表示反對。

此時反對參戰者雖多，但在北京政府中無實際力量。國會多數贊成參戰，觀絕交案之投票結果，卽可推知宣戰案的必然通過。五月一日國務會議通過參戰案；五月七日提出參戰案於國會時，段氏竟師袁世凱故智，派公民團三千餘人包圍衆院，請願參戰，並毆辱議員。段氏弄巧成拙，衆議院因此停止開會，並要求改組內閣。黎總統五月二十三日免段氏內閣總理後，段系的督軍八人竟宣布獨立。張勳以入京調停爲名，脅迫黎元洪於六月十二日解散國會。七月一日張勛擁宣統復辟。七月十四日段祺瑞重入北京，赴國務院視事。段氏掌握權力後，自稱再造共和，對國會不再召集，於是發生法統之爭，國會議員於七月下旬陸續抵粵，八月廿五日國會在粵召開非常會議，討論組織政府事。八月三十日國會通過軍政府組織大綱，九月一日選舉孫中山爲大元帥，陸榮廷唐繼堯爲元帥，九月十日中山先生就大元帥職，南方護法政府至是成立，中國成爲南北兩政府對峙之局。非常國會議員雖多數爲國民黨黨員，並不服從孫中山的領導。此時護法政府是實行國會獨裁制，八月十四日北京對德宣戰，九月二十二日非常國會亦議決對德宣戰。由此，可知五月七日段祺瑞提出參戰案於國會時，若不派兵包圍國會，激怒國會議員，參戰案之通過，是沒有問題的。段祺瑞不學無術，派兵包圍國會，引起政治上重大風波，造成中國的分裂，我們不能不痛恨庸人之誤國。

在中國內部因法統問題爭持期間，段祺瑞因日本及協約各國的催促，於八月十四日照會荷蘭駐華公使轉知德政府，聲明自中華民國六年八月十四日上午十時起，與德國入於戰爭狀態。同日並通知駐京奧國公使，與奧國入於戰爭狀態。中國八月十四日對德奧宣戰，係段祺瑞及梁啓超等少數人之主張。段氏之所以斷然主張，實有意藉外力之援助，以鞏固北洋軍閥在國內之實力，排斥異已。『段氏的私意，本是假對外以制內的，對外則「宣而不戰」，對內則「戰而不宣」，成爲當時奇妙的話柄。』（註四）茲將北京政府六年八月十四日對德奧宣戰布告節錄於次：

「我中華民國政府前以德國施行潛水艇計劃，違背國際公法，危害中立國人民生命財產，曾於本年二月九日向德政府提出抗議，並聲明萬一抗議無效，不得已將與德國斷絕邦交等語。不意抗議之後，其潛水艇計劃，曾不少變。中立國之船隻，交戰國之商船，橫被轟毀，日增其數。我國人民之被害者，亦復甚衆。我政府不能不視爲抗議之無效。欲認痛偷安，非惟無以對尙義知恥之國人，亦且無以謝當仁不讓之與國。中外共憤，詢謀僉同，遂於三月十四日向德政府宣告斷絕外交關係，並將經過情形，宣示中外。

「我中華民國政府所希冀者和平，所尊重者公法，所保護者我本國人民之生命財產，初非有仇於德國。設令德政府有悔禍之心，怵於公憤，改其戰略，實我政府之所禱企，不忍遽視於公敵者也。乃自斷交以後，歷時五月，潛艇之攻擊 如故。非特德國而已，卽與德國取同一政策之奧國，亦始終未改其度，旣背公法，復傷害吾人民，我政府責善之深心，至是實以絕望。爰自中華民國六年八月十四日上午十時起，對德國奧國宣告立於戰爭地位。所有以前我國與德奧兩國訂立之條約，及其他國際條款國際協議，屬於中德中奧之關係者，悉依據國際公法及慣例，一律廢止。我中華民國政府仍遵守海牙和平會條約，及其他國際協約關於戰時文明行動之條款，罔敢逾越。宣戰主旨，在乎阻遏戰禍，促進和局。凡我國民，宣喻此意。………」（註五）

觀北京政府宣戰布告，對德國罪狀的敍述，僅有潛艇之攻擊一項，無法再列舉其他罪狀。對奧國罪狀更無法列舉，含混過去。此項布告，理不直，氣不壯，較之清廷對日宣戰上諭，庚子年對德日宣戰詔諭，竟有天淵之別。以此布告言之，中國實無宣戰的充分理由，不過在英國指使，日本督促之下，段祺瑞欲利用日本以鞏固政權，遂以宣戰爲兒戲而已。

段氏藉重的外力，就是日本的力量。一九一七年春美政府邀請中國仿行美政府舉動之目的，原在使重要之中立國家採取共同行動，以增加對德作戰的聲勢。但美國邀請發出後，響應者只有中國。故美政府對中國參戰問題，不願採取積極態度，並勸導中國先與協約各國磋商，以定行止。中國不能獲得美國的援助，協約各國對中國更無能爲力，北京政府決定對德作戰，勢不能不與日本合作。日本此時勸中國先行參戰，對段政府之表示，極爲友善；一方允諾不乘中國參戰之機會，侵略中國，一方允以善意與實力援助中國。段氏深信日本之保證，七月十四日入京後，協約各國駐北京代表催詢中國政府對於參戰之方針，國務會議遂於八月二日重行議決對德奧宣戰，八月十四日以此項決議正式發表。中國對德奧宣戰，其動機雖由於美國之邀請，但自三月十四日絕交，以至八月十四日宣戰，實協約各國與日本所促成，尤以日本敦促之力居多。因日本政府此時若不力促中國加入戰團，段政府縱願加入戰團，恐亦無此決心與毅力。

中國政府對德奧宣戰後，協約各國及美國相繼向中國政府作下列之保證：『茲特聲明本國政府欣願趁此機會，將友誼及聯帶責任並協助之處，特向中國政府確實表明，自必盡力贊助中國在國際上享得大國當有之地位及優待。』對於中國所提之具體條件，協約各國（比、法、英、意、日、俄、葡七國）於九月八日正式函復，承認的事件如次：（1）庚子賠款可於五年內展緩償還，不另加利息；惟各國展緩償還之款項，不必爲其每年應得之全數（俄國只允展緩一部份）。德奧二國之庚款，永遠撤銷。（2）關稅按實價值百抽五，具詳細辦法應由一委員會決定，中國亦可有代表出席委員會。（3）天津周圍二十里內中國軍隊可以暫時駐紮，但以防範德奧人民之行動爲限。美國復函內容，對中國所提之具體條件，均予承認。觀此，中國參戰所得的利益，實極有限。

中國雖對德奧二了宣戰，但實未能盡戰爭之義務。參戰期中，除會參加日、美、英、法、意、等國聯合出兵西北利亞外，並未出兵歐洲，與協約國共同作戰。中國所貢獻者，僅有兩項：（1）輸送大量糧食至協約國。（2）送工人十七萬五千人至歐洲及美索不達里亞工作。此外會組織一督辦參戰事務處，並派一軍事調查團至法國。

第二節　中山先生反對參戰的主張

孫中山先生反對參戰的主張，見於「中國存亡問題」一書，茲節餘原書於次：

一、中國不應對德宣戰

甲、中國對德外交手段未盡，不應宣戰。凡國家政策既定，必先用外交手段以求達其目的，外交手段既盡，始可及於戰爭。戰爭既畢，仍當復於外交之序。故國與國遇，用外交手段與用戰爭手段，均爲行其政策所不可闕者。然用外交手段之時多，用戰爭手段之時少；用外交手段者通常之軌則，戰爭手段者不得已而用之。不得已云者，外交手段既盡，無可如何之謂也。今如美之對德，自魯士丹尼亞號擊沉（德國潛艇擊沉掛美國旗之英船，美人有死者）以來，對於德國所行戰法，屢爲抗議，德人暫納其言，旋生他故；至於今歲，爲此無警告之擊沉，然後決裂；中間垂兩年，蓋其愼也如此。今我國可謂已盡外交之手段未乎？兩年以來，協商國之損及我華人者，屢指不可勝數，而不聞一問。即德國在地中海大西洋實行其潛艇攻擊，亦未聞有何等研究。一旦聞美絕交，始起抗議，未得復答，即決絕交，是爲已盡外交之手段，不能達其目的已乎？德國回答，指明潛艇攻擊並不損及中國船舶，仍允磋商保護華人生命財產之法，可謂周到。……。德國既顯示我可以用外交手段解決此問題，而我偏不與商酌，務求開戰，此可謂與美國同一乎？人以外交手段行之二年，我僅行之一月，人以外交手段既盡始宣戰，我則突然於外交手段未盡之際，行此激烈手段，此可得謂之有不得已之理由耶？

乙、就正義立場言，中國對德不應宣戰。如謂此役爲正義而不得不戰爭，則德國方面，其違返人道之處，果如英法俄人之甚乎？謂德之潛艇無警告擊沉船舶爲不仁，謂德國虐待比利時塞爾維人民，謂德國强行通過比利時羅森堡爲無公理，誠有云。然協商國又何以勝彼？英國之進兵希臘，與德之進兵比塞有以異乎？英國於開戰後未幾，即宣言以飢餓屈服德國，禁絕糧食入德。英國報紙得德人婦孺餓將成殍之報，則喜而相慶；聞德國糧食豐足民生不匱，則憂且斥及爲僞，其視德人之待比塞人民何如？德國待比塞縱不仁，不致於絕食以待其餓死之甚也。同是對付敵人，何以英法用以餓死人之政策，便爲甚合於人道，而德國稍稍管束征服地之人，便不可恕？……謂德國代表有强權無公理之勢力，德國一勝，公理將淪；則試問英國……奪我香港奪我緬甸者，據何公理？逼我吸銷鴉片，劃我土地爲彼勢力範圍，據何公理？法之吞我安南，俄之吞我滿洲，間我外蒙，又據何公理？就此數十年來之歷史，無甚高論，協商國又豈非有强權無公理者乎？數十年前，英國能用其强權以行無公理之事，則不顧公理；今日英之强權遜德，則目德爲無公理，而自諱其從前之會用强權，此種議論，奈何可輕信之？如使今日有人果爲護持公理而戰者，必先與英、法、俄戰。然而吾人對於英、法、俄向不主張宣戰，自無對德奧宣戰之理由。

丙、爲中國求免害，更不應與德宣戰。吾知公理人道云云，不過極少數人所誤信，至於大多數人主張戰爭者，皆不過借爲門面語，並不實心信奉；所以三數語後，仍舊露出利害之辭，而段祺瑞卽首言非以謀利但求免害者。誠使爲利害而戰，則苟爲國家之害者，孰不樂除去之！但今者不能不先問德之如何害我國？

與德國開戰，何以能免其害？國家之生存要素，爲人民土地主權，故苟有害於此三者，可以抗之也；抗之不足，至於宣戰，亦有理由。然不能不審其損害之重輕，而向其重者謀之。

今自開戰以來，德國曾以損害加於我人民乎？無有也。有之則自往法工人乘船沉沒始，而此諸工人者，皆被誘往法，爲其兵工廠作工者也。英法自知其船不免攻擊，故邇來一切婦孺，例禁乘船；而獨募華工往。及其船沉，華人則任其溺死，豈非英法人設圈，引我國人入其術中，而致之死地乎！……英法屬地，年中寃死華人，何可勝數。俄國年前招我國人往充工作，約定所給工値，旣不照給；華人聚衆要求，則以以排槍禦之，死者數百。吾友自西北利亞歸，親見其殘夥欲生不得，欲死不能，揮淚述其慘狀。此其視德國炸沉敵船，以損及我華人者，罪惡奚啻百倍！何以對彼則安於緘默，對此則攻擊不留餘地？如謂開戰可免人民受害，則必告國海軍力能掃盪德潛艇，建英法海軍所不能建之奇功，然後可保華人之生命。否則開戰以後，國民不復許旅行歐土，亦曰可避其殃。今開戰之結果，首須多送工人，往歐工作，卽無異使德國攻擊商船，可以殺更多的華人，則何以言開戰爲防禦人民之損失耶？

以土地論，德國將來之野心，誠不可知；論其過去及現在，實可謂之侵犯中國最淺，野心最小者。以割地言，則中國已割黑龍江沿岸最豐饒之地於俄，割緬甸香港於英，割安南於法，割台灣於日，而德無有也。以租借言，則英佔九龍威海衞，法佔廣州灣，俄佔旅順大連，又轉讓之於日。論其前事，德之膠州，罪無以加於他國。而今者膠州已歸日佔，更無德人危我領土之虞。以勢力範圍言之，英國佔西藏四川及揚子江流域，約佔中國全國幅員百分之二十八，俄了佔外蒙新疆北滿約佔百分之四十二。法國佔雲南廣西，日本佔南滿、東內蒙、山東、福建，均在中國全國幅員百分之五以上。至於德國，前雖樹勢力於山東，不過中國全國幅員百分之一，以視英俄，曾不及二三十分之一，卽法與日亦數倍之。同時侵及中國土地，而有多寡之分，又有現在繼續與已經中斷之別；而於已中斷者則追咎之，近日益加厲者不過問也。侵我較多者則助之，侵我較少者則攻之，是與其謂爲防人侵我領土而戰，不若謂爲勸人侵我領土而戰也。

若謂主權被侵，則德國誠赤隨英法之後，有礙我主權之舉動；然比之俄國往昔駐兵佔地以起大戰，與首設領事裁判權首劃勢力範圍之英國，當有所不如。……

由此以觀，所謂免害之說，完全不成理由，結局只是求利。中國之與德絕交，非以公道絕之，非以防衞絕之，而以賄絕之也。所謂賄者，以公言之，則關稅增率，賠款停付，庚子條約改正是也。以私言之，則道路指目，自有其人，吾不暇爲之證矣。………

二、英國策動中國加入的原因

甲、勸誘中國加入，英國實爲主動。考論其實，於加入有所主張者，協商一面雖云七國勸我，而意、氏、葡、三國，實可謂初不相關。法俄兩國所求助於我國者，亦復甚易得之，卽不開戰未嘗不可滿足法俄之慾望。故其望中國加入者，英國也；不得已而迫中國加入者，日本也；欲中國與已採同一態度者，美國也。……論此次之勸誘中國，美日居其衝，而英國若退隱焉。考其實際，則英國爲其主動，而美日之行動，適以爲英政府所利用耳。何也？英國之運動加入，非自今始。往者袁氏稱帝之日，英國曾欲以加入爲條件，而承認袁之帝制。袁未及決，日本出而反對，遂中止以迄今茲，然而英國之運動未嘗息也。但以英國會對日本外交總長石井約言，此後在中國無論何種舉動，必先經日本之同意。英國在東方之外交，本不能自由行動，故英國欲勸中國，必先勸日本。欲勸日本，惟有借美國勢力侵入中國，以挾持之。……統以上所言，則知勸我抗議之美國，勸我加入之日本，均未嘗因我國加入能受何種利益；卽在協商歐洲諸國中，亦決無非中國加入不可之理由。然則何以七國公使不憚再三干涉我國對德之所謂「獨立外交」乎？則以其主動者有英國，故不惜百方以求引入之機會。袁氏之稱帝，一機會也，不幸而挫於日本之干涉。故又利用美國之勸，而煽起中國排日之感情；卽以此聳日本之聽，而促其決心，此年來英人所經營者，其跡歷歷可觀。……可見中國加入而得利者，非意比葡；非俄非法，亦非美非日也，惟有一英國而已。則有問者曰：英國於招工運糧破壞德人基礎以外，更有何等更深之理由乎？曰：有之。英國自數百年以前，迄於今玆，有一不變之政策焉：日求可以爲犧牲者，以爲友邦。中國適入其選，則英國之欲我宣戰也固宜。

乙、大英帝國的基礎在印度。除去印度，大英帝國不過世界之三等國，此英人所自認者也。……除去印度，則英國商業已去大半；其根本旣傷，自無吸引之力，而雄制世界市場之資格，從此失矣。印度之存亡，卽英之存亡也。……英之設印度公司，在他國之後，侵略全由公司策劃，母國初不之知，卽克雷夫當時，豈知其經營印度，關於英國之榮枯若是哉？……當一八六〇年之交，中國方南北爭持，未有所定；淸帝北走道死，舉國無以抵拒妥人爲意者。使戈登襲克雷夫之策，以中國之兵征服中國，決非難事也。況益以國家之助乎？……英國當時如不但以通商爲滿足，而併吞中國，實無一國可以牽制英國也。假令英國以十年之功，放中國於掌握之中，則法國正敗於普，德意志帝國新成，而亞洲已全入英國統制之下矣。

英國雖失併吞中國之機會，心未嘗忘中國也。值法國於戰後專力經營殖民地，與英角力；德國尋又起而乘之；英國猶欲以瓜分之結果，佔有中國之大部份，以爲印度之東藩，補往日之失策。而計劃未遂，忽有日本起於東方。日本一出，戰勝中國，雖曰從此中國敗徵益無可隱，而實際瓜分之局，轉以日本之突起，與俄國之遠略而中破。俄國既與土戰勝，勢可突出地中海矣，而英嗾德以撓之，使不得伸；易志而東圖我新疆，與彼印度。英國為自保計，不能任俄國之發展，而於東方陸上之力不能制俄；值日本之新與，遂利用之為敵俄之具。東方既有角逐，利益更難平均，因之瓜分說破，而均勢之說代之。日俄戰後，日之地位更固，而英國亦無法使瓜分之際日本滿意。日本亦知瓜分之後已國地位無由鞏固，力主保全中國。蓋法德之着手東方，為英國併吞中國之障礙，其政策遂變為瓜分；而日本之勃與，又為歐洲瓜分中國之障礙，再轉而為均勢保全；於是英國不得不以保守印度為滿足矣。……英國之帝國主義，恃印度以為基礎，故英人必百計求保全印度，不惜以萬事為犧牲也。

丙、英國百年來之外交政策。欲論英人之用何術以維持此帝國，不可不先溯之於英國向來對外之政策。英國自戰勝西班牙之無敵艦隊以來，其對外有一定之國是：即聯合較弱之國，以摧抑當時最强之國是也。……百年之間，英與法再為敵，再為友。於俄一為友，一為敵。於德一為友，一為敵。要之，當其最强之際，英國必聯他國以敵之；及其有他國更强，則又聯之共敵他國。……故論英之外交，斷不能謂某國必可為英國之友，亦不能謂某國必為英國之敵，抑且除印度及與印度有關之數地外，雖為英國向蓄有勢力之地，亦不憚移以贈人。如摩洛哥，固英國宿昔所經營者也。為誘法以伐德，不惜以讓諸法。從可知英國向來為破滅歐洲最强之國，不惜以種種為犧牲。而其所以必破壞歐洲最强之國者，不外以保存其帝國，換言之，即不外以保全印度耳。……故無其力，愼勿為英之友，苟無其力而為英之友，必不免為英之犧牲。若其無力而欲免於犧牲，中立上策也。不然者，與其為英之友，無寧為英之敵。此無論英之終局為勝為敗，必無疑義者也。

雖然，自有此空前之戰爭，而英國地位已大變。平和而後，將仍持此策而不變乎？抑且改弦更張乎？此現在所須研究者也。吾人以最上之智慧，絕對之忠誠，爲英國謀將來保全印度維持帝國之策，則有其必變者，有其必不變者；以最强之國爲敵，此必變者；以較弱之友邦供犧牲，此必不變者也。

丁、協商國勝後之英國外交。今姑無與爭協商國之勝敗，試與設想，協商國全勝之後，英國之地位如何？……法之爲國舊矣！且於此一戰，實已殫其精力，不能於戰後驟望發展。意雖舊邦新命，而其海陸軍兩無可恃；在今日以最有利之狀況進戰，尙不能得志於奧國；至於戰後，意已成孤立之況，在英法尙視爲疏遠，在德奧則積有深仇，其不能爲英患亦明。其在東方，則英國可襲十餘年以日制俄之策，引美國以敵日本。所不可如何者，俄國而已。俄國自十八世紀之初，彼得改革以來，無時不有併吞世界之計劃；所謂彼得遺訓者，久已爲世人所公認，而俄國之地勢，實又足以成之。……俄國挾此自然之地位，先爲不可勝，以待人之可勝，英國固無可如何也。……且德旣敗，則必棄其東進之策，而與俄無利害之衝突。法意本與俄近，美國本不干涉東歐中亞之事，日本又已先事親俄，英國欲求俱與敵俄者必不可得。無已，惟有改其故步，因利乘便以聯俄。雖然，聯俄非可以口舌畢其效也。英國欲收俄國不侵印度之利，必先有以利俄國，而所以利俄者又須爲英國勢力所及，不徒以口爲惠。……英不損印度，則須求與印度相當者以贈俄，則在今日有第二印度之資格，而爲俄所滿足，無逾中國者矣。故英俄友好之日，中國必不免爲同於印度之犧牲。……

爲俄國計，均可以資己國人發展，則亦未嘗不樂舍印度而取中國。蓋俄國於西北利亞鐵道複線之輸送力下，久有北滿外蒙新疆之布置，成一包圍之況。苟英國聯俄以抑日，則其南下猶行所無事耳。是故英國於戰後苟欲與俄國爲協商，俄必樂爲承認。……而英與俄，一爲海王，一爲陸帝，兩不相妨，百年之安，可坐而效也。……

戊、協商國戰敗或無勝敗媾和後之英國外交。今更預想戰敗後之景況，則英國爲此次戰後之首領，同時握有媾和之權，故常能於有利之時機爲媾和。若歐戰以無勝負終，媾和之時期，亦唯英國決之。……英國既握此全權，則於協商國不得勝時（包括無勝負和之場合在內），英國必思所以利用此者，而英國……不能用百年來舊策，以最强之國爲敵，卽當以最强之國爲友。協商國如不得戰勝之結果，德之軍國主義決無打破之期。罷戰之後，最强之國仍是德意志，則預言英國之親德，決非妄測也。……

英國對於德國之發展，將何道以禦之乎？以力既一試而知其不可矣，則惟有與之均分利益，一如戰勝時之親俄。蓋非然者，德國之發展必先見於地中海，而埃及危。又見於波斯灣，而印度危。亡埃及則喪其咽喉，亡印度則失其本根，此英國所不能堪者也。英國非不欲常爲歐洲之雄，不使一國與之比肩稱霸。然以事實言，則戰勝亦萬不能達此的，乃不得已而有與德提携之事，此所謂必要生出可能者也。……英國有聯德之必要，又非不能聯之者，則亦不能不籌畫所以滿德之欲望者矣。……英國爲圓滿德國之欲望，必當以中國爲餌，與其聯俄同。

己、協商國勝利，不僅中國受禍慘重，日本國運亦必衰亡。英國無論爲敗爲勝，英國國運皆有中墜之虞。惟有改從前之政策，統合强者，與同其利，始可自計百年之安。與人同利而不自損，則必於向屬已所支配，有可藉口視爲已從屬之國，掬其利益，以飽貪狼，此無問於爲德爲俄，中國必先受其痛苦。而以其人之性質，及其智識之差等而言，俄人之待遇中國人，又較德人爲酷；徵之前史，無可諱言。彼主張協商國之必勝，而欲加入者，以爲協商國勝後，可得若許之利益，增加若許之光榮；不知俄人之在其後，其慘狀乃較協商國之不勝，爲尤甚也。

無論協商國之勝否，中國加入，必爲英之犧牲，故無論勝否，日本必受中國加入之惡影響。假令英國以中國屬俄，必復其前日南趨之故步，南滿朝鮮，先不容日人之鼾睡，此可無疑者也。日俄近雖結協約，不外利益之調和，俄以此一心對德。至於强敵既挫，俄國與英親善，自然可擇取東方膏腴之地，以快其心；英既欲俄不取印度，則將於中國助俄以抑日本，此皆理之所宜有者也。然則日本將何以自處乎？南進則與英衝突，北進則與俄衝突，自守則不足，求助則莫應。故英俄之結合，卽日本國運之衰亡，亦卽黃人勢力之全滅，亞洲之永久隸屬歐人，事至顯明，無勞思議。反之，英國不勝而聯德，則德亦將繼俄之後，抑日本以自强。故中國加入之前途，不特中國存亡之所繫，亦爲日本興衰所關，此亞洲同人所當注意者也。

三、中國存亡問題

甲、加入問題爲中國存亡問題。仍守中立，不保無以我爲犧牲之事，此固德者之所當慮也。但不可不知者，加入協商國，則犧牲中國爲二國之利；而仍中立，則犧牲中國僅爲一國之利。加入協商，則此後必以中國之利益，以補强而未有充足領土者之缺憾；仍守中立，則尚可希冀他國不爭我而爭印度，徐謀補救。是故加入協商國，則中國終不免於亡，而仍守中立，尙有可以爭存之理由。故加入問題，卽中國存亡問題也。

今且離戰爭而論，所謂歐洲强國者。……侵呑中國之力旣具，而不侵呑之者，一以均勢之結果，一以經營之便利也。……故分割之議，一變而爲保全之說心夫中國苟守中立，始終不變。則其狀態亦復與前無異。卽使德國全勝，英不能以中國爲餌，而得德之歡心。又使俄國獨强，英以中國示恩於俄，俄人亦不感謝英人。何則？在東方英國商務雖盛，不能自詡有獨立指揮中國之權能，此事實開戰後而益顯。英國如不能以中國置之協商國中，則他人侵略中國，英認許之，不過一尋常之友誼，非可以示恩也。英國認許旣非恩惠，則將來之最强者，亦不因是提議，而有與英聯絡之必要。……苟非中國自投旋渦，惹起亂調，則戰亂結後，俄德之所求，必爲東歐中亞之勢力，卽以埃及印度爲目標。……故苟非以中國置之協商國中，從於英國之支配，則人將各擇其簡易者，必先印度。

抑猶有不可不知者，中國今爲世界所同享利樂之市場，未嘗於一國有所偏袒。故從經濟上言，卽不佔領，未嘗不可以享中國之大利。……如能中立不變，各國皆覺瓜分中國，且如存置之利爲多。……由此而論，假令英保印度，而俄德佔中國，則佔有中國者，永無佔有印度之機會，且並不得分其利益。若俄德奪英之印度以爲己有，中國之利益猶有，日本決不能獨佔之；是得印度，同時能享中國之利益；而得中國，不能同時享印度之利益。此所以爲德與俄計，聯英非計之至上者也，取中國非利之志大者也。惟中國自進而亂此局，使英國藉以示恩，英之計劃始能如意。故曰：中國加入惟英國有利，中國旣加入，則英國可以中國爲犧牲。故加入者召亡之道，中立者求存之術也。

乙、中國今日欲求友邦，不可求之於美日以外。今之論者，或主親美而排日，或主親日而排美，皆非也。日與美皆有可親之道，而親一排一之策，則萬非中國所宜行。今以日本論，其關係可謂親矣，而中國之親日，必使日本不與美衝突，然後可完全遂行其扶助中國之任務。中國官僚好引美國之勢力以拒日，此大誤也。若但以兵力論，日本固不如美國。……故曰引美以排日誤者，非美不勝日之謂也。使美國戰而勝日，於中國無所補，而於日本美國皆有所損。日本而敗，大則破國，小則地削，其損無俟言矣。爲美國者，果有利乎？……既勝日本之後，利害即與俄德衝突，因之更須與一最强國戰。……然則美國之倒日本，適自召强敵之接觸，終於兩敗俱傷，非日本之利，亦非美國之利，明矣。

中國今日欲求友邦，不可求之於美日以外。日本與中國之關係，實爲存亡安危兩相關連者，無日本即無中國，無中國亦無日本，爲兩國謀百年之安，必不可於其間稍設芥蒂。次之則爲美國，美國之地雖與我隔，而以其地勢，當然不侵我而友我；況兩國皆民國，義尤可以相扶。中國而無發展之望則已，苟有其機會，必當借資於美國與日本；無論人才資本材料，皆當求之於此兩友邦。而日本以各種同文之故，其能助我開發之力尤多。必使兩國能相調和，中國始蒙其福，兩國亦賴其安，即世界之文化亦將因以大昌。中國於日本，以種族論，爲弟兄之國；於美國，以政治論，又爲師弟之邦。故中國實有調和美國日本之地位，且有其義務者也。妄人乖忤之論，詎可信耶！夫中國與日本，以亞洲主義，開發太平洋以西之富源，而美國亦以其門羅主義，統合太平洋以東之勢力，各遂其生長，百歲無衝突之虞。而於將來，更可以此三國之協力，銷兵解仇，謀世界永久之和平，不特中國蒙其福也。中國若循此道以爲外交，庶乎外交上召亡之因，可悉絕去也。

丙、要有獨立不撓之精神，而後可以自存於世界。一國所以興所以亡者，或以一種手段，爲其直接原因，可以指數。至於存在之根源，無不在於國家及其國民獨立不撓之精神；其國家不可以利誘．不可以勢刼，而後可以自存於世界。卽令摧敗，旋可復立。不然者，雖號獨立，其亡可指日而待也。……比利時之敵德國，可謂不支矣，今之比利時政府乃在哈佛，比之國土，僅養彈丸黑子之域。然而非特協商國之存在，無人敢謂比國可亡，卽中立國亦無不對比國有特殊之尊敬。所以然者，比國獨立不撓之精神，先已證明比國爲不可亡之國。……同於比利時者則有希臘。……希臘之興，亦以其民族歷史不稍消磨，且益振發，終非土耳其所能屈，故人從而助之。希臘旣以此精神興，卽亦可恃此以存，今之希臘，其受協商國之脅迫，可謂至矣，然卒不能搖之。……比利時以其不屈不撓之精神而存在，希臘亦以不屈不撓之精神而存在。國於天地，必有與立。彼不能保其自主之精神，何取乎有此國家乎！須知國家之受損害，有時而可以回復；若國家之行動爲人所迫脅，不謀抵抗，則其立國之精神旣失矣，雖得大利，亦何以爲？……英法非不能以較多之兵力，侵希臘之土地也，而不爲之者，知其志之不可奪也。故以中國比之比利時希臘，其宜守中立爲同，其守中立之難，則彼百倍於我。英法日俄之迫我，決不如迫希臘之甚也。且以英日人之所主張，則彼固未嘗强迫中國也。則何故不以希臘爲師乎？同盟國迫比利時，比利時以兵抗之；協商國迫希臘，希臘亦不聽也。我國之受迫，不如人之甚也，則何爲自棄其當採之態度乎？……吾不憚千百反覆言之曰；以獨立不撓之精神，維持嚴正之中立！（註六）

四、中山先生的高瞻遠矚

作者讀近代關於外交之著作，對國際關係分析最明瞭，見解最深刻，爲中國外交設計最完善者，當首推中山先生的「中國存亡問題」。中山先生此書出版時間，係在中國對德宣布絕交以後，未正式宣戰之前，係用朱執信名義出版。此書反對中國參戰的理由，詳盡透澈；對中國外交的指示，和國際前途的推測，以過去數十年歷史觀之，與預測大致相符，我們不能不欽佩中山先生的高瞻遠矚。

（甲）中國外交要本獨立不撓的精神。我國在抗戰結束之時，喪失獨立不撓之精神，竟因敷衍美國關係，承認雅爾達密約，與俄國簽訂及好同盟條約。勝利以後，又接受美國的建議，舉行政治協商，使共匪坐大，及共匪坐大以後，民國三十八年八月，美國反發表白皮書，攻擊我國民政府。此乃我國喪失獨立不撓之精神，遂致因循而不能自拔。民國四十四年外蒙古入聯合國問題，我國在聯合國絕對多數壓力之下，在美國勸告，西班牙日本要求之下，我國能本獨立不撓之精神，毅然行使否決權，不僅對我國際地位無所損失，反得世界友邦之崇敬。故我國此後外交，應本獨立不撓之精神，不為利誘，不為威脅，決不能犧牲本國之權利，以交換不可必得之條件。

（乙）中日兩國存亡安危兩相關聯。先生認為無日本即無中國，無中國亦無日本；協商國勝利，不僅中國受禍慘重，日本國運亦必衰亡。故主張中日兩國消除仇恨，切實合作。然日本軍閥不僅不接受勸告，反變本加厲，對中國橫施壓迫，釀成中日八年血戰，中國固然損失慘重，日本亦國破家亡。中日衝突，使俄人坐收漁人之利，這是中日兩國當局及人民應切實檢討覺悟的。

（丙）主張日美合作，反對日美衝突。「美國之倒日本，適自召强敵之接觸」。今日本已倒，美國遂與俄國直接衝突。第一次世界大戰時，美日立場相同，德國失敗，俄國衰弱，德俄兩國均不能侵略中國，第二次世界大戰同盟國勝利，德日兩國俱敗，俄國遂得大肆侵略，且以美國為其最後敵人。今日美國在遠東方面，欲制止暴俄的侵略，必須與中國日本切實合作；中日兩國亦必須拋棄仇怨，與美國平等合作，始可自圖安全。

（丁）俄人侵略中國最兇，待遇中國人最酷對中山先生說：以割地言，中國已割黑龍江沿岸最豐饒之地於俄；以勢力範圍言，俄國佔外蒙新疆北滿，約佔中國幅員百分之四十二；以人之性質及其智識之差等而言，俄人之待遇中國人又較德人為酷。中山先生反對參戰，就是為預防俄人的侵略。民國十年以後，中山先生雖然因俄人笑面外交轉變對俄政策，是時俄國力量衰弱，不能為中國之患，然中山先生仍預防蘇俄之侵略。在與越飛聯合宣言中，特聲明共產組織及蘇維埃制度，不能引用於中國。在民生主義演講中，痛斥馬克斯主義的謬誤。在大亞洲主義講詞中，更指明俄國是被我們感化了的。由此可知中山先生在蘇俄衰弱的時候，對預防俄人的侵略，還是一點沒有放鬆。

張其昀的中華民國創立史說：「第一次世界大戰爆發以後， 國父高瞻遠矚，分析世界局勢，以為這正是中國存亡的關頭。他認為大戰以後，德俄兩國任一戰勝，便成為歐洲最強大的國家，不問德國或俄國，必將進而侵略亞洲，以達其征服世界的目的。…… 國父為何要著作中國存亡問題一書呢？就是要指明這種嚴重的危機，使我國人能有高度的警覺。 國父謂俄國勢力一旦南下，勢將促成亞洲的全部沉淪，東北與朝鮮就是俄國控制亞洲的關鍵。又謂美國軍力，足以擊敗日本；但日本敗後，美國更須與一最強之國戰。中國的危機所在，在西方是英俄妥協，以中國為犧牲；在東方是日本戰敗，美國亦居於不利地位。中國的外交政策必須從這種最險惡的局面打算，庶幾亡國之禍可以避免。誠如總統所云：這種精微透闢，明若觀火的論斷，不但為我國的論交者前所未見，即在世界政治論壇中，亦為絕無僅有。」（註七）

（註一）李執中：日本外交一八四頁張忠紱：中華民國外交史二一〇頁。

（註二）陳博文：中日外交史七二頁　李執中前書一七九—一八三頁。

（註三）張忠紱前書　二一一—二一五頁　李劍農：中國近百年政治史四九〇頁。

（註四）李劍農前書　五〇一頁

（註五）革命文獻第七輯八六頁。

（註六）節錄　孫中山著：中國存亡問題。

（註七）張其昀著：中華民國創立史九六頁。

第四章　參戰後的對日外交

第一節　西原借款及山東問題換文

段祺瑞於民國六年七月十四日返北京，復任國務總理後，決意以武力統一中國；但此時北京政府的財政極爲困難。美國於中國參戰前，雖曾允諾以財力援助中國，但中國宣戰過晚，美國以財力援助參戰各國之議案早經通過，致中國未得享受該案規定之待遇。英法等國此時無力借款中國，此時有力借款中國的，惟有在歐戰期間，獲得暴利的日本。段氏早已決定與日本合作，日本此時又對段氏極表好感；日本於段氏復任內閣總理後，除立卽以財力援助段氏外，並曾向參戰各國建議，援助段氏的北京政府，對於其敵黨不得鼓勵或援助。是以段氏復職後，卽決心與日本合作。西原借款，山東問題之換文，與中日軍事協定，均爲此時期中之產物。

日本決計扶植段氏，延長中國之內亂，乃以朝鮮、臺灣、興業三銀行，合組一特殊銀行團，以爲對華投資之主體。此項借款多係秘密進行，借款之大部，由日人西原龜三經手，故名西原借款。依據一九一三年五國銀行團之規約，日本不得單獨向中國舉行政治借款，是以日本不能利用日本代表銀行之正金銀行放

款，故有此特殊銀行團的組織。除善後借款由正金銀行出面外，其他借款均由此特殊銀行團經手。（註一）

一、西原借款的項目

段氏與日本寺內內閣勾結，在民國六七兩年間，中國向日本所借款項，由兩國政府公布者，共約二萬萬元左右，卽所謂西原借款，其中六年八月至七年一月所借之款，梁啓超亦曾參與。尙有兩次軍械借款，一次在六年十一月，梁氏雖未參與，然亦聞知；一次在七年七月，皆未公表。西原借款的眞實詳細數目，至今無從確查。日人勝田所著「菊之分根」，龔德柏譯爲西原借款眞相，其中所發表之借款名目及借款額，與劉彥所著帝國主義壓迫中國史所載，小有不符。勝田自言關於軍事借款，非其所主，不欲深論，則其所述者，自有未盡之處。（註二）玆據劉彥的調查，將六七兩年間所訂之重要借款契約，略述於次：

（1）第二次善後借款日金一千萬元。民國六年八月二十八日財政總長梁啓超，與橫濱正金銀行代表締結，借款期限一年，年利七厘，以鹽餘爲擔保。

（2）交通銀行借款日金二千萬元。民國六年九月廿九日曹汝霖陸宗輿與日本特殊銀行團代表締結，借款期限三年，年利七厘五，以交通銀行所有國庫劵二千五百萬元爲擔保。

（3）吉長鐵路借款日金六百五十萬元。民國六年十月十三日曹汝霖梁啓超與南滿鐵路代表締結，借款期限三十年，年息五厘，以吉長鐵路之財產及收入爲擔保。

（4）第一次軍械借款日金一千萬元（或稱一千六百萬元）。民國六年十一月五日北京陸軍與日本泰平公司締結，雙方皆嚴守秘密，不將契約發表。由日方交付軍械，以作現款。

(5)第三次善後借款日金二千萬元。民國七年一月六日財政總長王克敏與橫濱正金銀行代表締結，借款期限一年，年息五厘，以鹽餘作擔保。
(6)無線電信借款五十三萬六千餘英磅。民國七年二月廿一日海軍部劉傳綬與三井物產株式會社代表締結，借款期限三十年，年息八厘，以無線電信局之收入爲擔保。
(7)有線電信借款日金二千萬元。民國七年四月三十日曹汝霖與中日合辦之中華滙業銀行代表締結，借款期限五年。年息八厘，以全國有線電訊之一切財產並其收入爲擔保。
(8)吉會鐵路墊款日金一千萬元。民國七年六月十八日曹汝霖與日本興業銀行代表締結，借款期限四十年，年利七厘半，以吉會鐵路財產及收入擔保。
(9)第二次軍械借款三千三百六十四萬元。民國七年七月卅一日由陸軍總長段芝貴與日本泰平公司代表締結。由日方交付軍械，以作現款。
(10)金礦森林借款日金三千萬元。民國七年八月二日農商總長田文烈及曹汝霖與中華滙業銀行代表締結，借款期限十年，年息七厘五，以吉黑兩省金礦及國有森林與其收入作擔保。
(11)滿蒙四路墊款日金二千萬元。民國七年九月二十八日駐日公使章宗祥與日本興業銀行代表締結滿蒙四路(開原海龍至吉林，長春至洮南，洮南至熱河，洮南熱河間一地點至海港)預備借款契約，借款期限四十年，年息八厘，以四路現在及將來之一切財產及其收入作擔保。
(12)濟順高徐二鐵路墊款日金二千萬元。民國七年九月廿八日駐日公使章宗祥與日本興業銀行代表締結，借款期限四十年，年息八厘，以二路之財產及收入作擔保。

(13)參戰借款日金二千萬元。民國七年九月廿八日駐日公使章宗祥與朝鮮銀行代表締結，借款期限一年，年息七厘，以中國將來整理新稅中收入，作爲償還財源。

二、西原借款的損失

綜上所述，在寺內內閣任期內，不到兩年期間，借款總額已將近二億二千萬日元。段祺瑞僅圖財政上的充裕，貫澈其武力統一的迷夢，不惜飲酖止渴，斷送國權，使日本假借款以奪取中國利益之計劃，得以實現。中國因西原借款的損失如次：

一、吉長鐵路、吉會鐵路及滿蒙四路均被抵押。

二、無線電台有線電信事業管理權的讓與。

三、吉林黑龍江兩省金礦及森林的讓與。

四、山東濟順、高徐、二鐵路的讓與。

五、山東問題換文的損失。

六、中國參戰軍必用日本軍官訓練。

一、二、三、四各項中國的損失，極爲明顯，第五項則影響中國巴黎和會時山東問題的失敗。民國三年日本進攻青島時，以大軍進逼濟南，佔領膠濟鐵路全線，將中國服務員工及警兵驅逐，而代以日人。民國六年復於青島設立日本行政總署，於坊子、張店、李村、濰縣、濟南等處，設立日本行政分署。及中國對德宣戰，爲協約國之一員，日本爲消滅中國將來在和會控告之口實，遂乘機與我國駐日公使章宗祥提議，以膠州至濟南之鐵路歸中日合辦，又濟南至順德、高密至徐州二鐵路以借日款建築爲條件。段政府正在困窮之際，對此提議，欣然贊同。在濟順、高徐二鐵路借款預備合同簽約之前，中國駐日公使章宗祥於七年九月二十四日與日本外相後藤新平交換關於山東問題之照會，內容如下：

一、膠濟鐵路沿線之日本國軍隊，除濟南留一部隊外，全部均調集於青島。

二、膠濟鐵路之警備，可由中國政府組成巡警隊任之。

三、左列巡警隊之經費，由膠濟鐵路提供相當之金額充之。

四、右列巡警隊總部及樞要驛站並巡警養成所內，應聘用日本國人。

五、膠濟鐵路從業員中應用中國人。

六、膠濟鐵路所屬確定以後，歸中日兩國合辦經營。

七、現在實行之民政撤廢之。

章宗祥對後藤復照中，有「中國政府對於日本政府右列之提議，欣然同意」之語。

參戰借款日金二千萬元之契約，係根據中日軍事協定，由中國編練三師四混成旅，以便出兵歐洲爲名義，至此項借款最重要的附帶條件，即此種參戰軍，必用日本軍官爲訓練。日本政府的用意，實欲乘此機會，在中國軍事上取得特殊的地位。（註三）

第二節　中日軍事協定

一、訂立軍事協定的原因

俄國一九一七年十一月發生革命後，主張退出戰團，與德國單獨媾和。一九一八年三月三日，俄德兩國代表在伯萊力託斯克（Brest Litousk）簽訂和約。俄國主張單獨媾和時，係公布不割地不賠款兩大原則。但三月三日和約簽訂時，列寧竟力持承認德國割地賠款的要求：一、俄國放棄芬蘭、波蘭及波羅的海沿岸領土與德國；二、承認烏克蘭爲獨立國；三、俄國付給德國賠款三萬萬盧布。在第一第二兩款內，俄國損失人口佔百分之二十六，耕地百分之二十七，農民收獲百分之卅二，鐵路長度百分之廿六，製造工廠百分之卅二，煤礦百分之三十五；列寧爲換取單獨媾和的條件以保持共黨的政權，竟將俄國利益犧牲三分之一。由此可見共產黨人手段的一斑。（註四）

俄國退出戰團後，同盟國之俘虜被釋放者約在三十萬人左右，西北利亞頗有被德國侵佔之虞；俄國在海參威之軍需品，亦有售與德國之可能。此時俄國境內，尙有叛奧降俄的捷克斯拉夫軍隊約五萬人，因俄國已退出戰團，捷克軍隊企圖由西北利亞退出，轉道美國開赴法國作戰。同時俄國革命已波及西北利亞，西北利亞境內已於一九一八年春，成立一遠東蘇維埃政府（The Far Eastern Council of People's Commissars），在西北利亞境內，俄國因紅白兩黨衝突，也發生內戰。

日本自一九〇七年後，曾與俄國合作侵略中國，先後締結四次密約。俄國革命成功，對帝俄時代與各國締結的條約，都宣告無效，日俄繼續合作以侵略中國，已變爲不可能。日本政府此時對俄對華的外交政策，不能不予以變更。於是日本乃一面援助西北利亞之白俄，一面與中國訂立陸海共同防敵軍事協定，藉此擴展其大陸政策，將日本勢力伸入北滿與外蒙，企圖掌握中國軍事的權力，並佔領西北利亞之一部。

日本既欲擴大其大陸政權，並掌握中國的陸海軍指揮權，遂於民國七年二月五日與中國駐日公使章宗祥交涉。此時段祺瑞政府是親日政府，而協約各國政府亦不願蘇維埃政府勢力侵入亞洲，共同提議出兵西北利亞，援助反對蘇維埃政府的捷克軍隊。段政府藉共同出兵問題，遂在民國七年五月十六日，與日本秘密訂立一種軍事協定；此即震動一時的中日軍事協定。

二、中日軍事協定的內容

中日軍事協定原文，中日政府均予秘密，未曾正式發表。民國八年二月廿八日中國南北和議開會，北京政府和議代表朱啓鈐，因南方政府總代表唐紹儀的要求，始將關於中日軍事協定文書，公開於和會。計中日軍事協定共四種：一、中日陸軍共同防敵軍事協定；二、中日陸軍共同防敵軍事協定實施之詳細協定；三、中日海軍共同防敵軍事協定；四、中日海軍共同防敵軍事協定說明書。茲將前兩種要點摘錄於次：

甲、中日陸軍共同防敵軍事協定要點

一、中日兩國陸軍以敵軍勢力，日蔓延於俄國境內，兩國應取共同防敵之行動。

二、兩國當局於開始行動時，發佈相互誠意親善，同心協力之命令或訓告。凡在軍事行動期間內，中國地方官吏對於該區域內之日本軍隊，須盡力協助。

三、在中國之日本軍隊，俟戰爭終了時，即自中國境內撤退。

四、軍事行動區域內，設置諜報機關，相互交換軍事地圖及情報。

五、爲軍事運輸使用北滿鐵路時，關於該鐵路之指揮保護管理等，應尊重原來之條約。

乙、中日陸軍共同防敵軍事協定後實施之詳細協定。

一、中日兩國各派一部軍，對於及貝加爾湖及阿木爾取軍事行動，其任務在援救捷克斯拉夫軍，並排除德奧及援助德奧者。

二、期指揮統一起見，行動於該方面之中國軍隊，應入於日本司令官指揮之下。

三、爲與自滿洲里進後貝加爾湖之軍隊相策應，中國軍隊之一部，應由庫倫進至後貝加爾湖方面。如需日本軍隊協助，日本軍亦可派往，入於中國司令官指揮之下。

四、中部蒙古以西之邊防，由中國自行鞏固防禦。

中日海軍共同防敵協定，內容與日軍共同防敵協定大體相同。中日海軍共同防敵軍事協定說明書，內容無重要性。以上各約，形式上中日兩國平等待遇，實際上對我國頗有損失。（一）日本可出兵北滿，實現其侵略北滿的野心。（二）中國軍隊派至北滿及貝加爾湖的軍隊，須受日本司令官的指揮。中國由庫倫出兵貝加爾湖，需要日軍協助時，派出日軍，受中國司令官指揮；但中國始終未自庫倫出兵。故中國軍隊實際係受日本司令官之指揮。（三）行軍之地，皆在我國領土及附近我國之西北利亞，所謂發布相互誠意親善同心協力之命令或佈告，均屬於我國片面的義務。所謂交換軍事地圖，只是由中國供給軍事地圖。所以我國輿論對此軍事協定，始終反對。（註五）

三、中日軍事協定的影響和取消

段祺瑞的「賣國借款政策，促起了國民的危懼之念，首由留日學生發動，於五月十二日（民國七年）罷課歸國，組織救國團，其目的就是在阻止中日共同防敵條約，即構成參戰借款的條約。到五月廿一日，北京大學及各專校學生全體至總統府，請願廢止中日共同出兵的協定。自此全國商民，大部皆知道段氏方在進行賣國，以殘同種，紛紛開會通電，或攻擊段氏，或請求停止內戰。」（註六）

「南北和會，所以遲至二月二十日（民國八年）始正式開會的原故，就是因爲有兩個和議的先決問題，不易解決。……二、參戰軍的取銷與禁支參戰借款問題。原來參戰借款，在段氏將要辭國務總理時才正式簽約，段氏預備去職後，仍據參戰督辦的名義，利用此借款擴充兵力，作他日消滅異已的武器。所以歐戰已經終了（民國七年十一月十一日歐戰已簽定休戰條約），還是陸續向日本支領借款，進行參戰軍的編練；並且依據中日軍事協約，用了許多日本軍官。南方以參戰軍參戰借款及軍事協約，皆以參與歐戰爲目的，現在目的既已消滅，故嚴電北政府，要求廢止軍事協定，撤銷參戰軍，停止參戰借款，北政府則不允諾。……開會後，南方代表唐紹儀，仍提議廢止軍事協定，解散參戰軍，取銷參戰借款，並要求北政府將關於軍事協定附屬外交文書，一概交和會查閱。……不料北政府除將軍事協定文書四件交付和會外，對於解散參戰軍，取消借款及軍事協定的幾點，置諸不理，並且發表了一種與日本訂結延長軍事協定的協約。」這種延長的協約，是八年二月五日（南北和會已在預備開會中）由參戰督辦處命徐樹錚和日本陸軍代表乙東彥所訂的，文如左：

經中日兩國最統帥部協議；本中日陸軍共同防敵軍事協定第九條，關於戰爭狀態終了之時期，照左之協定；對於德奧戰爭狀態終了之時期云者，係以歐洲戰爭之平和會締結之平和條約，經中日兩國批准，中日兩國及協約和各國之軍隊，均由中國境外撤退時而言。

這種協約，是日本所設一個最奸險的陷阱，迫使中國將來對於巴黎和約不得不簽字（因爲關於山東問題，日本早與協約國有秘約，承認日本繼承德國權利），而段氏只顧延長協定期限，保持參戰軍的實力，不知道已墮入日本的陷阱中。」（註七）

協約各國對德和約於一九一九年六月廿六日簽訂，對奧和約於一九一九年九月十日簽訂，對匈和約於一九二〇年六月四日簽訂，對保和約於一九一九年十一月廿一日簽訂，對土和約於一九二〇年八月十日簽訂。國際聯盟於一九二〇年一月成立，協約國對俄國之干涉與封鎖，也於一九二〇年停止；日本才無所藉口，於一九二一年一月廿八日由中國政府與日本政府交換取消軍事協定的照會。

（註一）張忠紱：中華民國外交史二三四頁。
（註二）李劍農：中國近百年政治史五一六頁。
（註三）（一）（二）兩項參閱下列各書：1陳博文：中日外交史第三章。2張忠紱前書第五章。3劉彥：中國外交史第二十三章第三節。4中外條約彙編：中日條約關於各項借款部份。
（註四）胡慶育：蘇俄外交政策（載我們的敵國）
（註五）陳博文前書第三章第四節。
（註六）李劍農前書五一七頁。
（註七）李劍農前書五二八—二九頁。

第五章　俄國革命後的中俄關係

第一節　蘇俄政府對中國表示親善

一、一九一九、一九二〇兩次發表放棄在華特權宣言

一九一七年俄國三月革命，俄皇被迫退位，臨時政府成立。同年七月克倫司基（Kerensky）出組政府，俄國政府雖經兩度改組，仍繼續作戰。同年十一月七日共黨在列寧領導之下，奪獲政權，主張與同盟國單獨媾和。一九一八年三月三日俄德兩國簽訂和約，俄國正式退出戰團，俄國與協約國的關係中斷。在蘇俄，此時組織第三國際，資助他國之共黨，企圖煽動全世界革命。在協約國，則以武力援助白俄，實行出兵西北利亞、高加索、俄國南部，及波羅的海東岸等地，並實行對俄經濟封鎖。

俄國一九一七年十一月成立的蘇維埃政府，北京政府未予承認，因此，舊俄政府駐華公使庫達攝福（Koudachev）仍得繼續行使職權。一九一九年七月二十五日蘇俄政府為爭取中國同情，發表對華宣言，茲節錄於次：

「北京外交總長轉中國人民及中國北方與南方政府同鑒……自一九一七年十月，勞動農民政府執政以來

，乃屢次以全俄人民之名義，致書於全世界之人民，力勸伊等建立耐久之和平。此和平應以放棄侵佔他人土地，及放棄吸收他人金錢爲根本。所有民族，無論或大或小，無論任何地點，無論是否自由，或在他國强權壓制之下，均應在內部生活上完全自由，任何權力不應從而拘束之。吾勞農政府又曾續行宣言，將從來俄國與日本與中國，及與從前聯盟各國所訂結之一切秘密條約，概行作廢。……吾勞農政府曾談判，磋商廢棄一八九六年之條約，與一九〇一年之北京草約，及自一九〇七年至一九一六年間與日本訂結之一切協約。簡言之，卽將俄皇政府自行侵奪，或借日本及其他聯盟公共侵奪自中國人民之所有者，一槪歸還中國人民。此項談判，開至一九一八年三月爲止。斯時協約各國實扼北京政府之喉，廣用金錢，收買中國官吏及報紙，並强迫中國政府拒絕與俄國勞農政府交涉。而日本與協約各國不待東三省鐵路之歸還中國人民，卽羣起而覇佔之爲已有；並侵入西北利亞，從而强迫中國軍隊共同出兵。……吾儕特致書於中國人民，望其明瞭勞農政府，曾宣明：放棄從前俄皇政府向中國奪取之一切侵略品，如東三省及他種地方是也。……願將中國中東鐵路及租讓之一切礦產森林全部及他種產業，由俄皇政府……侵佔得來者，一概無條件歸還中國，毫不索償。勞農政府放棄中國因一九〇〇年義和團之亂而負欠之賠款。本政府所以不能不再三宣言及此者，因……此項賠款仍由協約國徵收，以接濟北京俄國舊帝國政府之使臣……等人之濫用。……勞農政府廢棄所有各種特別權利，及俄商在中國地面上佔有之一切租借地。任何俄國官員及教士不准干涉中國事件。如伊等犯罪，應照中國法律，受地方審判。在中國地方上只能有中國人民之權利及司法，不能有他種權力或他種司法。……勞農政府深知協約各國及日本，此次必再竭力使俄國人……之言語，不克達於中國人民，俾中國人民不知欲收回被奪之產，須先與東三省西北利亞之侵佔人了結。……代理勞農政府外交總長加拉罕。」

俄國此項對中國人民宣言，在爭取中國人民的好感，藉以突破其外交的孤立。俄國自動聲明放棄的，都是俄國當時業已無效，或已喪失的權利：（一）一八九六年的條約，就是李鴻章簽訂的中俄密約，早已失效。一九〇一年的北京草約就是辛丑條約，是俄國事實上已喪失的權利。一九〇七年至一九一六年的日俄四次密約，因當時情勢已由日俄分贓變成日本獨佔，自屬無效。（二）中東鐵路是時已由日本和中國軍隊佔領，俄國事實上業已喪失。（三）庚子賠款蘇俄政府不僅不能取得，且由協約國取之以供給其敵人，故蘇俄不能不被迫放棄，以爭取中國的好感。至帝俄政府向中國奪取的侵略品，最重要的是一八五八年訂立的中俄璦琿條約，和一八六〇年的中俄北京條約，在宣言上並未有隻字提及。關於外蒙古問題，一九一五年訂立的中俄蒙協約，也沒有隻字提及。由此可知蘇俄當時的宣言，僅係一種煽動的宣傳，煽動中國反對協約國，以減輕對俄國的壓迫；決不是「放棄從前俄皇政府向中國奪取之一切侵略品」。

一九二〇年九月二十七日又向我國發出第二次對華宣言，茲節錄原文如次：

「查去年七月二十五日，本部曾向中國人民及南北政府披露宣言內稱：從前帝制時代與中國所訂各種條約，現俄政府概行放棄，至帝國政府及俄國有資產黨前在中國所略取者，亦一併交還中國人民，並請中國政府開始談判，以定邦交等語。茲聞此項宣言，貴國政府已經收到，各界人民各機關極願貴國政府與我國開始談判，以定中俄兩國之邦交。貴國政府已派軍事外交代表張中將斯鏖來莫斯科，我等不勝歡迎，並願與貴國代表直接談判，以期彼此了解中俄兩國公共之利益……。

本部願助兩國和好速成，特聲明：一九一九年七月二十五日勞農政府宣言書內所載之各項原則；本部堅持不變，並以之爲中俄協約之基礎。本部爲闡發宣言書內所載之原則起見，玆將中俄主要條款，爲求兩國之利益所必要者，送請貴部查照。

一、俄國……外交部聲明：俄國與中國原有各種條約，認爲無效。放棄侵佔所得之中國領土及中國境內之俄國租界；並將俄國帝制政府及俄國有資產黨前在中國所侵掠竊取者，一併永遠無償退還中國。

二、兩共和國竭力設法從速規定兩國商務上實業上之關係，然後訂立專約，雙方遵守最惠國待遇之原則。

三、(甲)所有俄國反對革命黨之各機關各團體各個人，中國政府應不予以援助，並不准在中國領土內有所舉動。(乙)本約簽字以前，所有中國領土內有反對勞農政府之軍隊及機關，或反對勞農政府之同盟政府者，中國政府應解除其武裝，隨同其財產，一併交由勞農政府接收。(丙)勞農政府關於反對中國之各機關各個人，亦負同等之義務。

四、旅華俄僑應遵守中華民國一切法令，斷不能享受治外法權，旅俄華僑亦應遵守俄國一切法令。

五、凡在中國自稱俄國外交代表領事代表，未有本國政府委任狀者，中國政府應自本約簽字後，即與斷絕關係，並驅出華境，原有俄國公使館領事館及其財產案件等，亦應交還本國政府。

六、勞農政府辭退庚子賠款，但中國政府無論如何，不能將此款轉交俄國領事，或要索此款之某人，或俄國某機關。

七、本約簽字後，中俄兩國互派外交代表。互派領事。

八、關於勞農政府利用中東鐵路一事，中俄兩國允許另訂專約。將來訂立此約之時，除中俄兩國外，遠東共和國亦可加入。

以上所列主要各條，可與貴國代表和衷商議。倘中國政府認爲與兩國有益，必須更改之處，可以加入。但兩大民族之關係，不能以上列各條包括罄盡：是以兩國代表對於商務、邊界、鐵路、海關等問題，將來仍須另訂專約。我等竭力設法，以定兩國親密之和好，並願中國亦有懇切迅速之答復，以便速定和約。相應函請查照。此致中華民國外交部。代理外交部部務加拉罕。」（註 一）

這個宣言的內容，和第一次宣言雖然大體相同，但內容已有差別。關於中東鐵路的處理，已不似第一次宣言中所說的：『一概無條件交還中國，毫不索償』而是『中俄兩國允許另訂專約，將來訂立此約之時，除中俄兩國外，遠東共和國亦可加入』。這明明是說對於中東鐵路只能兩國共管，而不能無條件的交還了。

蘇俄這兩次宣言，放棄在華一切特權，改變其過去的醜惡面目；中國在受帝國主義者壓迫之時，忽然看到這樣講公理的宣言，當然是相當欣賞。從此，中國人對俄國痛恨的觀念漸漸的改變。中國在外交手段方面，確有接納蘇俄建議的必要，以促進廢除不平等條約運動。

二、停止舊俄使領待遇

俄國既聲明情願自動放棄帝俄時代在中國之一切特殊權利，中國政府自願乘此機會收回已失的權利。一九一九年十一月二十二日以大總統令宣布外蒙取消自治，廢除一九一五年中俄蒙三方之協定。一九二〇年八月一日完全停付俄國之庚子賠款；並違反一八八一年之中俄條約，在中國西方邊界設關徵稅。至此；中國對舊俄使領不能不停止待遇，一九二〇年九月廿三日以大總統令，停止舊俄駐華使領待遇，並以原文通知俄使，原文如次：

「據外交部呈稱：比年以來，俄國戰團林立，黨派紛爭，統一民意政府，迄未組成，中俄兩國正式邦交暫難恢復。該國原有駐華使領等官，久已失其代表國家之資格，實無由繼續履行其負責之任務，曾將此意面告駐京俄使。應請卽日明令宣布，將現在駐華之俄國公使領事等停止待遇等語。查原呈所稱各節，自屬實在情形，惟念中俄兩國壤地密邇，睦誼素敦，現雖將該使領等停止待遇，而我國與俄國人民固友好如初。凡僑居我國安分俄民及其生命財產，自應照舊切實保護，對於該國內部政爭，仍守中立，並視協約國之趨向爲準。至關於俄國租界暨中東鐵路用地，以及各地方僑居之俄國人民一切事宜，應由主管各部，暨各省區長官。妥籌辦理。」

蘇俄於一九一九年七月發表對華宣言，放棄在中國一切特權；就中國立場言，實屬有利。中國政府是時外交手段，應宣布中俄兩國過去締結條約一律作廢，俟蘇俄正式政府鞏固後，再互派代表締結平等互惠的條約。但北京政府外交，受英日各國的控制，不能採取主動，遲至一九二〇年九月，始宣布停止舊俄駐華使領待遇，並稱「對於該國內部政爭，仍守中立，並視協約國之趨向爲準」。但駐京各國公使，見中國決計停止舊俄使領待遇，深恐中國政府此後對於俄人之措施，影響各國人民在華之特殊權利。各國公使竟因舊俄公使的請求，出面干涉。一九二〇年十月十一日由使團領袖照會中國外交部說：「中國政府萬不能永遠取消俄人按約的在中國所享之利益。此不過暫時辦法，俟俄國將來政府成立經各國承認時，再行議定一切。……請中國政府與外交團商訂暫時管理俄人在中國利益之辦法。」俄國宣言自願放棄的權利，竟由英法日各國代爲交涉保留，殊屬怪事。中國外長於同年十月廿二日對上述照會。作如次之答復：

「……查本國政府宣布停止俄國使領待遇，實因俄國使領久已失去代表資格，不能行使職權，故不得已按照他國先例，有此停止待遇之擧，以免除事實上之困難，現在適用一切辦法，自屬暫時。至俄國正式政府成立得中國承認時，再行讓定一切。對於俄國在華人民，仍留其由條約所賦與之利益。俄國租界由中國代為保管，界內一切行政暫無變更。倘為情勢必須改良時，亦可酌量辦理。俄國領事裁判權當然中止；但如中國法庭審理他國人控告俄人案件，可引用俄律，以與中國法權不相抵觸者為度；或延用精通俄律專員備法庭顧問，亦無不可。此等辦法，中政府於維護俄國人民固有權利，委曲求全，當為各國公使所諒解，自無再與外交團另訂暫時管理俄人辦法之必要。惟各國在中國利益，如因停止俄使領待遇，而或有可受影響之處，本部極願與駐京各國 公使隨時接洽，以解除一切困難也。」

此後外交團仍再三與我國交涉，維護俄人在華的特殊利益；但俄人在華之利益已被中國逐漸清理。俄國在中國內地及東三省之郵局，均被封閉；旅華各地之俄人，已由中國司法機關管理；帝俄政府存於中國國內銀行之財產，均由中國代為保管。（註二）

第二節　中東鐵路問題的交涉

一、鐵路以外俄人侵佔的權利

中東鐵路一九〇三年完成；此時係俄人侵佔東三省期間，俄人乘機與我國地方當局交涉，除鐵路外，復獲得下列權利。（1）佔用地畝。俄人與中國地方當局先後訂立展地合同；在吉林省境內，自小綏芬交界站起，至阿什河車站止，各站共展地五萬五千晌（每晌約二十畝）。黑龍江省境內，自滿州里鐵路入中國境起，東至哈爾濱松花江北岸石當止，共展地二十萬六千晌。在東南路線自哈爾濱至長春佔用土地九千五百晌。在哈爾濱市佔用土地一萬零三百九十四晌。上所述之展地，均為路界內地，名歸東路公司，實無異俄國殖民區域。在界內之一切行政權，悉操於俄人手中，即我國所謂的「東三省特別區」。（2）開採煤礦採伐森林。在中東鐵路沿線兩旁三十里內，所有煤礦，概歸東路公司所有；附近森林亦准俄人自行採伐。（3）東路公司在黑龍江松花江有航行權。（4）哈爾濱市的行政權。民國初年為俄人奪取，俄人自行頒布哈爾濱自治公會章程，將該會置於東路管理局民政處之下，並規定自治公會會長應為俄人。英人於一九一四年四月首先承認，日法各國亦陸續加入承認。（5）沿線的駐兵權和警察權。根據日俄和約；日本得於南滿路沿線，俄國得於中東路沿線，每啓羅米突置守備兵十五名，其後俄國陸續增兵，沿線共駐兵約七萬人，名曰護路隊。一九一七年俄國革命之時，俄軍駐沿線者，尚有八千人左右。中東路局範圍所及，由俄人組織的警察管理，且不准中國警察進入界內。（6）司法權。俄人藉口領事裁判權，自設法庭，處理界內俄國人民民刑訴訟事件。中東路公司獲得之權利，除上述者外，尚有減稅權教育權等。中東鐵路附近區域，已無異俄國的殖民地，而東路公司則無異為此殖民地的政府。

二、民國七年我國收回行政權和護路權

一九一七年三月俄國內部發生革命，中東路俄坐辦霍爾瓦特反對俄國內部之革命，竟利用中東鐵路區

域宣布獨立，自稱俄政府總裁。俄國十一月革命，蘇維埃政府成立後，電令哈爾濱的共產黨人，驅逐霍爾瓦特，奪取東路界內政權。於是自十一月十二日後，哈爾濱「道裏」俄匪四起，刼案迭出，且波及「道外」交界處所（道裏係俄國佔用土地，道外係我國政權所及土地）。共產黨首領留金（Rulin）復在東路界內組織軍士團，與蘇俄聯絡，反對霍爾瓦特。濱江縣知事張會桀爲維持秩序，命警備隊一營，開入道裏巡邏，此爲我軍警進入道裏之始。各國領事見霍爾瓦特無力維持秩序，乃於民國六年（一九一七年）十一月廿二日決議，倘中國軍力不足應付現局，則協約各國將以武力出面干涉。於是中國先後派軍隊五營，開入中東鐵路沿線，並由吉林督軍派陶祥貴旅長爲中東鐵路一帶警備司令。十二月廿六日將附從留金之俄軍四千餘人解除武裝，並將繳械之俄軍監送至滿州里，俄軍遺留之營房歸我國軍隊駐紮。嗣後我方復在哈爾濱及鐵路沿線各城市設立稅關，並在哈爾濱及中俄交界處檢查行人護照，東路之行政權護路權，事實上已由我國收回。

民國七年七月，美國提議，由英法中日各國共同出兵西北利亞，出兵的路徑，一由中國外蒙古的庫倫，二由北滿的中東路，三由俄國的海參崴。同時提議共同監管中東鐵路西北利亞鐵道及烏蘇里鐵道。當時我國竭力反對共管中東鐵路，但因日本及霍爾瓦特的梗阻，各國僅承認中國在中東鐵路的護路權。我國收回中東鐵路的護路權後，添派中東鐵路督辦一名，以吉林督軍鮑貴卿擔任，並命鮑貴卿兼任中東鐵路護路總司令，以哈爾濱爲中心，分哈滿、哈長、哈綏三路，各置司令一人。

民國九年二月中東路員工，因反對霍爾瓦特，發生全體同盟罷工風潮，於是中東路督辦鮑貴卿一面派重兵鎭壓工潮，一面勸霍爾瓦特去職。此時霍爾瓦特已無實力，只得解除職務。鮑氏乘機發表布告說：「

以後無論俄國人或團體，都不許以政治目的，干涉路政。一切關於路政的政務，都由董事會決定。俟將來俄國政局統一後，中俄間再商訂辦法。」這個布告發出後，哈市各國領事都沒有異議。自此，中東路與哈爾濱至長春鐵道的管理權與其附屬地的行政權警察權，都完全由我國收回了。

三、與華俄道勝銀行改訂管理中東路合同

俄國於一九一九年七月廿五日發表對華宣言，願將中東路及租讓之一切權利，一概無條件歸還中國。但一九二〇年九月廿七日，俄國又發表第二次對華宣言，對中東路問題的態度，已由無條件交還，改爲兩國共同處理。俄國中東路公司爲保持權利，由華俄道勝銀行的代表，向中國政府提出下列三項原則，與北京政府交涉：（1）中東路係華俄道勝銀行與中國政府合夥建築者。（2）華俄道勝銀行係商人合開之股份公司，與俄國國家及俄國政黨均無關係。（3）華俄道勝銀行既與俄國國家及俄國政黨均無關係，現俄國內部雖發生變動，但一八九六年訂立之合辦鐵路公司合同，理應由華俄道勝銀行與中國政府交涉改訂。在交涉時，法國政府且出面證明，認定華俄道勝銀行實爲股份公司，爲俄國商民之企業，與俄國政府或政黨無關，而東路公司股份之全部則均爲銀行之產業。北京政府此時不敢利用時機，與俄國政府交涉，全部收回中東路；竟允與華俄道勝銀行代表交涉，由交通部與華俄道勝銀行代表，於一九二〇年十月二日改訂管理中東路合同。原合同除序言外，共有七款，茲將要點敍述於次：

序言。中國政府特……正式通知該銀行，聲明中國政府決定暫時代替俄國政府，執行該合同及現行章程之所有各項職權，並執行光緒二十二年所訂合辦東省鐵路合同，及公司原有現行章程所予之特權。此項

代執行俄政府職權之期限，以中國政府正式承認俄國政府，並彼此商定該路辦法後爲止。特續訂本合同，以資遵守。……彼此同意訂立以下條款，爲一千八百九十六年之東省鐵路續訂合同。

一、東省鐵路公司一俟本合同簽字之後，務卽立將應繳中國政府各款同價之鐵路債券，交與中國政府。……甲、應繳中國政府之庫平銀五百萬兩。乙、前項五百萬兩歷年之利息，應自開車之日起算。每年照六厘計息，並應按息上加息，計算自一九二〇年爲止。由一九二一年起，所有前項債款應照上文甲乙兩項之總數，每年給息五厘，每半年支付一次。此項鐵路債券，至中國贖路之時還清，或由贖路款內扣還亦可。因上項欠款而發行鐵路債券，應以該路之動產及不動產作爲擔保。

二、董事會董事九人之內，除督辦在外，中國政府得派華籍董事四人，不以有無股份爲限。至於俄籍董事，由俄人自由選舉，如遇中俄投票之數平均時，督辦除有議決權外，有加取決之權。

三、董事會法定人數，以七人爲至少之數，所有一切取決，亦必須七人全體同意，方可有執行之效力。

四、中國政府得於稽查局之五員內，派華籍稽查員二人，其總稽查卽由此五人中選舉，但以華籍爲限。

五、爲該路管理便利起見，所有俄華人員均應秉公支配，受同等之待遇。

六、公司以後所有之權利及所有之職務，無論何項均應嚴行限於商業範圍之內，所有一切政治事項，均應禁止，中國政府並得隨時嚴重取締之。

七、凡光緒二十二年七月廿五日卽西曆一八九六年九月二日所訂之中俄合辦東省鐵路公司合同，及公司原有章程與本合同不相牴觸者，均爲有效。（註三）

根據上述合同，中國所得利益，僅有三項：（1）俄人承認償還應還中國之五百萬兩，並允息上加息。（2）中國取得一部管理權，由中國人任督辦，得派董事四人，並任總稽查。（3）中東路的權利或職務，限於商業範圍之內，中國政府得隨時取締一切政治事項。中國所受損害，則有二項：（1）承認一八九六年九月二日訂立的中俄合辦東省鐵路合同有效。卽八十年限滿之日，中國始得收回鐵路及鐵路一切產業，毋庸給價；三十六年後，中國始可有權給價收回。在蘇俄政府已宣布無條件將中東路歸還中國以後，華俄道勝銀行企圖保留一部路權之時，北京政府仍承認俄國既得的權利，實屬糊塗已極。（2）中東路中國雖有董事四人，並任督辦；但第三款規定所有一切取決，必須董事七人全體同意，方可有執行之效力。這就是給俄國人否決權，凡是俄人不同意的事件，就不能執行。這項規定可以證明俄人的狡猾，和北京政府的無識；在中國居於優勢之下，竟與一無拳無勇之華俄道勝銀行簽訂此項合同，眞是怪事。

第三節　外蒙取消自治後又再獨立

一、中俄蒙協約簽訂後的外蒙

民國四年（一九一五）六月七日中俄蒙協約簽訂後，外蒙卽已入於自治時期。北京政府於民國四年六月六日特任陳籙爲都護使，充駐紮庫倫辦事大員，並任命陳毅劉崇惠張壽增三人爲都護副使，分充烏里蘇臺、科布多、恰克圖三地佐理專員。陳籙奉命後，於十月四日啓行，二十六日到達庫倫。十一月三日陳籙正式照會「外蒙自治官府」，告以北京政府將派專使至外蒙辦理册封事宜。「外蒙自治官府」於十二月六日照復，拒絕中國册封之使節。經陳籙繼續交涉，至民國五年三月三日外蒙始表示，如册封事由都護使辦理，北京政府不另派專員，且不苛求禮節，則外蒙可以接受；但册文內之措詞，應事先電知「外蒙自治官府」。陳籙據以轉電北京政府，北京政府允諾，並明令陳籙爲册封專使。册封典禮遂得於民國五年七月八日在庫倫舉行，正式册封哲布尊丹巴呼圖克圖爲外蒙古博克多哲布尊丹巴呼圖克圖汗。

陳籙於册封典禮舉行後，復示意外蒙派員至北京報聘，以通中蒙兩方情感。「外蒙自治政府」亦以此意爲然，於民國六年一月十日特派外蒙大員二人帶同隨員多人赴北京報聘。在陳籙任職都護使期間，中國在外蒙之利益頗有增進，曾在庫倫大員辦公署下設立訴訟處，管理漢人民刑案件，並與外蒙交涉取消漢人之人頭稅及房屋稅。

陳籙任都護使未及一年，即屢請辭職，民國五年八月四日北京政府准陳籙辭職，同時發表陳文運繼任。北京政府命令發表後，俄蒙兩方均提出異議。駐北京俄使且向北京政府要求，此後中國選派庫倫辦事大員，須先徵得俄方同意；陳文運因是不克到任。民國六年四月北京政府改任陳毅爲外蒙都護使充庫倫辦事大員。陳毅到外蒙任職時，俄國革命業已爆發。

二、外蒙取消自治的經過

外蒙的自治，原爲俄人一手造成。外蒙自治政府成立後不久，外蒙王公即已有取消自治之運動，秘密與中國駐庫倫辦事大員交涉，請求中國給予活佛一尊崇之位置，並與活佛及外蒙重要王公以大量之津貼。此議因中國限於財力，未能成爲事實。俄國革命爆發後，俄人已無力兼顧外蒙。此時外蒙已感孤立，陳毅遂乘機與外蒙外長商定，暫由中國派兵一營進入外蒙，如必要時，尙可由中蒙兩方商定，由中國增派軍隊；惟中國允許於歐戰和局成立，時勢完全平定後，仍將此項軍隊撤回。陳毅與外蒙商定後，於民國七年六月電請北京政府派兵進入外蒙，北京政府遂派綏遠高在田團長，率所部騎兵兩營逕赴庫倫；高團於民國八年三月到達。中國雖已派兵進入外蒙，但此時俄亂日亟，俄舊黨謝米諾夫（Semenoff）及布里雅特人在日本扶植之下，在海拉爾設立政府，鼓動外蒙獨立。北京政府因西北邊防日急，遂於民國八年六月特派徐樹錚爲西北籌邊使，並兼西北邊防總司令。

謝米諾夫煽惑外蒙獨立，外蒙拒絕接受，遂藉口中國已違犯中俄蒙協約，進兵外蒙，於民國八年九月揚言將由恰克圖進攻庫倫。時我國駐庫倫軍隊已日有增加，俄國赤黨軍隊又逼近恰克圖，謝米諾夫無力抵抗，乃東向逃退。中國都護使陳毅見有機可乘，遂出兵逐漸收復烏梁海地方，科布多蒙旗亦於民國八年先後歸順。

是時外蒙內部分黃黑兩派，黃派代表喇嘛，黑派代表王公。黃黑兩派均拒絕謝米諾夫之煽惑，並一致贊助中國；黑派並願取消自治，以免黃派把持政權；惟黃派則願保有自治，以維政權。民國八年八月各王公代表車林向陳毅密陳，願取消自治官府，恢復前清舊制，並請中央以實力援助。陳毅當告以取消自治一層，須各王公自出請願書，表明非由中央脅迫，車林當允照辦；惟建議於取消自治之後，中央於大員外，應添設蒙古幫辦大員一人，襄理蒙旗事務；所有中蒙權限利害關係，中央應以公平心理，妥訂明白，不令從前弊政復生。外蒙王公既自願取消自治，陳毅乃於八月十五日十六日連電中央，謂『外蒙誠心內嚮，機不可失，請卽迅予裁決，密復，並切商段督辦徐籌邊使，迅催東西兩路已發未發軍隊，加速來蒙，藉禦外患，兼保治安。』中央復電，贊同外蒙取消自治。陳毅復與蒙古王公車林等接洽；外蒙撤消自治，先後得外蒙國務總理商卓特巴親王及活佛之同意，陳毅乃與外蒙王公議定撤消自治條件六十三款，請陳毅派員入京轉請北京政府批准；但外蒙喇嘛對議定之六十三款，仍多反對。

民國八年十月徐樹錚以檢閱軍隊爲名，馳抵庫倫。徐與陳毅意見不洽，徐遂逕電北京政府，反對撤消自治之條件，並主張由外蒙先撤消自治，一切詳細辦法應俟後另商。徐樹錚並採用斷然手段，將原商定之六十三條修改，將其中優待外蒙之條件一概刪除，而代以較嚴之條件，向外蒙總理提出，限三十六小時內完滿答復，否則卽將外蒙總理及活佛拘送張家口。徐樹錚條件提出後，外蒙議院對之極表憤慨，但以兵力不敵，終同意屈服，於民國八年十一月十六日簽字。

三、取消自治，中俄蒙協約失效

外蒙撤消自治後，北京政府於十一月二十二日下令，宣布外蒙撤消自治之經過，茲節錄於次：

據都護使駐紮庫倫辦事大員陳毅電呈：外蒙官府王公喇嘛合詞請願等呈文內稱：『外蒙自前清康熙以來，卽隸屬於中國。……迨至前清末年……外人乘隙煽惑，遂肇獨立之舉，嗣經協定條約，外蒙自治告成。……迄今自治數載，未見完全效果。……近來俄國內亂無秩，亂黨侵境，俄人旣無統一之政府，自無保護條約之能力，現已不能管轄其屬地，而布里雅特等任意勾通土匪，結黨糾夥，迭次派人到庫，催逼歸從，擬行統一全蒙，獨立爲國。……該布匪等以我不服從之故，將行出兵侵疆，有恐嚇强從之事。且唐努烏梁海向係外蒙所屬區域，始則俄之白黨强行侵佔，拒擊俄中蒙官軍；繼而紅黨復進，以致無法辦理。外蒙人民生計最稱薄弱，財款支絀，無力整頓，槍乏兵弱，極爲困難。……現值內政外交處於危險，已達極點，以故本官府窺知現時局況，召集王公喇嘛等開會議，討論前途利害安危問題，咸謂中蒙感情敦篤，日益親密，嫌怨悉泯，同心同德，計圖人民久安之途，均各情願取消自治，仍復前淸舊制。……再前定中蒙俄三方條約及俄蒙商務專條，並中俄聲明文件，原爲外蒙自治而定。今既自己情願取消自治，前訂條約當然概無效力。其俄人在蒙經營事宜，俟將來俄新政府成立後，應由中央政府負責，另行議定，以篤邦誼而挽利權等語』。並據西北籌邊使徐樹錚呈同前情。核閱來呈，情詞懇摯，具見博克多哲布尊丹巴呼圖克圖汗及王公喇嘛等，深明五族一家之義，同心愛國，出自至誠，應卽俯如所請，以順蒙情。所有外蒙博克多哲布尊丹巴呼圖克圖汗應受之尊崇，與四盟沙畢等應享之利益，一如舊制，中央並當優爲待遇，俾共享共和幸福，垂於無窮。」

蒙古取消自治後，民國八年十二月一日北京政府任命西北籌邊使徐樹錚兼督辦外蒙善後事宜，改任陳毅爲豫威將軍。但徐樹錚於接收外蒙官府衙門後，復返北京，其職務由副使李垣代行。民國九年因直皖戰爭北京政府於七月四日應吳佩孚之請，明令免徐樹錚西北籌邊使之職，以李垣暫行護理，八月十五日，北京政府起用陳毅，署西北籌邊使，駐庫倫，管理外蒙軍政民政等事務。

四、民國十年外蒙再宣布獨立

陳毅第一次任外蒙都護使時，對待蒙人，頗能恩威相濟，蒙人對陳感情亦佳。徐樹錚任西北籌邊使後，對待蒙人，一主嚴厲，大失外蒙人心。外蒙雖一時懾於兵威，不能不取消自治；但外蒙王公喇嘛多欲待機而動。及徐樹錚被迫下野，活佛親信之王公喇嘛，復唱議恢復自治，分別派人與俄國共黨及謝米諾夫勾結，欲以武力驅逐中國駐外蒙官兵。此時中國在外蒙兵力薄弱，又不能大舉進援。北京政府雖起用陳毅，仍不能挽回頹勢，外蒙變成俄國赤白兩黨鬬爭之局面。

先與外蒙王公喇嘛勾結者，是俄國白黨謝米諾夫部屬恩格，恩格於民國九年八月後進兵外蒙，十月攻襲庫倫。因我國駐庫倫旅長褚其祥等防守得宜，恩格敗退，並軟禁主張恢復自治之王公多人。陳毅抵庫倫後，知恩格等必將反攻，乃扼要設防，爲固守計。民國十年二月恩格率領俄蒙軍五千人。大舉反攻庫倫，我軍不敵，褚旅退守恰克圖，庫倫失守，活佛被擄。恩格攻陷庫倫後，三月廿一日「外蒙獨立政府」隨卽成立，仍奉活佛爲首領，恩格任最高軍事顧問。四月活佛派遣代表入京，請求停戰，但須以外蒙恢復自治爲條件。北京政府此時在直奉軍閥張作霖曹琨把持之下，不允活佛之請求，派張作霖爲蒙疆經略史，負收回外蒙之責；但張作霖無意出兵，外蒙仍在白黨恩格控制之下。

褚其祥退守恰克圖後，蘇俄藉口助我平亂，於民國十年二月進佔恰克圖，驅出我軍。五月恩格軍隊襲擊赤黨之遠東共和國失敗後，蘇俄遂誘惑外蒙一部人民，組織「蒙古國民革命黨」，設「蒙古人民革命政府」，由所謂革命政府出面，請求蘇俄援助。民國十年七月赤俄軍隊於戰敗恩格後，直入庫倫，所謂「蒙古人民革命政府」，遂在蘇俄卵翼之下，正式成立；同時並託詞外蒙危機四伏，蘇俄與外蒙公敵尙未完全除去，請蘇俄軍隊暫勿退出外蒙。民國十年十一月，蘇俄與外蒙訂立修好條約，相互承認彼此爲俄國及蒙古之唯一政府。此種狀況維持三年，直至民國十三年中俄協定成立後，俄國始承認中國在外蒙的主權。（註四）

（註一）革命文獻：第九輯。

（註二）參閱張忠紱前書二八五—二九八頁。

（註三）何漢文：中俄外交史三〇六—三〇八頁。

（註四）第三節參閱：1張忠紱前書第八章。2傅啓學：六十年來的外蒙古。

第六章　巴黎和會與中德協約

第一節　巴黎和會開始時的形勢

一、威爾遜總統的十四項原則

一九一八年十一月十一日德國與協約各國簽訂休戰條約之後，歐洲大戰即已停止；協約各國已約定於次年正月在巴黎開會，討論和約中條款及一切善後問題。在德國簽立停戰協定之時，協約各國同時有一個諒解，就是最後和平的條約，必須根據美國大總統威爾遜（Wilson）於一九一八年一月間所提出的十四項原則(Fourteen Points)：不使用秘密外交。二、保障海洋自由。三、廢除關稅壁壘。四、裁減各國軍隊。五、各國殖民地的要求，應予公平調查。六、軍隊自俄羅斯撤退。七、比利時的復國。八、亞爾薩斯及洛林應歸還法國。九、完成意大利的民族統一。十、奧匈帝國中各附屬民族應予以自決的權利。十一、巴爾幹各民族應給予自決權。十二、土耳其帝國中各民族應給予自決權。十三、波蘭的獨立。十四、建立國際聯盟。威爾遜總統的十四項原則，除海洋自由一項保留外，其餘各項，都經協約各國贊同。

一九一九年一月在巴黎舉行的和平會議，範圍極廣，工作艱鉅，世界戰爭要結束，世界地圖必須重新繪製，條約的草擬，必須與威爾遜的十四項原則相和諧，國際聯盟的計劃，也正待和會的製定。協約各國此時盛倡「公理戰勝」之說，强權侵略的世界，似乎將因和會的結果而改變。

二、中國參加和會的希望

中國選派陸徵祥顧維鈞施肇基魏宸組王正廷五人爲出席代表，以陸徵祥任首席代表。中國出席巴黎和會的代表團，總數爲五十二人，其中有專家十七人，外籍顧問五人。自民國七年十月十一日段祺瑞辭去國務總理後，北京政府的親日政策已有轉變。國內一般輿論對段氏之親日政策，平素即表不滿；中國出席和會的代表，除陸徵祥原爲簽訂民四中日條約之人，稍受拘束外，其他代表都爲新興之外交家，頗知遵從民意，保障國權。加以威爾遜的十四項原則，第一項主張不使用秘密外交，應用公開的外交以達到公開的條約：第五項主張各國對於殖民地的要求，應予公平調整，各國不應存自私之念，應顧及殖民地居民之利益。是以中國對於和會頗具奢望，欲一舉除去一切束縛，使中國進於自由平等的地位。

中國出席巴黎和會代表團的目的有四：一、收回戰前德人在山東省內之一切利益，此種利益不得由日本繼承。二、取消民國四年中日條約之全部或一部。三、取消外人在中國享有之一切特殊利益，例如領事裁判權，協定關稅，外人在華之勢力範圍等。四、結束德奧等國家在華之政治與經濟利益。

三、巴黎和會的支配者

參加和會的協約與參戰各國共有三十二國。會議分爲兩種，一種爲全體大會，三十二國代表均參加，但規定强國各得五席，弱國僅得二席。一種爲列强會議，專由强國出席，有最後之決定權。在會議中有三個特出的人物，號稱三巨頭，就是法國的總理克里孟梭（G.E.B. Clemenceau ），英國的首相勞合喬治（D. Lloyd George），和美國總統威爾遜。這三個人實際控制了一切的決議。在會議中，德國沒有代表出席，俄國和其他中歐國家也沒有資格出席。協約各國的計劃，是要將合約條款先行擬定，然後命令戰敗國簽字奉行，其他弱小的參戰國家，也要聽命於列强會議的決定。威爾遜雖然主張正義，但在克里孟梭勞合喬治挾持之下，常是犧牲弱國的利益，以求所謂强國的協調（註一）

第二節　和會對中國提案的處理

我國代表團對和會有極大的期望，同日向和會提出下列兩項提案：

一、關於外人在中國特殊利益之說帖

我國提出的希望條件如下：一、廢棄勢力範圍。二、撤退外國軍隊巡警。三、裁銷外國郵局及有線無線電報機關。四、撤銷領事裁判權。五、歸還租借地。六、歸還租界。七、關稅自主。我國提案在上列各條之下，均說明其發生之原因，並詳述其應廢之理由，作成說帖，結論說：

「中國政府提出說帖於和平會議，非不知此類問題，並不因此次戰爭而發生。然平和會議之目的，固不僅與敵國訂立和約而已；亦將建設新世界，而以公道平等尊敬主權爲基礎。徵以萬國聯合會約法，而益見

其然。此次所提各問題，若不亟行修正，必致種他日爭持之因，而擾亂世界之和局；故中國政府深望和平會議熟思而解決之。

一、關於勢力或利益範圍者。其有關係各國各自宣言，聲明在中國現無勢力或利益範圍，亦無提出此項要求之意。至從前所訂一切條約，協議、換文、合同、之授與領土上之專有利益，以及優先權及特權，足以造成勢力或利益範圍，而妨害中國主權者，或可解釋為含有授與之意者，並願與中國商議修訂。

二、關於撤退外國軍隊巡警者。凡法律上無所根據，而現在中國之外國軍隊及巡警機關，立即撤去。一九〇一年九月七日之專約第七九兩條，由平和會議宣告廢止，自宣告日起一年以內，所有外國使館衛隊及依據該約而駐紮中國之軍隊，一律撤退。

三、關於外國郵政及有線無線電報機關者。自一九二一年一月一日起，所有外國郵局，一律撤去。此後非經中國政府明白允許，不得再在中國設立有線無線電報機關，其業已設立者，由政府給價收回。

四、關於領事裁判權者。中國擔任於一九二四年底以前，（1）頒行五種法典。（2）在所有各城設立審判所，而各國則允將其領事裁判權及設在中國之特別法庭，一併放棄；並在領事裁判權實行撤銷以前，允從下開辦法：（1）華洋民刑訴訟，被告如係中國人，則中國法庭自行審刑，毋庸外國領事或代表參與訊斷。（2）中國法庭所出傳票拘票及判決，得在租借或外國人住宅內執行，毋庸外國領事預先審察。

五、關於租借地歸還中國，由中國擔任歸還後應盡之義務，如保護產業權及治理歸還地面之義務是。

六、關於外國租借者。請有關係各國允於一九二四年年底將租界歸還中國，中國擔任義務，保護界內之產業權，在實行歸還以前，先按說帖所述，更改租界章程。

七、關於關稅自主一端，請宣言由中國與各國商定時期；此時期屆滿時，中國得自行改訂關稅。又在此時期中，中國得自由與各國商定關稅交換契約，並得區別必要與奢侈之稅則，其必要之稅率，不得輕提百分之二十五。在未訂此項協約前，先於一九二一年廢止現行稅，則中國允於新協約訂立時，廢止厘金。

中國說帖所述外人在中國之各種特殊利益，非因歐戰而發生，中國代表業已說明。中國代表提出此項說帖的目的，只在求得於和會中規定一原則，以爲此後列强對華政策之原則，使外人在華之特殊利益逐漸撤消。但中國提出說帖後，表示同情者僅有美總統威爾遜一人；和會中對中國此項請求，置諸不理。五月十四日和會議長克里孟梭正式通知中國代表謂：『承中國代表團送來說帖兩件，其一爲中國要求和平會議廢除一九一五年五月廿五日中日條約及換文事；其一臚列各項重要問題如撤退外國軍警，裁撤外國郵局，撤銷領事裁判權等，請和平會議提出修正事。……聯盟共事領袖各國最高會議充量承認此項問題之重要，但不能認爲在和平會議權限以內，擬請俟萬國聯合會行政部能行使職權時，請其注意。』

二、關於廢除一九一五年中日條約及換文說帖

中國此項說帖，要求將山東之權利，由德國直接交還中國，反對讓與日本，其主要理由如下：（一）由德國直接交還中國，手續較簡，且免橫生糾葛。（二）日本以武力佔據膠澳租借地鐵路及其他山東權利，乃在戰爭未終止以前，爲一種暫時的佔據，不得即有佔據土地財產之證據；且自中國對德宣戰之日起，

中國既爲戰爭之國，日本以武力佔據膠澳，實爲違反中國之主權。（三）中國於一九一五年五月廿五日與日本締結關於山東問題之條約，係日本以二十一條加諸中國以後所發生之事，中國之簽字，實由日本最後通牒迫成之。（四）中國對德宣戰書中，曾聲明自宣戰之後，所有中德一切條約合同契約一槪取消；則所有一八九八年三月之中德條約，德國所以得膠澳租借地鐵路及其他權利者，亦當然包含在內。是德國所有租借之權，已爲中國所有，則德國對於山東已無轉授與他國之權。

三、巴黎和約承認日本承受德國在山東權利

中國所提出之說帖，自政治與道德之立場言之，理由甚爲正大；但日本代表之反駁，完全基於法律之立場。日本代表之理由爲：一九一五年中日兩國所訂之條約，及一九一八年訂立之合同與換文，均有法理上之根據，且非爲暫時之辦法。縱謂一九一五年之條約，可以因中國對德宣戰而廢止，但一九一八年中國駐日公使章宗祥與日本訂立濟順高徐二鐵道借款之合同時，關於山東問題之換文，中國有「欣然同意」之語，其用意殊屬費解。

日本堅持繼承德國在山東之權利，此時意國因要求阜姆港歸意國領有，威爾遜總統不允，意代表遂退出和會。日本代表團亦利用時機，對美國與英國排斥黃種人入境事，故意提出人種平等案，並向新聞記者聲明，倘使人種平等案，及山東權利繼承問題不能通過，亦將退出和會，以爲要挾之計。是時美國總統威爾遜恐和會決裂，遂不能主持正義。而法意英三國，又均與日本先有密約，承認日本繼承德國在山東之權利，中國代表顧維鈞王正廷的力爭，終歸無效。五月四日協約國交與德國代表的和約，第一百五十六條至

一百五十八條，竟規定日本承受德國在山東的權利。各條原文如次：

第一百五十六條款：德國允將西曆一八九八年三月六日中德條約所規定膠澳租借地，暨鐵路礦山及水底電線等項，與其他中德迭次所訂關於山東之各案，先後所規定德國享受之種種權利及所有權或特權，完全讓與日本，尤以一八九八年中德膠澳條約所規定者爲最要。至德國對於膠濟鐵路及其支路所有一切權利，連同附屬各該地之種種財產，如車站、機關、工場及車輛，並礦山、礦場、與興辦各礦之一切材料，及附屬於各該項財產之權利及特權，現已日本所取得者，仍歸日本繼續享有。至德國之國有膠滬、膠烟等水底電線，及所有附於各該項之權利，特權、暨財產，亦一律歸日本所有，無庸付費，並無附帶條件。

第一百五十七條：所有膠澳租地地內德國之國有動產暨不動產，以及關於該租借地，德國或因自行興辦各業，與因直接或間接會支出經費所應得之權利，現已爲日本取得者，仍歸日本繼續享有，無庸付費，並無附帶條件。

第一百五十八條：自本約施行之日起，限三個月期內，德國須將關於膠澳之民事、軍政、財政、司法、及其他行政之檔案，簿冊、暨各種詳圖及公文、均移交日本。至上開之一切文件，無論現存文件，務須如期交出。至於關於以上兩款所開德國之權利，及所有權或特權之各條約或合同及所訂各辦法，所有其中要點，德國亦須於該期限內詳細通知日本。

第三節　五四運動與拒簽和約

一、五四運動是愛國運動

中日兩國代表在巴黎和會正式開始辯論之後，日本駐北京公使小幡西吉竟於民國八年二月二日向中國提出抗議。北京政府的親日派，恐因此開罪日本，將不能再向日本借款；但中國各方決定以民意為中國代表之後盾，紛紛致電中國代表，請堅持主張，不得退讓。中國國內和議南方首席代表唐紹儀致電北京大總統徐世昌，請堅持代表中國之主張，並表示願以全國之力作後盾。北方首席代表朱啓鈐亦電北京政府，請勿對日本屈服。

中國代表於得悉和會對於山東問題業已決議之後，曾於五月一日向北京政府請示辦法。北京政府考慮結果，竟認為簽字較為有利；我國駐外各使復多向政府電呈意見，咸以簽字為宜，北京安福國會兩院議長及前國務總理段祺瑞，亦均認簽字較為有利。是時日本為誘惑中國簽字於和約，日本內田外相有半公式聲明：日本願將山東半島連同完全主權交還中國；中國因參戰取得之有利條件。例如停付庚子賠款，增加關稅等事，日本亦願盡力協助。北京政府於是決定兩項辦法：第一步力主保留；如保留實難辦到，第二步可以簽字；並以此意於六月廿三日電告我國代表，囑為相機辦理。

民國八年四月間，中國人民迭聞中國代表在巴黎和會失敗之消息，極為憤慨。陸徵祥等向北京政府電告交涉情形，有曰：「此次和會我國失敗之原因，一由於一九一七年二三月間，日本與英法諸國有青島讓與日本之密約；二由於一九一八年九月我國當局與日本政府有欣然同意之山東問題換文，遂使美國無從為力云云。』此電一到，羣情憤不可遏，咸認曹汝霖章宗祥陸宗輿等親日派爲賣國賊，且致電巴黎我國代表拒絕簽字。

五月四日北京各校學生萬餘人齊集天安門開會，決議對巴黎和約拒絕簽字，並決定「內除國賊外抗強權」的口號。散會後列隊遊行，經過曹汝霖住宅時，學生蜂擁而入，毆擊在曹宅之章宗祥，並焚燬曹汝霖住宅。羣衆散隊後，在途中被軍警捕去學生三十餘名，學生被捕後，形勢益趨嚴重，運動日形擴大，各校皆組織演講團出外宣傳，並查焚日貨，且上書徐世昌，請罷免曹陸章三人。五月二十日北京學生宣布總罷課，各地聞訊響應，全國各大城市之學校，至五月底幾全部罷課。六月初五日上海天津工商界舉行大規模之罷工罷市。留日學生與海外華僑，亦均繼起響應。各界聯合向政府請願，對於和約拒絕簽字。北京政府在全國人民督責之下，於六月六日釋放被捕學生，並罷免曹、陸、章三人職務，不敢堅持其簽字的主張。

五四運動是愛國運動，是中國青年純潔的愛國運動，並沒有任何黨派任何個人的影響。五四運動與中國國民黨沒有關係，這時是中華革命黨時期，對羣衆運動尙未注意，中山先生對五四運動極爲贊賞，爲吸收愛國青年入黨，才於民國八年十月十日，將中華革命黨改組爲中國國民黨。五四運動與中國共產黨更沒有關係，五四運動發動於民國八年五月四日，中共的開始組織，是在民國十年七月一日，當時中國根本沒有共產黨，自然與共產黨沒有關係。五四運動與胡適之、陳獨秀都沒有關係。攄胡適之在此大同學會報告說：『杜威博士五月五日將到上海，他於五月一日離京南下，迎接杜威博士，他在五月五日看了報紙，才知道有五四運動。陳獨秀當時在北京，五月四日看了晚報，也才知道有五四運動。』五四運動是青年自覺自動的愛國運動，所以能普遍到全國，發生了巨大的影響。

二、中國拒簽巴黎和約

我國出席和會代表見國內輿論沸騰，北京政府沒有進一步之指示，乃決定不簽字於對德和約（凡爾賽和約各國於六月二十八日簽訂），並以此意通告和會會長，聲明我政府保留對於德約最後決定之權。簽約之日我國代表發表宣言說：『中國全權之此舉，實出於不得已；惟於聯合國團結上有所損失，殊覺遺憾。然捨此而外，實無能保持中國體面之途，故責任不在中國，而在於媾和條款之不公也。媾和會議對於解決山東問題，已不予中國以公道……中國全權願竭誠布陳，靜待世界公論之裁判。』我國代表既已拒簽對德和約，北京政府於七月十日下令，宣布不簽字之經過，並請求國人持以鎮靜。

我國拒絕簽字於對德和約，實爲華盛頓會議時收回山東權利之張本。我國代表王正廷對於此次交涉有極正確之斷語，他說：

「先是中國承清廷積弱之餘，繼以袁政府私心自用，凡外交巨案，例爲一二人秘密處置，深恐爲國民所知，致起反對，民意則絕無由表現。列强窺見其隱，故每次交涉皆用高力壓迫，若逢稍有躊躇，即以哀的美敦書或自由行動相脅迫，無有不俯首帖耳，委曲順從者。此次列强初以爲亦可駕輕就熟，決不致違越範圍。乃竟拒絕簽字，出諸意料之外，無不驚以爲異事。故是役也，提案雖未成功，然因此拒絕簽字之故，而外交則不可不謂中國第一次之進步。蓋得效果如下：（一）國民覺知强權雖强，亦不能全滅公理，宜力圖自決，起爲廢約運動。（二）世界各國認知中國外交主權在於國民全體，非復政府中少數人所能愚弄。（三）各國知中國民族既有自決之心，足爲外交後盾，未可再加輕侮。（四）各國知中國對於外交已有一定方略，未能再以脅迫從事。（五）各國漸覺悟不平等條約傷害我國人感情過甚，應有設法疏解之必要。（六）歐美各國覺悟一國在華擁有特殊勢力，將至獨佔中國之市場，甚爲不利，漸各自相危懼，以至携貳。致日本當時陷於孤立地位，不能不放棄山東權利。（七）各國人知我國人與日本人惡感極深，各有向我國表示好意，以競爭機會之意。因得以上結果，故各國對於中國，一變其强權壓迫之態度，而爲親善誘惑之態，實可謂中國外交上之一大轉機。嗣後修改不平等條約及挽回主權之運動，遂得逐漸收效，乃至間接產生華盛頓會議。（註二）

第四節　我國與德國另訂新約

中國雖未簽字於對德和約，仍繼續參與和會。一九一九年九月十日與各國同時簽訂對奧和約，由陸徵祥王正廷代表出席簽字。一九二〇年六月四日與各國同時簽訂對匈和約，由顧維鈞代表出席簽字。一九二〇年八月十日各國簽訂對土和約，因該約中規定各國在土耳其仍保有領事裁判權，我國代表未與簽字。

一、我國宣布對德戰爭終止

中國未簽字於對德和約，中德兩國間戰後之關係，尚未恢復常態。民國八年（一九一九年）九月十五日中國大總統正式宣言對德戰爭終了，宣言說：『現在歐戰告終，對德和約業經協約各國全權委員於本年六月二十八日在巴黎簽字，各國對德戰爭狀態卽於是日告終。我國因約內關於山東二款未能贊同，故拒絕簽字；但其餘各款，我國因與協約各國一致承認。協約各國對德戰爭狀態既已終了，我國為協約國之一，對德地位當然相同，茲經提交國會議決，應即宣告我中華民國對於德國戰爭狀態一律終止。』

我國宣布對戰爭終了，中德兩國恢復外交正常關係。民國十年五月二十日訂立中德協約七條。另附德國代表聲明文件一件，中國外交部長對德國聲明文件復文一件，德國代表公函一件，中國外交部長復函一件。此項條約係中國自中英南京條約以來第一次締結的平等條約。在聲明文件中德國聲明：凡因與中國訂立一八九八年三月六日之條約，及其他一切關於山東省之文件，而獲得之一切權利產業權特權，拋棄之，又正式聲明取消在華之協定關稅權和領事裁判權，並拋棄德國政府對於德國駐京使署所屬操場上之全部權利於中國。並認明凡爾賽條約一百三十條第一段中所載之公產字樣，係包括該地而言。凡爾賽條約一百三十條：「除本約第八段（即第一百五十六條）之規定外，德國在天津及漢口之德國租界，或在其他中國領土內所有屬於德國政府之房屋馬頭及浮橋、營房、炮台、軍械及軍需品，各種船隻無線電報之設備，暨其他公產等，讓與中國。」德國不因中國未簽字於對德和約，而有所狡賴，其外交態度實可欽佩。

二、中德協約——第一個平等條約

中德協約七條於民國十年五月二十日訂立，同年七月一日互換，茲將原文照錄於次：

大中華民國政府大德意志共和國政府願以大德意志共和國聲明文件為根據，兩國訂立協約，恢復友好及商務關係，並覺悟領土主權之尊重，與夫平等相互原則之實行，為維持各民族間睦誼之唯一方法。為此各派全權委員如左：

大中華民國政府特派外交總長顏惠慶，大德意志政府特派總領事卜爾熙，各委員將所奉全權文憑互相校閱，俱屬妥協，議定各款如左：

第一條　兩締約國有互相派遣正式外交代表之權。此項代表在所駐國應互相享受國際公法所承認之一切權利及豁免權。

第二條　在兩締約國境內駐有他國領事館或領事館之處，彼此均有任命領事副領事或代理領事之權。此項官員應享受他國同等官員之優禮待遇。

第三條　此國人民在彼國境內，得遵照所在地法律之規定，有遊歷居留及經營商務或工業之權利，惟以第三國人民所能遊歷居留及經營商務或工業之處爲限。兩國人民於生命以及財產方面，均在所在地法庭管轄之下。兩個人民應遵守所在國之法律，其應納之稅捐之賦，不得越過所在國本國人民所之數。

第四條　兩締約國約明，關稅稅則等事件，完全由各該國之內部法令規定。惟兩國間或他國所產未製或已製之貨物，所應繳納進口出口或通過之稅，不得超過所在國本國人民所納之稅率。

第五條　本日大德意志共和國聲明文件，及本協約各條件，當用爲商議正約之根據。

第六條　本協約用漢德法三文合繕，遇有解釋不同時，以法文爲準。

第七條　本協約應於極早時期批准，於兩國政府彼此互相知照業經批准之日起，即行發生效力。

大中華民國十年五月二十日西曆一千九百二十一年五月二十日訂於北京。約文共繕兩份。（註三）

中國自一八四二年訂立中英南京條約以來，在滿淸時代，甚至在民國初年，因外國訂立的條約，都是不平等條約。民國十年五月締結的中德協約，係根據平等互惠的原則。「兩國人民於生命以及財產方面，均在所在地法庭管轄之下。」德國沒有領事裁判權。「兩締約國約明，關稅稅則等事件，完全由各該國之內部法令規定。」德國沒有協定關稅權。這是中國與外國締結的第一個平等條約。

（註一）海思、穆恩、威蘭、合著世界通史第四十六章八五九—八六〇頁。

（註二）（二）（三）兩段參閱：

陳博文：中日外交史第三章八九—九八頁。

張忠紱：中華民國外交史第六章二五三—二八二頁。

劉彥：中國外交史第二十三章第五節。

（註三）中外條約彙編：中德條約。

第七章　華盛頓會議與中國

第一節　華盛頓會議召集的原因

一、第一次世界大戰後國際形勢的轉變

在第一次世界大戰前，英國海軍爲世界第一，法國海軍僅次於英國，美國海軍次於法國，日本海軍次於美國，意大利海軍又次於日本。及戰後，美國海軍倍大於法，與多年海上稱霸之英國勢均力敵。日本海軍亦凌駕法國之上，意大利且横行於東非，對英國海軍不再感覺恐佈。

在大戰期間獲得實惠的，爲維持中立兩年餘的美國，爲藉對德宣戰佔領靑島及德領南洋各島嶼的日本。美國於一八九九年，對外投資僅十億元，外人在美國投資約六十億元。一九一三年大戰前，美國對外投資增至五十億元，同時外人在美國投資，亦增至一百十億元，美國尚爲六十億元的債務國。及大戰後，美國對歐洲各國的借款，計二百二十億元；民間方面投資約二百八十億元。美國除外人在美投資尙有五六十億元外，一躍而爲五百億元的債權國。日本於大戰前每年有二億元左右的入超，在一九一四年至一九一九

年期間，一躍而有十七、八億元的出超。在一九一七年至一九一九年兩年期間，對中國的西原借款，即達日元二億左右。

戰爭的結果，英法雖為戰勝國，然從經濟財政上言之，可謂與戰敗者無異。英國在戰前為世界第一投資國，市場為其壟斷，海權歸其掌制。及大戰後，由戰前國債六十億元，增至七百五十億元，過去投資與貿易之優越地位，由美國取而代之。遠東的日本，亦成為有力的勁敵。世界金融中心，由倫敦移至紐約。法國在戰前資本網活動遍於全世界，俄國對遠東的經營，多賴法國的投資。在戰前，戰場在法國，法國戰費支出最多，戰爭損害亦最大。及大戰後，國內公債增加至一九七三億法郎，國外公債增加至七七三億法郎。法國由於損失巨大，負債最多，國內財政困難，對外信用失墮；戰前英金一磅常在二十五法郎左右，戰後會暴落至二百五十法郎。戰敗的德國，殖民地全部被侵佔，本土亦在協約國殘酷壓迫之下，已退出國際競爭的局面。中途退出戰爭的俄國，因地形偏僻關係，亦僅能自保，對國際間問題無力過問。

此時世界最強國家，為英美日三國，而日本的野心，業已暴露。日本在歐戰期間，強迫中國簽訂二十一條，有打破門戶開放主義，獨佔中國市場的趨勢。英日在一九一一年續訂英日同盟條約，其有效期間為十年。英日雖係同盟，但當英國集中全力對德戰爭時，日本即於印度澳洲紐西蘭等地，作極猛烈的市場爭奪。且日本大量擴充海軍，與美國作海軍競賽，美國對日本的野心，已有高度的警覺，英國為保持亞洲的勢力，不能不聯合美國，以抑制日本。華盛頓會議的產生，就是英國決定廢棄英日同盟，採取聯美政策的形勢所釀成。（註一）

二、美國召集華盛頓會議的經過

巴黎會議以後，不僅中日兩國感情惡劣，即日美兩國國交亦漸惡劣。美國在華之傳統政策，與日本在華之政策衝突。美國參議院拒絕批准凡爾賽條約，山東問題係一重要之原因；美日兩國之衝突，因之而日益表面化。且大戰後，除德奧等戰敗國外，各強國仍在努力擴充軍備，此種擴充軍備之趨勢，若不加以限制；不僅各國將感經濟上之困難，且將有第二次大戰之危險。因遠東問題與各國繼續擴充之故，美國參議員波拉(Borah)於一九二〇年十二月十四日，在參議院提出請美總統召集海軍縮減會議之提案。一九二一年五月二十六日經美國參議院通過，六月二十九日經美國衆議院通過；美國政府乃非正式探詢英、日、法、意、四國政府對於集會之意見，英法意三國立卽表示贊成，惟日本態度頗爲猶疑。但日本鑒於國際形勢不佳，日本政府於七月二十七日表示允諾參加會議。英法意日各國均允參加會議，美國政府遂於八月十一日正式邀請四國政府參加會議，討論縮減軍備問題，並連帶討論太平洋與遠東問題。因中國爲遠東問題的樞紐，荷蘭比利時葡萄牙三國在太平洋與遠東一帶均有利益，美國政府於邀請英、法、日、意之同日，邀請中國參加，十月四日邀請荷、比、葡三國參加。

在美國非正式與各國接洽時，曾與中國政府接洽，中國政府表示願意參加，惟聲明中國代表在會議中之地位，應與各國在會議中地位完全平等。此項聲明美國表示允諾，中國政府乃欣然接受美國之邀請。八月十三日美國正式邀請書送達北京政府後，八月十六日北京政府電令駐美公使施肇基答復美國之邀請，表示同意。十月六日北京政府任命註美公使施肇基，註英公使顧維鈞，大理院院長王寵惠，護法政府外交部次長伍朝樞四人爲代表。但伍朝樞辭職不就，中國出席代表只有三人，代表團團員有一三二人。

三、日本參加會議的原因

日本對於美國提議，最初猶疑，終於表示參加，係下列二因促成：（1）國內財政狀況，不許日本與美國作軍備競賽。當日本迫使中國簽定二十一條時，美國認爲中國問題極形嚴重，應付之策，惟有擴充海軍。一九一五年以十億美金，建造戰鬬艦十艘、巡洋艦、驅逐艦等八十萬噸之海軍大擴張案，通過於國會。日本受美國海軍擴張的刺激，於一九一六年提出八四艦隊案，通過於國會。一九一七年提出八六艦隊案，一九一九年復提出八八艦隊案，預定八年建造完成，費用共計七億五千餘萬日元。但日本財政經濟狀況，自一九二〇年三月股票暴落，卽告逆轉。一九一七年一九一八年出超爲九億〇七百萬元，至一九二〇年一轉而有三億八千餘萬元的入超。日本財政困難，不許有巨大的建艦計劃。（2）外交形勢陷於孤立無援。日本欲與美國作戰，其外交政策必須妥協俄國，鞏固後防，並獲得英國之嚴正中立，使美國不得外援，日本方有勝算可期。但此時的俄國，在日本所謂過激派之手，日俄邦交尙在斷絕中；英國已採取聯美政策，有終止英日同盟之決心；此時已形成英美聯合對付日本的局勢，日本外交已陷於孤立。因有上述二因，日本如與美國衝突，決無勝利可能，遂不能不與美國妥協，表示相當讓步。日本在華盛頓會議對山東問題之讓步，實爲國際形勢逼迫，非出於日本的情願。（註二）

第二節　九國公約的締結

一、中國十原則提案

一九二一年十一月十二日華盛頓會議開幕，十一月十六日太平洋會議及遠東問題總委員會第一次會議，我國代表施肇基提出關於中國問題之原則十條如次：

一、甲、各國約定尊重並信守中華民國之領土完全，暨其政治行政上之獨立。乙、中國自行準備聲明不將本國領土或沿海地方之任何部份割讓租與他國。

二、中國因完全贊同所謂門戶開放主義，故準備接受該主義實施於中國全部，無有例外。

三、為欲增進相互間之信賴並維持太平洋及遠東之和平起見，各國允許除先通知中國俾有機會參預外，彼此不締結直接影響中國或太平洋及遠東和平之條約或協定。

四、各國在中國或對於中國要求之一切特別權利、特別利益、豁免權、或成約，不問其性質或契約上之根據如何。均須宣佈。凡此等要求或將來之要求未經宣布者，均視為無效。其已知及將宣布之權利，特別利益、豁免權、或成約，當加以審查，以便決定其範圍及效力；如經審定有效，使以本會宣布之原則相合。

五、所有中國政治上司法上行政上行動自由之限制，應即時取消，或於情形所許時從速廢止之。

六、中國現有成約之無期限者，應添註合理且有定之限期。

七、凡解釋讓與特別權利或特別利益之條文時，依公認解釋原則所謂「照讓與國利益解釋之方法」辦理之。

八、將來遇有戰事發生，如中國不參加者，中國處於中立國地位之一切權利，應完全尊重。

九、應訂立和平解決之條文，以便處理在太平洋及遠東之國際爭議。

十、關於太平洋及遠東國際問題，應預訂將來會議時期之條文，以便按期討論，俾簽約國得一決定共同政策之基礎。

二、九國公約

中國代表所提上述十項原則，各國在原則上不能反對，由美國代表羅脫（Root）歸納爲四原則，在第四次大會中通過，列爲「九國間關於中國事件應適用各原則及政策之條約」的第一條，此項條約，普通簡稱爲九國公約。但中國代表提出具體問題時，各國多所留難，實際利益除收回山東權利外，所得仍屬有限。九國公約共九條，玆節錄原文於次：

第一條　除中國外締約各國協定：（一）尊重中國之主權及獨立，曁領土與行政之完整。（二）給予中國完全無礙之機會，以發展並維持一有力鞏固之政府。（三）施用各國之權勢，以期切實設立並維持各國在中國全境之商務實業機會均等之原則。（四）不得因中國狀況，乘機營謀特別權利，而減少友邦人民之權利，並不得奬許有害友邦安全之行動。

第二條　締約各國協定，不得彼此間及單獨或聯合，與任何一國或多國訂立條約或協定或諒解，足以侵犯或妨害第一條所稱之各項原則。

第三條　爲適用在中國之門戶開放，或各國商務實業機會均等之原則，更爲有效起見，締約各國除中國外，協定不得謀取或贊助其本國人民謀取：（一）任何辦法爲自己利益起見，欲在中國任何指定區域內，獲取有關於商務或經濟發展之一般優越權利。（二）任何專利或優越權，可剝奪他國人民在華從事正當商務實業之權利，或他國人民與中國政府或任何地方官共同從事任何公共企業之權利；抑或因其範圍之擴張，期限之久長，地域之廣濶，致有破壞機會均等原則之實行者。……中國政府擔任對於外國政府及人民之請求經濟上權利及特權，無論其是否屬於締結本約各國，悉秉本條上列規定之原則辦理。

第四條　締約各國協定：對於各該國彼此人民間之任何協定，意在中國指定區域內設立勢力範圍，或設有互相獨享之機會者，均不予贊助。

第五條　中國政府約定：在中國全國鐵路不施行或許可何種待遇不公平之區別。……

第六條　締約各國除中國外協定：於發生戰爭時，中國如不加入戰團，應完全尊重中國中立之權利。中國聲明：中國於中立時，願遵守各項中立之義務。

第七條　締約各國協定：無論何時遇有謀種情形發生，締約國中之任何一國，認爲牽涉本條約規定之適用問題，而該項適用宜付諸討論者，有關係之締約各國，應完全坦白互相通知。

第八條　本條約未簽字之各國：如其政府經締約簽定各國承認，且與中國有條約關係者，應請其加入本約。

第九條　本條約經各締約國依各該國憲法上之手續批准後，從速將批准文件交存華盛頓，並自全部交到

華盛頓之日起，發生效力。……（註三）

一九〇〇年美國宣布門戶開放政策，爲列強對華共同政策，但係美國單獨宣布，並無條約的拘束力。九國公約的第一條，係將中國門戶開放的原則，正式規定於條約。第二、三、四各條都是限制日本在中國之活動，不得違反門戶開放的原則。所謂九國公約，是英美聯合維持既得權利，制止日本在中國横行的條約。

第三節　中國提案與大會的處理

一、中國關稅自主案

中國代表顧維鈞於十一月廿三日第五次全體委員會中提出，力主中國應收回關稅自主之權利，其理由爲：(1)協定關稅損害中國之主權。(2)協定關稅違反平等互惠之原則。(3)協定關稅對於必需品與奢侈品同等徵税，不合科學之原則，且未顧及中國人民之經濟的、社會的、以及財政的需要。(4)協定關稅妨害中國之稅收。(5)協定關稅使修改稅則感覺困難。根據上述理由，顧氏請求各國給與中國關稅自主之權利；但中國政府無意干涉現行之關稅管理制度，中國政府亦無意干涉用以擔保外債之關稅收入。中國深知中國若收回關稅自主之權利，或尚需相當之時間，在此時期以前，各國應協定一最高稅率。在此最高稅率之範圍內，中國應有完全支配差等稅率之權利。即此最高稅率之協定，或尚需費數月之時期，是以中國建議自一九二二年正月一日起。中國即應實行中國前此與英美日三國所訂條約中規定之稅率，將入口關稅增加至百分之一二、五。

中國要求關稅自主，所要求立卽辦到的，僅是提高稅率一點。但各國對中國提案的態度，已不如討論原則時的慷慨，採取拖延政策；就是增加關稅稅率一項，也要等待另開關稅特別會議後決定。玆將一九二二年一月五日第十七次全體委員會通過的九款，照錄於次：

一、中國與各國應開一特別會議，以促成中國從速取消厘金，並實行一九〇二年中英條約第八款（註四）中規定之條件，與中美中日條約中同樣之規定，以便中國依據上述各約徵收附加稅。

二、立卽修改中國入口關稅，並增至實值百分之五。

三、附加稅應一律爲百分之二、五，惟某種奢侈品可以加至百分之五。

四、中國關稅於此次修改後四年，得再修改一次，嗣後每七年修改一次。

五、一切有關關稅之事件，對此次協定各國，均應平等待遇，給予平等之機會。

六、中國海陸各邊界畫一徵收關稅之原則，卽予承認。第一條所載之特別會議應商定辦法，俾該原則得以實行。凡遇因交換某種局部經濟利益，曾許以關稅之特權，而此種特權應行取消者，特別會議得秉公調劑之。同時，凡一切海關稅率因修改稅則而增加者，與夫各項附加稅嗣後因本約而徵收者，在中國水陸邊界，均應按值課以畫一稅率。

七、子口稅應爲百分之二、五。

八、與中國有約各國此次未與會者，應請其加入承認本協定。

九、凡中國各國間條約之規定，如與本協定衝突，而該國曾經承認本協定者，則該項規定應作無效。

二一、取消領事裁判權案

中國代表王寵惠於十一月二十五日第六次全體委員會提出，取消領事裁判權問題。王氏謂：中國給予各國領事裁判權之時，中國通商口岸僅止五處。現時中國之通商口岸已有五十處，而中國自動開闢之商埠，亦不下此數。若一切妨害中國領土與行政完整之行為不應繼續，則此項問題必須立即解決。王氏並指出領事裁判權制度之弊害如次：（1）損害中國之主權，中國國民目之為中國國恥。（2）同一地域之法庭因是重複，而產生種種困難之法律問題。（3）法律不能固定。（4）民刑案件中之被告如為外人，勢須移至最近領事法庭中審理；而此種法庭常在若干里外，是以不能獲得必須之證人與證物。（5）外僑往往利用領事裁判權之掩護，拒絕完納地方稅課。王氏繼謂領事裁判權若不撤消或嚴重修改，則中國勢難將全國開放。領事裁判權各種弊害至為明顯，是以英國於一九〇二年，日美兩國於一九〇三年，瑞典於一九〇八年均會同意將該權撤廢，惟會附加相當條件，中國法制之改良，是否已至各國希望之程度，固為疑問；但中國法制之改良，已有長足之進步，則無疑義。中國現擬要求與會各國定一期限，撤廢各該國在華之領事裁判權。與會各國現應指定代表，協定日期，與中國交涉，擬具一計劃，以逐漸修改並終於撤廢在華之領事裁判權制度，該項計劃應於上述所定之期限完成。

我國代表建議提出後，經分組委員會討論後，於第四次大會通過下列議決案：

上列各國政府應組織一委員會（各該政府派委員一人）考察在中國領事裁判權之現在辦法，以暨中國法律司法制度暨司法行政手續，以便將考察所得關於各該項之事實，報告於上列各國政府；並將委員會所認爲適當之方法，可以改良施行法律之現在情形，及輔助並促進中國政府力行編訂法律及改良司法，足使各國逐漸或用他種方法放棄各國之領事裁判權者，建議於上列各國政府。

本決議案所擬設之委員會應於本會議閉後三個月內，按照上列各國政府所訂詳細辦法組織之，應令該委員會於第一次集會後，一年以內將報告及建議呈送。

上列各國之每國，可自由取捨該委員會建議之全部或任何一部，但無論如何，各該國中之任何一國，不得直接或間接以中國給予政治上或經濟上任何特別讓與，或恩惠，或利益，或免除爲條件，而採取該項建議之全部或任何一部。

三、取消在華外國郵局案

在第七次全體委員會議中，我國代表施肇基提出建議，要求與會各國立即同意取消各國在華之郵局，其理由爲：（1）中國現有一郵政制度，其範圍及於全國各地，且與所有外國銜接，足供一切需要，加之郵務本爲政府專利之事業。（2）在華外國郵局有礙於中國郵政制度之發展，減少中國郵局應得之收入。（3）在華外國郵局直接妨害中國領土與行政之完整，且無條約或其他法律上之根據。施氏繼謂各國在華設立郵局始於一八六〇年以後，但中國現已有一富有效率之郵政制度，而英、法、日、美、四國尚繼續在中國境內設有郵局（英有十二處，法有十三處，日有一二四處，美有一處），此種郵局僅在大處設立，是以易於獲利。由國外進入中國之包裹等物，例須經海關檢查，並須完納關稅；但在華外國郵局所接收之包裹等物多不經檢查，是以往往偷運違禁物品，且有損關稅之收入。因上述種種原因，是以中國郵局在中國之境內亦無法與在華之外國郵局競爭。且在華郵局之設立，其原因多為政治的，而非因事實上之需要。

我國建議提出後，美國表示贊成，法國亦表示贊成，但須繼續聘用法人為郵務總辦；日本主張延緩實施。本案經分組委員會討論後，第五次全體大會通過下列決議：

第一項：關於中國政府表示在中國境內之外國郵局，除在租借地或為約章特別規定者外，期得撤銷之志願，認為公平。回即決議：（一）有該項郵局之四國允許照下列條件，將其撤銷：（1）中國保持切實辦理之郵務；（2）中國政府保證現在郵務行政與外國郵務總辦之地位有關繫者，無變更之意。（二）為使中國及有關係之國舉行必要之設備起見，此項辦法實施之期，不得逾一九二三年一月一日。

第二項：外國郵局尚未完全撤銷以前，該有關係之四國。各擔任予中國海關官員以充份之方便，俾得在外國郵局查驗各項郵件，意在察知所裝之件應否納稅，是否違禁之品，或違反海關章程及中國法律。

四、取消外國駐軍、護路軍隊、警察、與電信設備案

中國代表施肇基於第八次全體委員會議提出，施氏謂：在華之外國駐軍，護路軍隊，警署與電信交通之設備，多未經中國政府允許，中國政府且曾抗議，此種事實侵犯中國之主權以及領土與行政之完整。中國要求大會採取下列之決議案：「與會各國之每國……應個別宣言，若無中國政府每次明白與特別給與之允許，將不在中國境內駐紮軍隊，或護路軍隊或設立並維持警署，或建立或開電信交通之設備。倘現時中國境內有此種軍隊，或護路軍隊、或警署、或電信設備、而無中國明白之允許……均應立即撤退。」中國政府代表並聲明，中國所提之決議案，將不至影響各國根據辛丑條約所得之權利，與各國在租界內維持警

察之權利；此種權利若須修改，則中國將另提交涉。

中國提案提出後，日本代表極力反對。關於撤退外國軍隊案，第五次大會通過承認撤去外兵之原則；將來中國請求時，由各國派遣代表會同中國代表三人，共同秉公詳細調查，並預備一詳明之報告書。關於電訊設備問題，第五次大會通過決議案五條；外國根據條約或事實上存留的電台，仍能繼續經營；但未得中國政府允許而存留之電台，俟中國交通部實能辦理該項電台時，得予充足之償付收回。

五、取消租借地案

中國代表顧維鈞於第十二次全體委員會提出。顧氏謂：昔日各國奪取租借地之目的，原在維持遠東之均勢。現德俄兩國均已不能危害遠東之和平，且本會召集之目的，即在促成列強在遠東之合作，是各國現時已無再繼續維持遠東均勢之必要，是以中國代表深信各國放棄租借地之時機已至。此種租借地既有害於中國領土與行政之完整，並妨礙中國之國防，復有牽連中國加入列強彼此間衝突之危機，且各國常利用此種租借地，以擴充其在附近廣大地帶之經濟優越權利，因而妨礙各國在華商務與實業機會均等之原則。為中國與各國之利益及遠東之和平起見，中國代表團要求各國早日放棄此種租借地。在各國尚未放棄以前，此種租借地應作為非軍事區域；中國希望各國不以此種租借地作為軍事之用，中國政府自願，於各國放棄此種租借地以後，尊重並保障各國在此種土地內合法之既得權利。

中國代表提出此項建議後，法國代表聲明，法國願將廣州灣交還中國。日本代表聲明，日本願將膠州灣交還中國，但聲明旅順大連兩地，現時無意交還中國。英國聲明願將威海衞交還中國；但聲明九龍租借

地目的，是在謀香港之安全，應分別辦理。（註五）

六、撤銷廿一條與交還山東案

撤銷廿一條問題，由日本幣原代表聲明撤回「容日後再議」之第五號要求，本問題未獲提出大會討論。山東交還問題，由於英美之調停，中國與日本在會外直接交涉解決。

第四節　海軍縮減比例與四國協定

華盛頓會議結果，除簽定九國公約，保證中國門戶開放政策外，尚有三大結果。（1）在會外解決中日山東問題懸案。（2）海軍限制條約，決定美英日法意五國海軍縮減的比例，為五、五、三、一、七五，一、七五。即英美海軍平等，並列為五，日本為三，法意海軍平等，並列為一、七五。（3）四國太平洋協定代替英日同盟條約。一九一一年英日同盟條約第三次續訂時，英國鑒於日俄戰爭後，日美兩國國交漸趨惡化，為避免美國之反感，規定此項條約不適用於美國。日英第三次同盟條約有效期限原為十年，以一九二〇年七月十二日滿期。日本對此項條約，不願廢止，於期滿之年，日本皇儲昭和親為倫敦之訪問，表示極濃厚之情誼，英日同盟有效期限遂延長一年。但英領加拿大、澳洲、紐西蘭，均強列要求廢止，且自二十一條問題發生，英日利益發生衝突。故在華盛頓會議期間，主張成立英美日太平洋協定，以代替英日同盟。後因法國要求加入，遂於一九二一年十二月十三日成立太平洋四國協定，條文計四條。四國協定原文如次：

第一條　締約國互約尊重各在太平洋所有島嶼屬地及領土之權利。設締約國間有關太平洋任何問題發生爭議，涉及前項利益，外交上不能圓滿解決，致影響締約國間目前之親睦者，則應邀請締約諸國舉行聯席會議，將問題提出討論，期友好的解決。

第二條　若前記之權益，爲第三國侵略行爲感受威脅時，則締約國應即互相通知，俾取得共同諒解，或聯合行動，或單獨爲有效之處置，以應付此緊急局面。

第三條　本條約有效期間定爲十年，滿期後仍繼續有效；但締約國任何一方，得在一年以前通告廢止之。

第四條　本條約按照締約國憲法批准，自批准交到華盛頓之即日起，發生效力。其一九一一年七月十三日英日同盟協約，即從是終止。（註六）

第五節　會外解決山東懸案問題

關於山東問題，自中國拒簽對德國和約後，日本甚願與中國直接交涉，解決全部爭執，但中國因日本欲以一九一五年與一九一八年之條約及換文，及凡爾賽和約爲討論之基礎，拒絕與日本直接交涉。中國代表在華盛頓會議中提出山東問題，但日本反對在會議中討論。後由美國首席代表許士（C. E. Hughe）英國首席代表白爾福（A. Balfour）向中日兩國代表建議，願出任調停，由中日兩國代表在會外作友誼之談判，以解決山東問題；中日兩國代表均接受英美之建議，在會外進行山東問題之談判。

中日兩國代表談判時，英美代表均會列席，從一九二一年十二月一日起，至一九二二年一月卅一日止，共舉行會議三十六次。二月四日中日代表簽定一解決山東懸案條約及其附約，並會由華盛頓會議主席向大會報告，由中國收回膠州德國舊租借地。「解決山東懸案條約」計分十一節二十八條，原文要點如次：

一、日本應將膠州德國舊租借地歸還中國。（第一條）

二、中日兩國政府關於移交膠州德國舊租借地之行政權，及地域之公產，並解決其他應行清理事項，各任命委員三人，共同組織一聯合委員會，以商訂執行詳細辦法之權。該聯合委員會應於本約實施時，卽行召集。（第二條）

三、移交膠州德國舊租借地之行政權及該地域之公產，並解決其他事項，應從速辦理完竣，無論如何至遲不得逾本約實施後六個月。（第三條）

四、日本政府擔任將膠州德國舊租借地內所有公產，移交中國政府。但（1）為日本官廳所購置建造者，及前屬德國官廳所有，經日本增修者，中國政府應按照日本政府所用之實費，給還正當並公平之成數。（2）德國舊租借地之公產中，有為設立青島日本領事舘所必需者，歸日本政府保留；其為日本居留公民團體公益所需，如學校寺院墓地等，仍歸該團體執管。（第四、五、六條）

五、日本軍隊包括憲兵在內，現駐沿青島濟南鐵路及其支線者，應於中國派有警隊或軍隊接防鐵路時，立卽撤退。（第九條）

六、本條約實施時，青島海關應卽完全為中國海關之一部分。（第十二條）

七、日本應將青島濟南鐵路及其支線，並一切附屬產業，包括碼頭貨棧及他項同等產業等項，移交中國

。中國擔任照上述鐵路產業之現値，實價償還日本。（第十四、十五條）

八、關於靑島濟南鐵路二延長線之讓與權，卽濟順線高徐線，應令開放於國際財團，共同動作，由中國政府自行與該團協商條件。（第廿一條）

九、淄川、坊子、金嶺鎭各礦山，前由中國以開採權許與德國者，應移歸按照中國政府特許狀所組織之公司接辦。日本人民在該公司之股本，不得超過中國股本之數。（第二十二條）

十、日本政府聲明並無在膠州德國舊租借地設立日本專管租界或公共租界之意。中國政府亦聲明將膠州德國舊租借地全部開爲商埠，准外人在該區域內自由居住，並經營工商及其他合法事業。（第二十三條）

十一、因鑒爲中國政府專利事業，議定凡沿膠州灣海岸鹽場，確爲日本人民或日本公司在經營之利益，統由中國政府公平購回；並照相當條件，以該沿岸產鹽之若干量數，准予販往日本。（第二十五條）

十二、日本政府聲明關於靑島烟台間及靑島上海間，前德國海底電線之權利名義特權，均歸於中國。惟該兩線之一部分，爲日本政府用以安設靑島佐世保間之海線者，不在此例。（第廿六條）

十三、日本政府擔任將濟南及靑島之日本無線電台於該兩處日本軍隊撤退時，分別移交中國政府，而給以該項電台之相當償價。（第二十七條）

十四、本約連同附約在內，應由兩國批准，其批准文件，應從速在北京互換，至遲不得逾簽字日四個月。（第二十八條）

華盛頓會議終了後，中國政府於民國十一年（一九二二）三月三日特派王正廷督辦魯案善後事宜，組織公署，專辦華盛頓簽字條約所訂與日本之交涉。六月二日中日正式換約後，改派王正廷爲魯案中日聯合委員會委員長，並派唐在章勞之常爲委員，以與日本委員小幡西吉、出淵勝次，秋山雅之介等，協議關於青島行政及鐵路接收之條件。

中日會商結果，山東懸案細目協定二十八條，附約十項，於民國十一年十二月一日簽字，十日由中國接收膠州德國舊租借地。山東懸案鐵路細目十八條，附件七項，於十二月五日簽字，民國十二年一月一日接收膠濟鐵路及其支線。鐵路償價爲日金四千萬元，以國庫券照價交付，年息六厘。其餘未了各事，於三月廿九日在青島簽字接收。久懸未決之山東懸案。至此始得大體解決。（註七）

第六節　金佛郎案

華盛頓會議所訂九國公約，及九國間關於中國關稅之條約，直至民國十四年（一九二五）七月各國才完全批准，於八月五日在華盛頓舉行交存手續。查華盛頓會議閉幕至各國完全批准期間，時間經過三年半之久。其所以遲延的原因有二：（1）九國公約第九條規定：「本條約經各締約國依各該國憲法上之手續批准後，從速將批准文件交存華盛頓，並自交到華盛頓之日起，發生效力。」條約要經各國照憲法規定手續批准，自然要經過相當時間。（2）法國於民國十一年要求中國償付法國部分之庚子賠款，變更歷來之電滙還款辦法，而照金佛郎計算。因是時紙佛郎跌價，中國不願以金佛郎償還，堅持原來償付辦法，法國逯延遲九國公約之批准，逼迫中國允諾其無理要求。這在民國十一年至十四年間，中國熱烈反對之金佛郎案，爲法國遲延批准九國公約的唯一原因。

一、金佛郎案的來源

庚子賠款四百五十兆兩，法國佔百分之十五強，辛丑條約的第六款，載明交付賠款之方法，將海關銀兩市價易爲金款，規定海關銀一兩，卽法國三佛郎七五。此條約訂定後，庚子賠款已改爲金額款，一九〇一年卽如是照付。但一九〇二年以後，銀價日跌，每一海關兩照市價不能折合約定之各該國幣數目；如日後銀價有跌無漲，將來三十九年間應還數目，必超過四百五十兆兩，我國所受損失甚鉅。滿清政府向各國提出異議，主張照各國應得之海關兩數價目償還，卽算已履行債務。但各國以爲此項賠償既已核算爲各該國國幣，中國卽應照換償之各該國國幣總數償付，方符條約規定。雙方相持至一九〇五年七月二日，始議定辦法，卽所謂一九〇五年換文。中國償付各國賠款，『或按倫敦市價，用銀付還，或以金銀期票，或以電滙票，均聽各國所願』。同年同月同日簽字各國，分別選擇約定付款辦法之，照復我國政府，比、法、荷、意、英、美六國均選定按照各國國幣用電滙法付款。

自一九〇五年七月實行換文後，我國歷年償付各國賠款，均按付款日期，將海關兩折合各該國國幣，電滙各國指定收受之銀行。一九一七年十一月各國因我國對德宣戰，允暫緩付賠款五年，至民國十年（一九二一年）期滿。

第一次歐戰結束後，法國紙佛郎大跌。民國十一年我國開始償還法國部份賠款，若照一九〇五年換文辦法，法國收入自然減少。民國十年華盛頓會議時，法國代表白里安（Briand）向我國代表表示退還庚子賠款，即以之作爲整理中法實業銀行（法人所辦，歐戰開始後倒閉）之借款基金，並以其中一部分撥作中國教育經費。十二月十六日駐北京法國公使傅樂猷即提出節略，而法國國會亦於民國十一年一月通過如此之決議。因法國深知中國不易承認改用金佛郎還賠款，亦深知中國財閥因私人存款關係，切盼中法實業銀行之復業；遂利用此點，以恢復中法實業銀行爲號召，令中國一般閥供奔走，且使之爲承認金佛郎案之內應。

民國十一年六月二十二日法國公使忽照會外交部，謂『嗣後法國部分庚子賠款……逕以金元計算較爲簡便。』此爲法國暗伏改用金佛郎之主張，若中國承認用金元，則金佛郎亦必須承認。當時我國人士均未注意，即身當其衝之外長顏惠慶亦未注意及此。七月九日中法兩國議定中法實業銀行復業協定，規定退還庚子賠款之用途。該協定中所用佛郎名詞，均改爲金佛郎。七月十三日法國公使又照會我外交部，撤回用金元計算辦法，要求直接用金佛郎。中國政府此時如夢中初醒，始知法國之用意，加以注意。

二、中法金佛郎案之交涉

中法實業銀行協定成立之後，法國公使教唆同以佛郎收受賠款之比利時意大利西班牙三國公使，同向我國要求以金佛郎計算。法、比、意、西四國公使相逼而來，適值我國政變，徐世昌去職，黎元洪復任大總統，王正廷任外交總長。王氏不明中法銀行復業內幕，同時深知法國等的要求無理，於十一年十二月二十八日駁復四國公使，大致謂辛丑條約第六款，所稱賠款係用金付給等字樣，只有一種意義即指金幣而言，用以區別賠款總數之銀幣，斷非指硬金之意。四國公使旋復外部：謂中國政府解釋辛丑條約，與四國政府所見不同，已據情轉答與辛丑條約有關係之各國駐華公使團等語。法國此時想聯合各國共同壓迫我國。因北京政府時代之外交團，已成壓迫中國政府之無上階級，凡經外交團一致決議，共同對付中國之案，中國政府每多屈服。注國公使又恫嚇外交部：中國政府若不承認金佛郎付款，則法國國會不能通過中法銀行復業協定，將來中國賠款仍用金，而銀行復業無效，請加注意。

法使向外交部壓迫時，中國內閣改組，張紹曾任內閣總理，黃郛任外交總長。十二年二月七日法使訪問我外財兩部，詞語甚為嚴厲，並限定至遲須以二月十日以前，將照會送到。黃郛八日就職，九日國務會議議決承認以金佛郎計算法國部分賠款，十日黃郛即照會法使正式承認。查承認照金佛郎付款，第一是破壞了一九〇五年之付款換文，第二是中國損失海關銀兩六千二百餘萬兩。因以民國十一年八九月間佛郎市價計算，每一海關兩值法國滙兌十四佛郎，若買硬金，只值四金佛郎。以當時金紙佛郎差額價計算，民國十一年以後所付法國賠款總數，中國將多付海關銀兩六千二百餘萬兩。若比、意、西、三國賠款皆以金佛郎計算，則中國損失更大。

黃郛照會法使承認金佛郎案後，國內輿論譁然，國會議員有通電反對者，有提出質問者。法國公使亦知此事之緊急，乃於二月十三日照會外部，請即令知稅務處，以後法國部分庚子賠款，照金佛郎計算支付。比、西、意三國公使，以法國賠款部分既承認用金，各該國亦應照例辦理，以示公允。二月二十七日英、法、美、意、日、比、荷、西八國公使，又聯名照會外交部，要求各國庚子賠款一律用金。

三月九日國會議員何彥楷等提案，請政府速向法使聲明，在未得國會同意之前，二月十日外部照會不生效力。張內閣在外逼迫之下，於四月四日將全案咨送議院。嗣因六月政變，黎元洪下野，國會未能成會。十月三日衆議院會議提出金佛郎案討論，全體一致否決，卽日將案送達政府。十二月二十六日外交部根據國會決議，駁復八國二月二十七日照會。八國公使接到駁復後，迭經會議，並電各本國政府請示，最後決定駁復我國，於十三年二月十一日將照會送達外交部。

三、法國與各國對中國之壓迫

法國爲壓迫中國屈服計，一面催促八國駁復我國，一面商請辛丑條約的關係各國，於庚子賠款未能按照硬金計算交付以前，凡法、比、意、西、四國之賠款，自民國十一年十二月一日起，由海關總稅務司方面，按照金佛郎硬金價值，在中國之關餘鹽餘（註八）項下，盡數扣留。在此案未經四國滿意解決以前，不准中國政府提用。因我國關稅鹽稅兩項，均在外人管理之下，而各國袒護法國，故將四國照硬金計算之賠款，在關餘鹽餘項下盡數扣留。又華盛頓會議關於中國關稅條約規定，自各國批准後三個月，由中國召集關稅會議，以便中國增加關稅，法國亦遲不批准，以向中國要挾。

四、段祺瑞政府承認金佛郎案

民國十三年十一月北京政變，曹錕下野，段祺瑞爲臨時執政，以財政困難之故，垂涎於四國扣留之關餘鹽餘，約一千五六百萬元；急謀求承認金佛郎案，以便提用該款。當時外長沈瑞麟與法國公使磋商，一面承認賠款還付照硬金計算，以遂法國之要求；一面由條文上表明按照一九〇五年採取電滙方法辦理，藉口爲法國讓步。民國十四年四月十二日外長沈瑞麟與法國公使交換照會，即解決金佛郎案之中法協定。此項協定之交換，在孫中山先生逝世一月之後。由此一案，可知孫中山不能與段祺瑞合作的原因，亦可知帝國主義者對中國的無理壓迫。（註九）

五、國民黨反對金佛郎案

金佛郎案係法國無理的要求，中國所受損失甚鉅。從全國輿論以至國民黨均反對金佛郎案。中國國民黨於十三年七月三十日曾發表對于金佛郎案宣言，表示反對態度。民國十四年臨時執政段祺瑞與法國公使磋商解決辦法，國民黨又於二月十六日發表第二次對於金佛郎宣言，重申反對主張。茲將十三年七月發表宣言節錄於後，以見當時社會人士反對金佛郎的理由。

「近據報載，北京政府與法國政府，將根據去歲協定，以解決金佛郎案。查此案喧傳日久，已成國民注意之問題，其中是非利害，所關甚鉅，列舉如下：

一、自法理上觀察：辛丑和約有「用金償付」之規定，並有「金債」字樣，爲法國要求付金佛郎之理由。然一九〇五年之換文，法國政府已經自己擇定，以滙兌時價付款；歷來行之未改，久成慣例。何至今日乃要求付金佛郎，此在法國政府方面，已無理由足據。且法國政府，既於國內發佈明令，禁止本國通貨，有金紙之差別。是法國法律上，已明明承認法國通貨幣金紙同等。今於我賠款，則必欲索取現金，而拒絕收用其本國通行之紙幣，其於事理，尤不可通。

二、自財政上觀察：賠款改付金佛郎，國民之損失若干，未可預計。蓋將來佛郎價格，誠不必絕無高漲之事。然若照目前滙價，則金紙之差，已至四倍，未識以何理由，而使國民增加如許之負擔。

三、自政治上觀察：數年以來，北京偽政府倒行逆施，蠹國自肥，罪狀纍纍，指不勝屈。金佛郎案適予以斂財之機會，其結果徒以延長戰禍，重苦吾民，此尤應絕對反對者。……論者或有以為協定解決，於關稅問題有密切之關係；殊不知金佛郎案，雖如法國政府意以解決；關稅問題，未必卽蒙影響。卽令關稅會議因此開會，關稅附加稅因此增加，而關稅本問題，為梗如故，於國民經濟無所裨益，徒使北京偽政府攫錢益多、為惡益肆，此所謂藉寇兵齎盜糧者也。

根據以上理由，本黨主張從根本上反對金佛郎案。……（註十）

第七節　關稅特別會議和調查法權委員會

金佛郎案照法國意見解決，民國十四年七月法國才批准九國公約。各國於八月五日在華盛頓舉行交存手續：依照該約規定，卽日發生效力。我國遂根據華盛頓會議議決案，召集關稅會議。八月十八日北京政府外交部照會美、英、法、日、意、比、荷、葡八國駐京公使，九月十五日照會丹麥西班牙瑞典駐京公使九月廿三日照會那威駐京公使，並聲明關稅特別會議擬定於一九二五年十月廿六日在北京開會。各國先後復文允諾參加會議，並各將委員銜名先後開送外交部，關稅特別會議遂如期在北京居仁堂開會。

一、我國關稅自主的提議

我國代表提出關稅自主原文如下：

一九一九年巴黎和會中國代表團會提出關稅自主問題，惟當時認為不屬於和會範圍，未加討論。迨一九二二年華府會議在遠東委員會第五次會議，中國代表以中國現在之協定關稅，妨礙中國主權，違背國際間均等及互惠主義，重為關稅自主及過渡辦法之提議。該委員會對於是項問題，雖經詳加討論，惜未能充分容納，中國政府至今引為遺憾，不得已而訂立一九二二年二月六日之關稅協定。故事前中國代表於一九二二年一月五日在遠東委員會第十七次會議席上，會宣言關稅自主問題，於將來適當機會時再行提出討論：同時並訂立九國公約，其第一條第一項即首先聲明尊重中國之主權與獨立，暨領土與行政之完整。茲中國政府重視各國尊重中國之主權與獨立之誠意，際此關稅特別會議討論關稅問題之時期，中國政府認為一九二二年一月五日宣言所稱之適當機會已至。故特根據九國協約尊重中國主權完整之精神，並為增進各友邦之睦誼起見，提出祓除關於稅則現行條約上之各種障礙，推行中國國定關稅定率條例。實行關稅自主之辦法如下：

（1）與議各國向中國政府正式聲明尊重關稅自主，並承認解除現行條約中關於關稅之一切束縛。

（2）中國政府允將裁廢厘金與國定關稅定率條例同時實行，但至遲不過民國十八年（一九二九年）一月一日。

（3）在未實行國定關稅定率條例以前，中國海關稅則照現行之值百抽五外，普通品加徵值百抽五之臨時附加稅，甲種奢侈品（即煙酒）加徵值百抽三十之臨時附加稅，乙種奢侈品加徵值百抽二十之臨時附加稅。

（4）前項臨時附加稅應自條約簽字之日起，三個月後，即行開始徵收。

（5）關於前四項問題，應於條約簽字之日起，立卽發生效力。

我國提案中有附件二，一爲關稅定率條例，一爲菸酒進口稅條例，此兩項條例，係民國十四年十月廿四日公布，公布期間距離開會僅有二日。關稅定率條例全文共十七條，第二條說：『進口稅除煙酒及與國家專賣品同類另行規定外，其稅率最高爲值百抽四十，最低爲值百抽七·五，稅率表另定之』菸酒進口稅條例僅四條，第二條說：『煙酒進口稅率定爲值百抽五十至八十』。我國雖提議關稅自主，但所提的定率條例仍係遷就事實。

二、各國承認中國關稅自主原則

自民國十三年一月中國國民黨第一次全國代表大會以後，國民黨卽以廢除不平等條約，號召全國。民國十四年五卅運動以後，廢除不平等條約的運動，更爲熱烈。在關稅特別會議開幕之日，北京學生舉行關稅自主示威運動，在居仁堂門前與軍警發生衝突。各國代表鑒於中國民氣之不可侮，十一月十九日關稅特別會議第二委員會開會，議決承認中國關稅自主案，原文如次：『本會議各國代表議決，採用下列所擬關於關稅自主一條，以便連同以後協定其他各項事件，加入本會議所簽訂之約。各締約國（中國在外）玆承認中國享有關稅自主之權利，允許解除各該國與中國現行各項條約中所包含之關稅束縛，並允許中國國定關稅定率條例於一九二九年一月一日發生效力』。同時中國代表並有下列之宣言：『中華民國政府聲明裁撤厘金與中國關稅定率條例同時施行；並聲明於民國十八年一月一日，須將裁厘切實辦竣』。

三、關稅特別會議無形停頓

民國十五年春，國民軍（馮玉祥）與奉軍（張作霖）在北京附近發生戰爭，中國出席關稅會議代表王正廷等相繼離京，會議因之無形停頓。各國代表藉詞中國內亂，未有負責政府之前，不能繼續會議；因於七月三日發表停止會議之宣言如次：『出席關稅會議之各國代表，今早在荷蘭使館開會議決，一致眞摯希望俟中國代表能正式出席與外國代表復行討論時，當立卽繼續會議，特此宣言。』

上項宣言，雖不能拒絕關稅會議重開，實含有拖延之意。北京政府因於七月十四日特派蔡廷幹顧維鈞顏惠慶等爲關稅會議全權委員，期與各國代表繼續開會。惟是時已屆暑期，各國代表皆託詞避暑，且有回返其本國者，因此關稅會議並無具體結果，無形停頓。

民國十六年七月十七日南京國民政府發出布告，定於同年九月一日裁撤厘金，同時宣告關稅自主，先就浙江、江蘇、安徽、福建、廣東、廣西、六省境內實行。日本政府對於此舉，極力反對。嗣因南京政局發生變化，蔣中正先生下野，實行關稅自主之期，又行展緩。（註十一）

四、調查法權委員會毫無結果

一九二一年華盛頓會議開會時，我國要求撤廢各國在華之領事裁判權，大會於十二月十日通過決議案，允於大會閉會後三個月內，組織調查委員會從事調查。但各國意存拖延，事隔三年，仍未舉辦。民國十四年五卅慘案發生後，取消不平等條約運動，充滿全國；北京政府於十四年六月廿四日照會駐京英、美、法、日、意、比、荷、葡、八國公使，要求取消領事裁判權。八國於九月四日答復我國，允派調查法權委員來華，從事調查。北京政府十月廿日特派王寵惠爲我國調查法權委員會全權代表，籌備一切事宜。各國委員於十二月十八日以前先後來華。民國十五年一月十二日在北京居仁堂正式開會。

開會時司法總長馬君武致祝詞說：

「本總長今日代表中華民國政府，歡迎各國調查法權委員，至爲欣幸。在此歡迎聲中，中國人民同時感謝貴各國政府之誠意，使領事裁判權由此可望早日廢除，而成爲歷史上之陳跡也。現世界獨立大國，其猶有領事裁判權之特殊制度者，惟中國耳。此特殊之情形，中外人民均蒙不便，故各方面之意嚮，皆以爲亟應改弦而更張。至主張廢除之理由，前我國代表在巴黎和會及華盛頓會議，早有正式之宣言，無俟贅述。中國政府夙以廢除領事裁判權爲確定之政策，對於司法事務，次第改良，未嘗稍懈。二十年來編訂法律，採用泰西學理，繼續進行。其已公布之法典，已有數種，編纂事業，行將完竣。至法院之編制，力求完美，法官之任命，則以有經驗之法學者爲之。國中多處監獄皆採新式。凡我國改良司法之誠意，事實具在，必能邀貴委員之亮察者也。貴委員會將來之報告及提案，本國總長未便預爲臆測。惟有一顯著之事，足令吾人注意者，即領事裁判權已成爲不合時宜之制度；而我國人民順應國際之新精神，必能努力以達其正當之目的，殆無疑也。謹祝貴委員會之成功，使中外人民之諒解，益加進步，國際間之有誼，更增鞏固。」

日本委員日置益代表答詞說：

「本委員會代表到會各委員答復馬總長之祝詞，至爲榮幸，本會職務甚爲重大，各國委員之以今日開會爲欣幸，猶貴總長之以爲欣幸也。各國委員應召而來會，係根據一九二二年之華盛頓會議議決案。各國政府對於在華領事裁判權問題，至為關切，已有年矣。各國委員以領事裁判權之初入中國，本為便利中外關係之暫時辦法。故領事裁判權發生之原因消滅時，領事裁判權當然卽行廢止。委員等頃聞貴國二十年來司法制度之改良，以為凡中國之進步，皆各國之所樂聞者也。中國人民熱心主張廢除領事裁判權，委員等甚為諒解。極望此次之調查，能使各國委員得表示如何可以從速達到此重要之目的。各委員集合於此，皆抱共同之志願；蓋以最善之意及友誼，公平協助之精神，進行會務。各委員賴中國政府盡力之襄助，予以調查之資料，及其他之便利，必能製成公平及具體辦法之報告，此委員等所深信不疑者也。」

調查委員會開會後，卽分赴京外各處實地調查。至十五年六月二十二日，調查完畢，復開會於居仁堂。七月一日各國委員起草報告者，共分三項：（1）關於中國法典之報告。（2）調查各省司法之報告。（3）對於領事裁判權之意見。九月十六日各國委員開末次會議於居仁堂，調查報告經最後修正，計分四章：（1）中華民國領事裁判權之現狀。（2）中華民國法律制度之現狀。（3）中華民國司法制度之現狀。（4）各國對於司法制度之勸告。由各國委員全體簽字，我國委員王寵惠提出撤消領事裁判權之意見書，各國委員表示贊同；惟各國委員對於撤消領事裁判權之實行，以為須待軍閥干涉司法之種種越軌行動消滅，法庭完全獨立後方可進行。而文件之正式公布，則須待各國委員將報告書帶回協議決定以後。各國還是用拖延政策，阻礙撤消領事裁判權的實行。（註十二）

（註一） 李執中：日本外交第九章一八九—一九七

（註二） 同註一。

（註三）中外條約彙編：國際條約。

（註四）一九〇二年九月五日中英續議通商行船條約第八款規定，中國於裁厘後，可增加關稅稅率，但不得超過百分之十二點五。

（註五）張忠紱前書第九章三七一—四〇八頁。

（註六）李執中前書第十二章二六二—二六三頁。

（註七）中外條約彙編：中日條約。

（註八）庚子賠款係由關稅鹽稅收入項下支付，繳納賠款後關稅剩餘之款，稱爲關餘，鹽稅剩餘之款，稱爲鹽餘。

（註九）參閱：1.束世徵：中法外交史第六章第三節。2.外交大辭典：金佛郎案。

（註十）見中國國民黨宣言彙刊。

（註十一）陳博文中日外交史第四章一二九—一四一頁。

（註十二）陳博文前書第四章一四二—一四五頁。